suhrkamp taschenbuch 2003

Martin Walser hat seit den Anfängen der Bundesrepublik auf deren Entwicklung schreibend reagiert. Darüber eingehend Aufschluß zu geben, hat sich der neue Materialienband über Martin Walser zum Ziel gesetzt. Ob nun über Walsers frühe Prosa, über seine ersten Erfolge *(Ehen in Philippsburg, Halbzeit)*, über die Fortsetzung und Beendigung der Kristlein-Trilogie, über seine politischen Neorientierungsversuche oder über die jüngsten Arbeiten *Ein fliehendes Pferd, Seelenarbeit* und *Das Schwanenhaus* gesprochen wird –, bei allen literarischen Detailfragen steht Martin Walser als ein Autor von Gesellschaftsromanen, von politischen und sozialen Dramen im Vordergrund der hier vorgelegten Untersuchungen. Eingeleitet wird dieser Band mit einem literarischen Porträt – Hermann Bausinger hat es aus Anlaß der Verleihung des Schiller-Preises geschrieben – und zwei Interviews. Im Zentrum des Bandes stehen dann Untersuchungen zum Prosawerk sowie exemplarische Studien zur Rezeption von Walsers Dramen und der Romane. Abgeschlossen wird der Band mit einer ausführlichen Dokumentation: mit Faksimiles fast aller Romananfänge in Manuskriptform, die Einblick gewähren in Walsers poetische Werkstatt, einem Nachruf auf Anselm Kristlein, ausführlicher, thematisch geordneter Bibliographie und einer Vita.

Martin Walser

Herausgegeben von Klaus Siblewski

suhrkamp taschenbuch materialien

Suhrkamp

Umschlagfoto: Herlinde Koelbl

PT
2685
A 48
Z 75

suhrkamp taschenbuch 2003
Erste Auflage 1981
© dieser Zusammenstellung Suhrkamp Verlag
Frankfurt am Main 1981
Suhrkamp Taschenbuch Verlag
Satz: Janss, Pfungstadt
Druck: Nomos Verlagsgesellschaft, Baden-Baden
Printed in Germany
Umschlag nach Entwürfen von
Willy Fleckhaus und Rolf Staudt

Inhalt

Vorbemerkung

»Ich sehe eigentlich für jeden Satz meines Romanes den Anlaß in der Wirklichkeit. Es ist aber nicht nur die Beschreibung des Passierten, sondern eine Reaktion darauf. Dieses Gefühl habe ich beim Schreiben: daß ich mit jedem Satz der Wirklichkeit antworte . . .« Mit dieser Selbstaussage geht Martin Walser auf seinen Roman *Das Schwanenhaus* ein, sie trifft aber ebenso auf alle seine bisher erschienenen epischen und dramatischen Arbeiten zu. Martin Walser schreibt sicherlich nicht aus Überdruß, ihn beschäftigt die konkrete, täglich sich wiederholende Erfahrung, nicht in der besten aller möglichen Welten zu leben. Doch er bleibt nicht dabei stehen, sich seine individuellen Erfahrungen vorzurechnen, die weit verbreitete Lust an der Verzweiflung leistet er sich nicht. Für ihn ist der Umgang mit Sprache mehr: er meint mit seinen Romanen und Dramen nicht nur sich, er spricht im gleichen Moment auch von anderem, von dem Zustand seiner Umgebung, von Lebensverhältnissen, die viele in ihrer Würde verletzen. Dieser Blick gewissermaßen durch sich hindurch und über sich hinaus macht ihn seit seinen Anfängen zu einem kritischen Beobachter der Bundesrepublik, ihrer sozialen und politischen Entwicklung, zu jemandem, der sich mit ihrer Geschichte auseinandersetzt, der dem gewohnten und eingespielten Einverständnis in das, was besteht, widerspricht und der seit seinen Anfängen für die Vorstellung eintritt, daß es auch anders sein könnte, als es ist.

Davon soll im folgenden die Rede sein. In Aufsätzen, die eigens für diesen Band geschrieben wurden, und in Beiträgen, die bislang nur verstreut publiziert waren, wird über Martin Walsers schriftstellerische Entwicklung wie über die widersprüchliche und Widerspruch herausfordernde Aufnahme seines Werkes bei der literarischen Kritik aus den unterschiedlichsten Blickwinkeln Auskunft gegeben. Aber auch der, über den hier gesprochen wird, kommt zu Wort: In Interviews erläutert Walser unmittelbar seine Arbeitsmethoden und die Ziele, die er schreibend verfolgt. Indirekt wird das ebenfalls an den beigefügten Romananfängen und an dem kurzen Prosastück *Abschied von Anselm Kristlein* deutlich. Insgesamt Schwerpunkte zu setzen und auszuwählen, ließ sich dabei nicht vermeiden.

Zu danken habe ich allen Autoren dieses Bandes und vor allem
Martin Walser für seine Hilfsbereitschaft.

Frankfurt/Main, Juni 1981   K. S.

I.

Hermann Bausinger
Realist Martin Walser

Laudatio anläßlich der Verleihung
des Schiller-Preises am 10. November 1980

»Wer sich schreibend verändert, ist ein Schriftsteller.«[1] Akzeptiert man diese Definition Martin Walsers, so gerät auch die Würdigung des Schriftstellers in Bewegung: es scheint nicht angebracht, ein Gerüst aus vermeintlichen Konstanten zu zimmern; der Laudator ist vielmehr verwiesen auf die verwirrende Vielfalt und innere Unruhe des Werks: Die *Schüchternen Beschreibungen* des gerade 20jährigen, der Erzählungsband *Ein Flugzeug über dem Haus*, der bitter-ironische Stuttgarter Gesellschaftsroman *Ehen in Philippsburg*, die rhapsodische, alle Grenzen auflösende *Halbzeit*, der mit dem *Einhorn* und dem *Sturz* weitere Bände der Anselm-Kristlein-Trilogie folgten; die zeitkritischen, gegen die Vergeßlichkeit anrennenden Stücke *Eiche und Angora*, *Abstecher*, *Der schwarze Schwan*, *Überlebensgroß Herr Krott*; das aggressive Kammertheater von *Zimmerschlacht* und *Kinderspiel*; das *Sauspiel*, ein »Zeitstück [...] aus dem Material der Geschichte«[2]; aber dann auch wieder Erzählungen und Romane: die fantastisch-gegenwärtigen *Lügengeschichten*; die von Martin Walser ausgewählten und kommentierten Dokumentarberichte; die experimentierenden Erzähl- und Sprachspiele von *Fiction* und *Aus dem Wortschatz unserer Kämpfe*; die tastend gezeichnete Krankheitsgeschichte Gallistl's; die herbe Zurücknahme des Fabulierens in *Jenseits der Liebe*; die Wendung zur gerundeten Novelle *(Ein fliehendes Pferd)* und zum geformteren Roman (*Seelenarbeit* und *Schwanenhaus*) – und all das begleitet von Reflexionen, von einer politisch wachen, literarisch differenzierten, geradezu erschlagend sprachmächtigen Essay-Prosa – – –

Wer auch nur einen Teil dieser Reisen durch innere und äußere Landschaften mitgemacht hat, der weiß, daß ein simpler Generalnenner hier nur durch verfälschende Ausblendungen zu erreichen wäre. Auf der anderen Seite vermitteln solche Lexikonaufzählungen und rasche Einzeletikettierungen zwar einen Eindruck von

Fülle und rufen Erinnerungen ab; aber niemand wird behaupten, daß sie den Film einer dichterischen Existenz zu reproduzieren vermögen. Vielleicht ist es für den Festredner nicht das Schlechteste, sich auf den Gestus des Fotografen zurückzuziehen, dessen ›Bitte recht freundlich‹ Dauer und Gültigkeit beschwört, der aber eben doch nur Ausschnitte erfaßt, der – ohne falsche Retuschen – Vielfalt reduziert auf wenige Perspektiven, die ihm wichtig sind.

Diese Reduktion ginge freilich unschuldiger vonstatten, gäbe es nicht das Geflecht der Kritiken, die heutzutage wie nachträgliche Verpuppungen die Werke umgeben. Sie gehören nicht unmittelbar zur Sache – aber sind wir ehrlich: sie sind die Instanz, die der Leser schöner Literatur heute im allgemeinen passiert, noch bevor er sich einem Werk zuwendet. Wenn er die Zeit hat, mehrere Feuilletons zu hören und zu lesen, dann könnte es sein, daß die Unschuld wiederhergestellt wird: oft heben sich bei Walser, einem unumstritten umstrittenen Autor, die Wertungen auf. Gerade in den letzten Jahren gab es keine Niederschrift von ihm, die nicht die einen als meisterlich einstuften und die anderen als bloßes Nebenwerk beiseite schoben. Aber neben dieser ausgleichenden Bilanz gibt es auch eine Tendenz, eine absteigende Linie zu zeichnen – mit gelegentlichen Haltepunkten, versteht sich, die es dem Rezensenten erlauben, Hoffnung keimen zu lassen, aber eben Hoffnung nur: der Schwung der Redseligkeit (früher oft genug als undisziplinierte Geschwätzigkeit denunziert) sei Walser abhanden gekommen, sein Sprachgestus sei wie seine Gestalten aufs Durchschnittliche zurückgeschraubt.

»Volle blühende Sprache, Feuer in Ausdruck und Wortfügung, rascher Ideengang, kühne fortreißende Fantasie, einige hingeworfene, nicht ganz überdachte Ausdrücke, poetische Deklamationen, und eine Neigung, nicht gern einen glänzenden Gedanken zu unterdrücken, sondern alles zu sagen, was gesagt werden kann« – so lautet eine Kritik an dem jungen Dichter. Knapp 17 Jahre später: »ein rhetorischer Sentimentalist voll polemischer Heftigkeit, aber ohne Selbständigkeit, der lange tobte und brauste, dann sich selbst beschnitt und kultivierte, ein Knecht ward und regressierte«.

Beides sind wörtliche Zitate. Beide aber (auch vom Festredner ist ja doch Ehrlichkeit verlangt!) bezogen sich auf Friedrich Schiller – das eine stammt aus einer Rezension der *Räuber*[3], das andere sind Sätze, die Friedrich Schlegel in ein Notizheft schrieb, als Schiller sich vom Sturm und Drang abgewandt hatte.[4] Ich erwähne diese

Zitate nicht, um den Anschein eines psychologischen Entwicklungsgesetzes zu erwecken, dem Schiller so gut unterworfen war wie Walser – frei nach einer Überlegung von Walsers jüngster Romangestalt: »Der wirkliche Rassenunterschied ist doch der zwischen jung und alt.«[5] Ich setze auch nicht dazu an, nun ein ganzes Bündel von Linien von Schiller zu Walser zu ziehen und diesen so in einem Netzwerk literarischer Denkmalpflege zu fesseln. Aber ganz zufällig sind die Parallelen nicht; und vielleicht kann das Operieren mit dem historischen Hintergrund als Verfremdungstrick fungieren, der die heutige Auseinandersetzung um Martin Walser besser verstehen lehrt.

Ein Dichter ist angetreten, gegen die korrupte Welt sein Ideal einzufordern. Die Welt ändert sich nicht oder wenig. Der Dichter reagiert darauf, geht den Bedingungen nach, die dafür verantwortlich sind – weniger überfliegend, aber bohrend genau. Beides, der ideale Schwung wie die psychologisierende Einkehr, wird ihm vorgeworfen.[6]

Präziser – und, weil wohl doch nur schiefes 19. Jahrhundert herauskommt, wenn man das 18. mit dem 20. kreuzt, direkt auf Martin Walser bezogen –: teils mit Bedauern, teils auch mit Befriedigung wird festgestellt, daß er seine wuchernde Sprache zurückgeschnitten, den Sprachfluß geglättet habe. Aber auch das Verbliebene ist manchem noch zu viel, weil es im Widerspruch zu stehen scheint zu den Gestalten, die als Träger der Reflexionen und Empfindungen gezeichnet sind. Auf einen einfachen Nenner gebracht: früher präsentierte Walser seine Figuren als Figuren, als Geschöpfe seiner Imagination, da hatte er auch das Recht, sie mit allen erdenklichen Gefühlen und Gedankensprüngen auszustatten – jetzt aber, wo er vorgibt, Gestalten zu präsentieren, reale Menschen mit realen Berufen, da dürfte er deren Horizont auch nicht überspringen. Diese Forderung ist richtig; aber über sie wird unvermerkt ein neues Fallhöhengesetz in die Köpfe geschmuggelt.

In Wirklichkeit sind Walsers Auffassungen von der Perspektivität des Romans so streng wie die seiner Kritiker. Mit aller Vorsicht und Konsequenz zeichnet er die Vorstellungswelt seiner Gestalten. Der Unterschied liegt darin, daß Walser von dieser Vorstellungswelt, von den Denkmöglichkeiten und auch der sprachlichen Dichte und Fantasie seiner Gestalten höhere Begriffe hat: Chauffeur oder Handwerker, Lagerarbeiter oder Verkäuferin – das mag vielleicht Sprachbarriere heißen, nicht aber Beschränkung der Fähigkeit, differenziert und tief über die eigene Lage nachzudenken.

Fallhöhe: das hieß einmal, daß Vertreter der unteren Stände in der Dichtung nur für komische Konstellationen zugelassen waren; Tragik forderte soziale Höhen, die dann erst den deutlichen Sturz sichtbar machten. Im bürgerlichen Trauerspiel wurde dieses Prinzip – nicht zuletzt durch Schiller – ein für allemal überwunden. Aber was man bei der soziologischen Untersuchung scheinbar egalitärer Gesellschaften feststellte: daß nunmehr »unsichtbare Schranken«[7] um so wirksamer seien, das gilt möglicherweise auch für das Fallhöhenprinzip. Für die Tragik sind die unteren Schichten, die Kleinen, die Randsiedler und Outsider der Gesellschaft längst entdeckt – aber sie werden im allgemeinen in einer Weise in Szene gesetzt, die es erlaubt, sie ins Exotische abzuschieben. Walser ist hier scheinbar ziviler, in Wirklichkeit radikaler. Da ist keine Wohnküchenromantik und keine Wildwechselstummheit. Da sind Familien, in denen die Leser – ganz gleich, ob es sich um kleine Akademiker oder kleine Angestellte handelt – ihre Welt wiedererkennen: Familien mit Aufstiegstendenzen und Abstiegserfahrungen, Familien in gesichert-ungesicherten Verhältnissen, mit vagen Hoffnungen und Zukunftsängsten, die Kinder im Gymnasium, das Mobiliar freundlich und mit einem bescheidenen Hauch von Extravaganz, als Wohlstandsinventar und als ein Restbestand von Natur Haustiere dabei, die sich einfügen, die für den Leser Familienmitglieder sind, noch ehe er sie als Gattungswesen identifiziert – alles in allem Durchschnittsfamilien individueller Prägung. Und diese Durchschnittsfamilien sind nicht sprachlos, sondern kommentieren ihre Jagden nach kleinen Positionsverbesserungen, werden ständig vorgeführt beim Versuch, sich zurecht zu finden, in differenzierten Vorstellungen, in lebhaften Bildern, in oft raffinierten Überlegungen. Martin Walser billigt ihnen dies zu. Er beharrt darauf, daß er diese Welt beobachtet und nicht erfunden, ja daß er noch die verwegensten Denkspiele seiner Gestalten nicht ersonnen, sondern gehört hat.

Ich nehme ihm das ab; ich glaube, daß er recht hat. Und ich meine, daß Martin Walser mit seinen letzten Büchern mehr noch als mit den früheren den Ehrentitel Realist verdient. Er scheut vor dem flachen Alltag nicht zurück und profitiert von der Genauigkeit seines Umgangs mit dem Alltäglichen. Um zu zeigen, was Alltag wirklich bedeutet, muß er allerdings mit reicheren Mitteln arbeiten, als sie der Alltagssinnlichkeit normalerweise zur Verfügung stehen. Wenn wir – enttäuscht – eine Walser-Verfilmung über uns ergehen lassen, dann wird schnell deutlich, daß er selber schon einen Film geschrieben hatte mit einer Dichte der Impressionen und einer Vielzahl von Brechungen, die sich in die vordergründige Sprache eines vordergründigen Spielfilms nicht retten lassen.

Überhaupt – Walser hat dies oft genug festgehalten: Realismus meint nicht Darstellung der Wirklichkeit, sondern Antwort auf die Wirklichkeit. Fiktion, so schreibt Martin Walser, bestreite »der Wirklichkeit ihr Recht, in unsere Erwartungen hineinzupfuschen«.[8] Also doch eine Abschirmung vor der Wirklichkeit? Nein, ein Zurechtrücken, ein Aufdecken von Möglichkeiten, die in der Wirklichkeit stecken: »Die von realistischer Anschauung zeugende Fabel läßt sich von der Wirklichkeit nichts vormachen, sie macht vielmehr der Wirklichkeit vor, wie die Wirklichkeit ist. Sie spielt mit der Wirklichkeit, bis die das Geständnis ablegt: das bin ich.«[9]

Was heißt das konkret? *Das* kann es z. B. heißen: Da ist ein Makler, der Häuser verkaufen muß, weil dies sein Beruf ist, den er sich zum Lebensunterhalt gemacht hat. Das ist nicht eine zufällige gesellschaftliche Position, sondern es geht um spezifische Beschädigungen und Möglichkeiten. Das Thema heißt Konkurrenz – und Walser bleibt bei der Sache, beim Thema. Erläuternd sprach er einmal von der »thematischen Wut«[10], mit der er neuerdings ein Problem verfolgt, disziplinierter verfolgt als in den ausschweifenden Romanen der Frühzeit. *Konkurrenz:* das scheint zunächst ein eher abstrakter Begriff, den Schemata zugehörig, mit denen kapitalistische Gesellschaftsformationen charakterisiert werden. Hier aber wird er konkret gemacht, und zwar nicht nur über die Stationen des beruflichen Wettbewerbs, sondern bis in die alltäglichen Verhaltensweisen hinein. Die Modellierung subjektiver Haltungen ist gerade deshalb so eindringlich, weil die Gestalten die Konkurrenzbedingungen nicht wehleidig attackieren, sondern sich darauf einzurichten versuchen. Natürlich steht die Trennung zwischen Tauschwert und Gebrauchswert im Hintergrund; aber der Leser erfährt dies nicht als abstraktes Prinzip, sondern in den alltäglichen Befindlichkeitsstörungen. Ein Zirkel der Überforderung prägt noch die privateste Sphäre: »Gottlieb sah plötzlich die ganze Welt vor sich; ein System, in dem jeder von einem anderen zuviel verlangt, weil von ihm ein anderer auch zuviel verlangt.«[11] Die Zahl der Verlierer – das Ringen und Feilschen um das besonders lukrative »Schwanenhaus« zeigt es – ist immer größer als die der Gewinner.

Die konsequente Durchführung des Themas ist neu, die Konstellation alt, charakteristisch für Martin Walser. Schon in seinen frühen Romangeschichten – dies ist nun eben doch eine relative Konstante – standen kleine Leute im Mittelpunkt, die versuchen, sich in einer Gesellschaft zu behaupten, die nach für sie zunächst fremden Gesetzen agiert. Den unverwechselbaren Romanhelden stellt Walser »die verwechselbaren«[12] entgegen, gegenüber der Individualität berühmter Romanfiguren besteht er auf der »Dividualität«[13] seiner Figuren. Die Herkunft der Helden verliert sich in den Niederungen serviler Existenzkämpfe – Beruf der Eltern: Kellner, Garderobefrau, ein schützendes, wegweisendes Elternhaus ist selten im Hintergrund. Der Weg nach oben fordert – das erste Kapitel des Romans *Halbzeit* ist so überschrieben – »Mimikry«, verlangt Anpassung, wobei oft genug die Anpassung zu spät kommt, so daß sie nur neuen Abstand produziert (Grübel in *Eiche und Angora* erleidet dies unter politischen Vorzeichen immer wieder).

Später hat Martin Walser diese Existenzform auf den Nenner eines gesellschaftlichen Begriffs gebracht: »Kleinbürger«.[14] Kleinbürger: das ist der größte Teil der Bevölkerung. Und doch ist es eine verachtete Spezies, keiner will dazugehören. Bis auf ein paar, die gelernt haben, ihre besondere Stellung ernst zu nehmen und zu akzeptieren, ohne sie als etwas Gottgewolltes, schlechthin Schicksalhaftes zu verewigen. Auf sie konzentriert sich Martin Walser, ihre Anstrengungen und Ausbrüche zeichnet er nach oder vor, ihr Versagen rückt er in den Mittelpunkt.

Bestimmte Szenen kehren dabei leitmotivisch wieder. Die Party zum Beispiel. Fast ist man versucht, alle einmal auf einer Superparty zu versammeln – Hans Beumann, der fast schon so tut, als gehörte er immer dazu, Anne, ältlich und noch blasser geworden; Anselm Kristlein mit der sich verändernden und doch immer gleichbleibenden Kinderschar und seinen drei Frauen (oder ist es nur eine?), Orli vielleicht, Xaver Zürn, der bloß Ausschau hält nach seinem Chef, Dr. Gottlieb Zürn dann, der redet und gestikuliert, aber nicht recht ankommt damit; Helmut Halm und Sabine, Klaus Buch und Hel – und und und: Sie alle gehören dazu, vertuschen ihre Unsicherheiten, übertönen ihre Ängste, geben sich flott und locker und demonstrieren gerade dadurch die Starre der Schranken, die Kluft der Distanz. Party, das ist ein Kampf gegen die anderen Gäste, die von vornherein überlegen sind: »Jeder von denen, gut, klug, wohlriechend, verschlossen, attraktiv, unerreichbar« – so heißt es im *Schwanenhaus* in einem elliptischen Satz[15], der jene Eigenschaften zu dauernden und nicht teilbaren macht.

Warum gehen sie dann hin, warum veranstaltet Martin Walser diese Parties, in denen nur Niederlagen programmiert sind? Sie sind Bilder, Metaphern der Wirklichkeit, der bestehenden Gesellschaft. Kleinbürger – das sind nicht die, die in ihrem Umkreis zufrieden sein könnten. Diesen traditionellen Umkreis, die natürlicheren Existenzformen der Vergangenheit, gibt es nicht mehr, oder sie sind ihm entwachsen, hineingeworfen in die Mobilität der tatsächlichen Aufstiegschancen und in die hektischere Mobilität der Wünsche und Träume vom besseren Leben.

Manche schaffen es sogar, äußerlich. Aber das sitzt tief: auch Oberstudienrat Halm ist ein Kleinbürger. Er setzt sich zwar etwas entschiedener zur Wehr – so daß sein Kontrahent einen »Klassenkämpfer« in ihm vermuten kann. Aber in Wirklichkeit sind es Unsicherheit und Angst, die ihn von der großen Villa des Schulkameraden mit parkartigem Garten fernhalten.[16] »Die Familien der Unterschichten haben nicht das Selbstbewußtsein, ihre Kinder mit wetterfesten Identitäten auszustatten.«[17]

All das ist keine handfeste Denunziation, keine böse Ironie, die ihre Opfer sucht. Im *fliehenden Pferd* macht Klaus Buch (dessen *eigene* kleinbürgerliche Attitüden am Ende von seiner verzweifelten Frau aufgedeckt werden) dem Schulkameraden das Kompliment, er sei »glücklich zu sehen, daß Helmut kein Kleinbürger geworden sei«. Aber Helmut stellt in Gedanken das Kompliment auf den Kopf (oder doch auf die Beine?). Er sagt sich: »Wenn ich überhaupt etwas bin, dann ein Kleinbürger. Und wenn ich überhaupt auf etwas stolz bin, dann darauf.«[18]

Es ist immer mißlich, die Äußerungen einzelner poetischer Gestalten zu verabsolutieren und direkt dem Autor zuzuschreiben – der Verzicht auf schnelle Identifikationen gehört zu den kleingedruckten Bestimmungen für den Umgang mit der Literatur. Aber es gibt genügend Indizien, daß hier Martin Walser sich selbst – oder doch eine wichtige Möglichkeit seiner selbst – ausspricht. Deshalb ist er auch nicht bereit, »die Misere zu feiern«.[19] In anderem Zusammenhang, bei der Wiedereröffnung des Marbacher Literaturarchivs, sagte Walser kürzlich: »Es gibt keine mit der Schwäche vergleichbare Kraftquelle.«²⁰ Das mag, aus dem Zusammenhang gerissen, nach fauler Mystik klingen; und es *wäre* faule Mystik, wenn aus der Schwäche gleich strahlende Siege abgeleitet würden. Aber »Kraftquelle« hat – wenn wir die Äußerung auf die Welt der Kleinbürger beziehen dürfen – nichts mit überschäumendem Drang zu tun, eher mit vorsichtiger Beharrlichkeit, mit kleinen und kleinsten Ausbrüchen, mit der Energie, sich nicht ganz verloren zu geben. Objektiv deutet sich das an in der Heiterkeit, die Walser in den jüngsten Romanen zurückgewonnen hat. Sie sind jenseits verbiesterter Besserwisserei angesiedelt, ihre utopische Qualität ist an die prüfende Substanz des banal Alltäglichen gebunden. Die »litterärischen Politzeybeamten«, wie Novalis die Rezensenten nannte²¹, rügten zum Teil den Abstieg ins Triviale – wir Kleinbürger hingegen finden uns wieder, erkennen die Probleme, von denen uns gesagt wird, daß es keine sind, und die noch an langen Fäden mit den größeren, aber auch ferneren Problemen zusammenhängen. Gottlieb Zürn, der sich bei »schülerhaften Lösungen«²² ertappt, bei dem man nie weiß, ob er meint, was er sagt, oder ob er dadurch verbirgt, was er meint²³, den die »instinktive Sofortanpassung« seiner Familienmitglieder ärgert²⁴ und der doch von sich sagt: »Tun zu können, was ein anderer wollte, das machte ihn vollkommen willenlos«²⁵; Gottlieb Zürn, der sich keine Gefühlsausbrüche leistet, leisten kann, der »nie synchron«²⁶ ist, nie eins mit sich, der sich nicht einmal zu einem Nervenzusammenbruch imstande sieht²⁷, der sich angesichts der täglichen Tücken wundert, »daß dann immer alles doch noch irgendwie ging«²⁸, – wer eigentlich wagt zu behaupten, daß er mit diesem Gottlieb Zürn nichts zu tun hat?

Aber die Heiterkeit erweist sich nicht nur in der Auspolsterung der Niederlagen – Gottlieb Zürn bleibt nicht geschlagen. Am Ende, als die Konkurrenz über ihn triumphiert hat, als ein anderer das teuer-schöne Objekt nicht nur verkauft, sondern auch zerstört hat, da holt er sich aus allen Neidereien zurück. Er fragt sich: »War ihm, was ihm gegen jemanden eingefallen war, nicht immer künstlich vorgekommen? [. . .] Und sobald er etwas für jemanden empfand oder sagte, spürte er, wie wahr es war.«²⁹ Das ist eine Frage, und keine rhetorische; er ist sich selber unklar darüber, ob das stimmt oder ob er es »aus seinem Illusions-Gewächshaus«³⁰ hervorholt, um endlich einschlafen zu können. Aber als er einschläft, ist er im Grunde kein Verlierer mehr. Vorsichtiger gesagt, im Verlieren sind die Möglichkeiten humaner Haltung bewahrt, gilt der Traum von einer Gesellschaft, wo – noch einmal mit Schiller zu sprechen – »der Mensch durch die verwickeltsten Verhältnisse mit kühner Einfalt und ruhiger Unschuld geht und weder nötig hat, fremde Freiheit zu kränken, um die seinige zu behaupten, noch seine Würde wegzuwerfen, um Anmut zu zeigen.«[31]

Vom *Schwanenhaus*, Martin Walsers letztem Roman, war hier die Rede – aber was daran gezeigt wurde, fügt sich ein in eine der Kontinuitäten von Walsers Werk: die Kontinuität des Scheiterns. Was neu ist, könnte man schönes Scheitern nennen, würde dadurch nicht leicht die Assoziation pathetisch sterbender Opernschwäne ausgelöst. Nennen wir es mit einem von Bert Brecht kultivierten Begriff die »Freundlichkeit« im Scheitern – Freundlichkeit, welche über allen Beschädigungen und Bewußtseinsverletzungen die aktive Hoffnung nicht aufgibt.

An dieser Stelle, so scheint mir, ist ein Wort über den Anteil der *Provinz* an Werk und Leistung Martin Walsers angebracht. Als uriger Rustikaler oder falscher Heimattümler ist er gewiß nicht abzustempeln. Gewiß, was er nördlich des Mains (oder gar der Donau?) als miese Durchschnittlichkeit und borniert Verworrenheit kennzeichnen würde, das pflegt er im Umkreis des Sees als keltisches Erbe zu entschuldigen, und würde er, statt von hochdeutschen Rezensenten, in nuanciertem Alemannisch beschimpft, er wäre bereit, den Gegnern unablässig recht zu geben. Aber mit den bemühten Versuchen, ins Ursprüngliche zu tauchen, hat dies nichts zu tun. Über die modische Liebe zur Provinz macht er sich lustig: »Selbst die schnellsten Jungs in Hamburg und Wien winden jetzt schon über eine Saison lang der Provinz fast unvergiftete Kränzchen und suchen in ihren PVC-Schubladen nach ein paar blumig verschimmelten Dialektbröcklein, die durch eine Putzfrau da hineingekommen sein könnten.«[32] Provinz ist ihm nicht angebliche Urtümlichkeit, keine folkloristische Mode, kein beliebiges Mittel zur Selbstbefreiung der Verklemmten. Für Martin Walser ist Provinz – und deshalb muß im Zusammenhang mit der Freundlichkeit des Scheiterns davon die Rede sein – ein Geflecht von Anhaltspunkten und Haltepunkten. Der provinzielle Kleinbürger ist zwar der industriellen Nivellierung, dem von den Zentralen ausgehenden gesellschaftlichen Druck besonders hart ausgesetzt, aber er ist nicht ganz schutzlos – er kennt noch Inseln von Vergangenem, Reservate von Vertrautheit und vielleicht sogar Vertrauen, Reste von Verwandtschaft, Natur, Verwachsenheit.

Provinz, Verwandtschaft, Familie – ist das nicht der gängige Trip ins Private, und läuft das nicht darauf hinaus, Walsers Schriften als Betrachtungen eines Unpolitischen abzustempeln? Ich glaube, das Gegenteil ist der Fall: Walser verfolgt das Politische, das Gesellschaftlich-Ökonomische auch, bis in die privaten Verästelungen hinein – ohne scheelen Blick, aber auch ohne Beschönigung. In einer Erläuterung zu seinem Drama *Sauspiel* pocht er auf das unvermeidlich Politische all unserer Äußerungen, und zumal der literarischen: was wir machen, sei »entweder Bestreiten von Legitimation oder Herstellung von Legitimation«.[33]

Martin Walser bestreitet Legitimation – und auch die Verleihung des Schiller-Preises wird ihn nicht zum Hofpoeten machen. Von den Lesern und Theaterbesuchern der Bundesrepublik schrieb Walser einmal, sie verfügten über »ein mehrstöckiges Bewußtsein, da lassen sich kulturbeflissener Toleranzjargon und aktuelle christlich-abendländische Kreuzungslust schön getrennt unterbringen«.[34] Ganz sicher verfügen auch viele Institutionen über ein mehrstöckiges Bewußtsein, und hier läßt es sich oft sogar in der Gliederung nach Dezernaten ausweisen. Ein Staatspreis für Martin Walser – man soll solche Entscheidungen nicht überschätzen. *Das Schwanenhaus* wird nicht zum Leitfaden der Bodenpolitik des Landes werden (leider!), kein Schulpolitiker wird mit Rücksicht auf die leicht zerrüttete Befindlichkeit des Sillenbucher Lehrers Halm kleinere Schulklassen dekretieren, und es wird weiterhin viele geben, die zwar vielleicht Bücher schreiben oder schreiben lassen, das Niveau eines Realpolitikers aber danach bemessen, wie wenig er mit literarischen Fantasien umgeht.

Trotzdem: ein Staatspreis für Martin Walser – das ist eine Herausforderung. Nicht für Martin Walser. Für den Staat. Für uns. Bekräftigend schicke ich ein letztes Walser-Zitat nach – zögernd und leise freilich nur, weil es im Zentrum Altwürttembergs etwas anders klingt als im frömmeren *und* weltlicheren Oberland: »Heilandzack«.

Anmerkungen

1 *Wer ist ein Schriftsteller? Aufsätze und Reden*, Frankfurt (Main) 1979, S. 42.

2 *Es soll den Zuschauern bekannt vorkommen. Martin Walser über sein neues Stück ›Das Sauspiel‹*, in: *Theater heute* 1975, H. 9, S. 28–32; hier S. 29. In der einleitenden Regieanweisung des *Sauspiels* zitiert Walser den Kunsthistoriker Giorgio Vasari: »Védere le cose passate come presente.«

3 Von Christian Friedrich Timme. Vgl. Eva D. Becker, *Schiller in Deutschland 1781–1970*, Frankfurt (Main) 1972, S. 1.

4 Ebd., S. 14.

5 *Das Schwanenhaus*, Frankfurt (Main), 1980, S. 142.

6 Vgl. Walsers Bemerkung: »Da die Welt sich trotz der jeweiligen literarischen Gegenbilder nicht ändert wie das Papier in der Säure, werfen manche Feingeister dem realistischen Schriftsteller vor, er sei schlechterdings affirmativ.« In: *Wer ist ein Schriftsteller?*, S. 42.

7 *Die unsichtbaren Schranken* ist der deutsche Titel von Vance Packards Buch *The Status Seekers*.

8 *Wer ist ein Schriftsteller?*, S. 95.

9 *Erfahrungen und Leseerfahrungen*, Frankfurt (Main) 1965, S. 92.

10 *Es soll den Zuschauern bekannt vorkommen*, S. 32.

11 *Das Schwanenhaus*, S. 144.

12 Vgl. *Das Einhorn*, Frankfurt (Main) 1966, S. 93.

13 Vgl. Wilhelm Johannes Schwarz, *Der Erzähler Martin Walser*, Bern/München 1971, S. 31.

14 Vgl. Walsers Essay: *Wie geht es Ihnen, Jury Trifonow?*, in: *Wer ist ein Schriftsteller?*, S. 25–35.

15 S. 68.

16 *Ein fliehendes Pferd*, Frankfurt (Main) 1978, S. 26.

17 *Wer ist ein Schriftsteller?*, S. 37.

18 *Ein fliehendes Pferd*, S. 96.

19 *Der unterirdische Himmel. Vortrag bei der Wiedereröffnung des Marbacher Literaturarchivs*, in *Stuttgarter Zeitung*, 20. August 1980.

20 Ebd. Ähnlich in der Laudatio für Max Frisch (*Versuch dem Meister der Distanz nicht zu nahe zu treten*, in: *Stuttgarter Zeitung*, 9. Mai 1981): »Der Physiker transformiert Kräfte, der Schriftsteller Schwächen. So werden Elektrizitäts- und Kunstwerke betrieben.«

21 *Schriften*, Bd. 2, hg. von Richard Samuel. Stuttgart 1960, S. 464.

22 *Das Schwanenhaus*, S. 11.

23 Ebd., S. 42.

24 Ebd., S. 51.

25 Ebd., S. 77.

26 Ebd., S. 188.

27 Ebd., S. 186.
28 Ebd., S. 193.
29 Ebd., S. 232.
30 Ebd.
31 *Über die ästhetische Erziehung des Menschen in einer Reihe von Brie-
    fen. 27. Brief*, in: *Sämtliche Werke*, Bd. 5, hg. von Gerhard Fricke und
    Herbert G. Göpfert, München 1959, S. 669.
32 *Wer ist ein Schriftsteller?* S. 55.
33 *Es soll den Zuschauern bekannt vorkommen*, S. 29.
34 *Erfahrungen und Leseerfahrungen*, S. 75.

II.

Ein Gespräch mit Martin Walser in Neuengland

Aufgezeichnet von Monika Totten

TOTTEN Sie haben Germanistik studiert, über Kafka promoviert, dann jahrelang beim Rundfunk gearbeitet. Wann haben Sie zum ersten Mal daran gedacht, Schriftsteller zu werden?

WALSER Nun, das muß so um mein zwölftes oder dreizehntes Lebensjahr herum gewesen sein, in dieser Zeit also, als ich anfing, Schiller-Gedichte zu lesen, die irgendwo zu Hause herumlagen, und dann Hölderlin-Gedichte. Manche geben das Schreiben dann – genährt oder beschädigt durch die sogenannte Pubertät – auf, und andere bleiben eigensinnig einfach dabei. Ich habe dann immer geschrieben, ich habe diese Produkte alle heute noch. Die sind natürlich unerträglich. Diese nachgemachte Lebhaftigkeit der Schiller-Gedichte. Aber es waren eben meine Übungen, die mich gerettet haben durch diese sogenannte Pubertätszeit hindurch. Deswegen habe ich dann Literatur studiert, weil ich nichts anderes im Kopf hatte als Literatur, habe meiner Mutter zuliebe promoviert, weil sie mich sonst für einen – wie man das damals nannte – für einen verkrachten Studenten angesehen hätte. Ich habe als Student geheiratet und mußte arbeiten, weil die Währungsreform war, da hatten wir das Geld nicht für ein Studium. Deswegen bin ich zum Radio, Radio Stuttgart, Süddeutscher Rundfunk, gegangen und habe gearbeitet und nebenher promoviert, und dieses Gemisch aus Rundfunk und Fernseharbeit und Schreiben habe ich also bis zu meinem 30. Lebensjahr gemacht. Dann bin ich sogenannter freier Schriftsteller geworden.

TOTTEN Nach dem Krieg haben Sie dann das Prosaschreiben zur Hauptsache gemacht. Warum haben Sie keine Lyrik mehr geschrieben?

WALSER Ja, weil ich halt gemerkt hab, daß ich leider kein Lyriker bin. Natürlich wäre mir das die liebste Ausdrucksweise gewesen, weil es die sprachlich höchste ist, aber meine Sprache schwingt nicht, sondern meine Sprache, die zieht sich eher hin und drückt sich umständlicher aus.

TOTTEN In Ihrem Aufsatz *Wer ist ein Schriftsteller*[1] behaupten Sie, daß eine Voraussetzung für das Schreiben das Gefühl des Mangels oder das zerdepperte Ich sei. Auch betonen Sie immer wieder, daß das Schreiben keine Frage von Talent sei. Worte wie schöpferische Begabung und Inspiration sind Ihnen ein Greuel. Glauben Sie nicht dennoch, daß es irgend etwas Besonderes geben muß – nennen Sie es, wie Sie wollen – was aus einem Menschen einen Schriftsteller macht? Oder sind Sie wirklich der Ansicht, daß jeder unter gewissen äußeren Bedingungen Schriftsteller werden könnte?

WALSER Wenn Sie darauf bestehen, dann kann ich sagen, daß nicht alle Leute – daß nicht alle Leute gleich empfindlich sind gegen Verletzungen, gegen Schmerz, gegen Elend, Unglück, Mängel dieser Art. Aber Leute, die solche Mangelerlebnisse haben, die müssen sich wehren dagegen. Ob sie das nun als Schriftsteller tun oder als Politiker oder als Sänger oder als Schauspieler oder als Lehrer, da differenziere ich nicht mehr. Talent ist ein positives Wort, ein euphemistisches Wort für Schmerzempfindlichkeit. Nur das will ich sagen, daß nicht eine Inspiration, kein heiliger oder kultureller Geist über einen kommt, sondern daß man nur empfindlich ist . . . Daher kommt Sprache, die Sprache entsteht dadurch – anders kann ich es nicht sehen.

TOTTEN Man könnte sich aber doch auch umgekehrt verhalten, sich zurückziehen, sich einschließen in sein Zimmer und stumm leiden?

WALSER Das ist mir unvorstellbar, oder war mir unvorstellbar. Inzwischen hab ich schon eine ganze Reihe von negativen Erlebnissen aufbewahrt. Allerdings nicht, um stumm darunter zu leiden, sondern um sie später bei günstigen Bedingungen zu beantworten. Das tut einem Schmerz auch sehr gut, wenn man ihn lagert – der schimmelt nicht, der hält sich frisch und reift. Dann kann man etwas damit anfangen. Das stumme Leiden ist menschenunwürdig, finde ich. Natürlich mögen noch sehr viele Leute stumm leiden, aber es ist der Sinn der Entwicklung der Geschichte, daß immer mehr Menschen – wie man so sagt bei uns – mündig werden. Mündig heißt also auch, den Mund auftun können. Das ist nicht so diese Tasso-Situation: »Und wenn der Mensch in seiner Qual verstummt / Gab mir ein Gott, zu sagen, wie ich leide«, sondern, daß immer mehr Leute sagen, was ihnen nicht paßt. Ich glaube, in dieser Richtung entwickeln wir uns. Es heißt manchmal, es gäbe weniger Leser als in einer anderen Zeit. Ich glaube das nicht. Aber eines ist ganz sicher, es gibt immer mehr Schriftsteller, und der Sinn der menschlichen Geschichte ist erst realisiert, wenn alle Leute

Schriftsteller sind, also wenn jeder seinen Schmerz selber beantworten kann. Er muß nicht Schriftsteller sein. Ich meine damit nur *ausdrucksfähig*. Er muß es sagen können, sagen dürfen, und er muß es hineinsagen können in einen Kreis, in eine Umgebung, wo möglicherweise auch noch eine Antwort auf seinen Ausdruck erfolgt.

TOTTEN Er kann auch nach Washington gehen und sich dort zu den Lobbyisten gesellen.

WALSER Ja, das weiß ich nicht, ob ihm das hilft ... Aber nehmen Sie jetzt die Rockbands, die ganze Musikentwicklung, die Entwicklung mit Singen und Gitarre. Wie viele Leute drücken sich jetzt mit der Gitarre aus! Es muß nicht Schreiben sein, das meine ich nicht, es kann Singen oder Tanzen oder Handstandmachen sein, d. h. nur, sich ausdrücken, sich nicht zur Stummheit, zur Reaktionslosigkeit verurteilen lassen müssen. Denn das ist das Schlimmste, wenn man nicht aus sich heraus kann ... Aber in einer besseren Welt würde diese Situation einfach gar nicht vorkommen. Na gut, ich hatte ja schon öfter Gelegenheit, über dieses Thema zu sprechen, und ich pflege dann einen Satz von Bloch zu zitieren, der ja ein Meister des Prinzips Hoffnung war und ein Fachmann für den erwünschten Gang menschlicher Geschichte ist. Bloch hat im *Prinzip Hoffnung* einen Satz geschrieben, der heißt: »Kein Paradies bleibt ohne den Schatten, den der Eintretende noch wirft.«

TOTTEN Was kann sonst noch Schreibanlaß sein?

WALSER Gesagt wird von anderen, nicht von mir: einer sei der positive Überfluß, der spirituelle Reichtum, das aus Jubel entstehende Mitteilungsbedürfnis, der andere sei die gute Absicht, die Welt und die Menschen zu bessern und anderen etwas Gutes zu tun. Mir sind die beiden also nur dem Namen nach bekannt. Den Überfluß als Quelle, den kenne ich nicht, und die gute Absicht, die hätte ich zwar auch gerne, und die habe ich, die hat natürlich fast jeder, der nicht ein Zyniker ist. Und die meisten Zyniker sind ja auch keine. Aber ich habe aus Erfahrung gemerkt, daß es gar nichts nützt, eine gute Absicht zu haben, weil man aus einer guten Absicht nicht schreiben kann. Einer guten Absicht fällt nichts ein. Da gibt's Paradebeispiele. Sozialistischer Realismus ist das. Ich hab einmal einen Schriftstellerkongreß in Moskau mitgemacht. Vier Tage lang hab ich mir von morgens bis abends alle Reden angehört aus den siebzig Sowjetrepubliken, wo immer ein Schriftsteller und ein Theoretiker aus jeder Republik darüber gesprochen haben, was sie in den letzten vier oder fünf Jahren für Pläne gehabt haben in der Literatur und wie sie die erfüllt haben oder nicht erfüllt haben. Die klügsten Theoretiker, also die Moskauer selber, haben dann die größten Reden darüber gehalten, daß es ja alles sehr schön sei, aber alles sehr leblos, und die hätten alle nur zu viele gute Absichten, daß all diesen sozialistisch-realistischen Unternehmungen der Realismus fehle, eben die Farbe des Leids und das Negative, daß alles zu positiv sei. Das haben die natürlich längst selbst gemerkt.

TOTTEN Darf ich mal konkreter fragen? Wie entsteht ein Roman oder ein Stück? Mit einer Idee, mit einer Handlung, mit Figuren? Woher nehmen Sie Ihr Material?

WALSER Also, die meisten Bücher sind bei mir aus einer Situation entstanden. Ein Beispiel: Ich war 1958 einen Sommer lang in Amerika, habe teilgenommen am *Harvard International Seminar*, das von Henry Kissinger damals geleitet wurde. Ich habe sehr wenige Reisen weg von diesem Campus gemacht, was man an den Wochenenden eigentlich hätte tun sollen oder hätte tun können. Ich bin lieber ein sitzender Mensch und bin also viele Stunden auf den Stufen der Widener-Library herumgesessen auf dem Campus und habe zugeschaut. Ich war ja doch schon 31 Jahre alt – und hatte gar keine Lust mehr, nach Deutschland zurückzugehen. Dann war ich noch vierzehn Tage in New York, und das Flugzeug zurück nach Europa war wie eine Operation ohne Betäubung – das war furchtbar für mich. Und dann bin ich zu Hause gewesen, und mein Mißbehagen wurde immer größer. Und dann hab ich mich hingesetzt nach nicht ganz vier Wochen und habe einen Roman geschrieben, der dann in meiner Handschrift sechzehnhundert Seiten hatte. Aus lauter Wut sozusagen. Dann habe ich alles aufgearbeitet, so die ganzen fünfziger Jahre, für mich, habe reagiert auf alles, was mir so passiert ist. Die Energie dazu kam aus diesem Erlebnis des Gefangenseins auf einem Kontinent, in einem Land, einer Familie, einer Sprache, dieses Abgegrenzt- und Abgekapselt- und Abgepacktsein einer Biographie, aus der Ahnung, du bist der und der, und der hat wieder da und da unter der und der Adresse mit seinem Paß sich einzufinden. Das schien mir unerträglich. Und das hab ich dann nur mit Arbeit gemacht. Ein anderes Buch, *Seelenarbeit*, das jetzt erschienen ist, das ist auch nur durch eine Situation entstanden. Ich war eigentlich mit etwas ganz anderem beschäftigt – und praktisch innerhalb von acht Tagen hatte ich Gelegenheit, auf für mich brucale Weise, meine Abhängigkeit demonstriert zu bekommen. Also jetzt meine ich nicht meine häusliche Abhängigkeit, sondern die Abhängigkeit, die ich als Bürger des zwanzigsten Jahrhunderts in Mitteleuropa erfahren habe. Ich habe gemerkt, daß andere Leute in gewisser Hinsicht mit mir machen können, was sie wollen. Ich kann gar nicht viel dagegen tun. Aber dann denk' ich daran, denk' aha, du kannst dich ja wehren, du kannst schreiben. Das ist also für mich so eine indirekte Ausrüstung. Das ist nicht direkt, es schützt mich nicht. Aber wenn neue Schläge eintreffen, dann probiere ich das wieder.

TOTTEN Sehr praktisch. Das haben wir Armen nicht.

WALSER Das kann jeder entwickeln.

TOTTEN Das glauben Sie so.

WALSER Natürlich! Monika, Hölderlin. Das ist Dialektik. Das ist im Leben der Völker, der Nationen sehr ähnlich. Hölderlin hat das so gesagt: »Wo Gefahr ist, wächst das Rettende auch« . . . Da gibt's natürlich viele Möglichkeiten des Verfehlens. Sehr viel mehr Möglichkeiten des Verfehlens als des Gelingens. Und das macht die ganze Arbeit auch sehr real. Erstens mißlingt immer mehr als gelingt, zweitens ist man fast nicht lernfähig. Also das Schlimmste, was überhaupt passieren kann, ist: Abhängigkeit, Unfreiheit.

TOTTEN Ist es indiskret zu fragen, woher die Bedrohung kam, die *Seelenarbeit* hervorrief?

WALSER Ja, ja, ja.

TOTTEN Können Sie mir nicht wenigstens etwas Allgemeines sagen?

WALSER Ich mag gar nichts sagen. Wenn wir uns in zwanzig Jahren noch unterhalten könnten, dann würde ich das gerne tun, aber es ist jetzt für mich zu frisch noch.

TOTTEN Dieses Gefühl der Unfreiheit, nachdem Sie aus Amerika zurückkamen, hatte das etwas mit Amerika, mit dem *International Seminar* zu tun? Oder hätte es auch Afrika oder Asien sein können?

WALSER Das weiß ich nicht. Es war nun einmal bei mir Amerika, und eine inzwischen schon fast romantisch werdende Erinnerung an dieses Erlebnis ist mir natürlich geblieben.

TOTTEN Warum sind Sie ausgerechnet nach Dartmouth gekommen?

WALSER Wieder aus der nun schon eingeübten Neugier, ob es ein weiteres Mal gelingen würde, von der heimischen Routine Abstand zu gewinnen. Befreiung, also vorübergehende Befreiung. Das macht auch die Befreiung so reizvoll, man weiß, daß es vorübergeht. Für immer wär's ja dann keine.

TOTTEN Sie haben gesagt, daß es keinen Unterschied gibt im Schreiben von Sekundär- und Primärliteratur, daß nur der Stoff den Unterschied ausmache.

WALSER Ja.

TOTTEN Ich kann mir das einfach nicht vorstellen.

WALSER Manches ist eben nur entstanden, weil jemand ein Thema braucht und darüber schreiben muß. Und dann hat man dafür noch eingeführt gewisse Rituale des Nachschlagens und Zitierens, damit diese Sachen immer wieder neu umgewälzt werden müssen und dieser Bestand nie verrottet. Ich glaube, man wird den Unterschied, den man heute zwischen sekundär und primär macht, verkleinern, oder die ganze Branche erstickt einfach. Wir könnten doch zum Beispiel in Amerika, wo sich das ja, glaube ich, überschaubar auf Kongressen abspielt, da könnte man doch einmal so einen Kongreß machen. Man würde sich vorher absprechen, und man macht eine kleine Konspiration gegen den lächerlichen Zwang, Sekundär-Literatur herstellen zu müssen.

TOTTEN Da sind Sie viel zu optimistisch. Wir leben mit dem Mangel und leiden in der Stille.

WALSER Aber das wird sicher nicht so bleiben. Es genügt ja übrigens schon, wenn man reformistisch darüber nachdenkt, man muß nicht das alles gleich umstoßen. Man kann auch so denken, daß im Produzieren eine größere Freiheit nicht nur garantiert, sondern wirklich geschaffen wird . . . Jetzt bin ich hier in Dartmouth, also angeregt, nicht von Goethe bis Kafka zu sprechen, sondern mich auf zwei Bücher zu konzentrieren, daß die Studenten nicht so viel lesen müssen . . . Also wir haben uns zehn Wochen lang an Kafka aufgeschlossen. Dadurch sind die Leute jetzt offener als vor zehn Wochen. Dieses Gefühl habe ich. Sie sind bereit, etwas zu riskieren an Äußerungen und diese Aufgeschlossenheit jetzt in weiteren zehn Wochen noch weiter weg zu treiben von Kafka auf sich selbst zu. Ja. Wir haben Kafka als Instrument benutzt, wie er das auch gestattete und anbietet. Wir haben eine gewisse Gemeinsamkeit hergestellt, und wir könnten jetzt zehn Wochen lang weiter versuchen, Studenten in den Selbstausdruck zu verlocken. Mir käme das alles viel interessanter vor als eben jene Herstellung von Sekundärliteratur. Das will ich damit nur sagen.

TOTTEN Würden die Studenten dann nach den ersten zehn Wochen immer noch in Richtung Kafka arbeiten?

WALSER Das würde sich herausstellen. Es wäre schon interessant zu erfahren, wo ihre Hemmungen sind. Mein Hausmacherspruch dafür ist, daß in unserem Gewerbe Ehrlichkeit keine Tugend, sondern eine Fähigkeit ist, die man trainieren muß. Ehrlich sein können ist auch schriftstellerische Arbeit.

TOTTEN Sie haben sich wiederholt nicht gerade positiv den Literaturkritikern gegenüber geäußert. Was sollte Ihrer Ansicht nach die Aufgabe der Literaturkritik sein?

WALSER Vielleicht sollte sie auch einsehen, daß sie in erster Linie über sich selbst schreibt und nicht über den Autor . . . Ich habe mich über die Literaturkritik nicht zu beklagen. Seit wir diese Institution von unseren siebenundzwanzig Kritikern haben, sind die letzten drei Bücher an der ersten Stelle dieser Liste gewesen. Was ich damit meine, das hängt natürlich mit der Übertragung meiner Schreiberfahrung auf alle andere Schreibfähigkeit zusammen. Ich bin ja auch dagegen, daß man in der Schule Noten gibt. Alles evaluieren, das bringt die Ströme zum Stehen, das hält fest, und das tut so, als könnte man für einen anderen etwas erleben.

TOTTEN Ich möchte auf Ihre Charakterisierung des Schriftstellers hinweisen. 1968 sagten Sie: »Autoren sind, glaube ich, exemplarische Produkte ihrer Gesellschaften. Nur deswegen sind ihre Reaktionen interessant.«[2] Oder in Ihrem Vortrag *Wer ist ein Schriftsteller?*: »Der Autor war immer ein Kollektiv.« Aber es heißt auch, ebenfalls in Ihrer Rede von 1968: »Häufiger ist es so, daß ein Schriftsteller einfach ohne Bewußtsein seiner gesellschaftlichen Bedingungen arbeitet und die Reflexion dieser Bedingungen als etwas seiner Arbeit Unwesentliches ablehnt . . . Selbstbezogenheit ist die auszeichnende Charakteristik des Schriftstellers.« Gilt letzteres dann unbedingt für Sie?

WALSER Naja, ich wollte wahrscheinlich nicht mehr sagen, als daß – egal, was der Autor für ein Bewußtsein von seiner Arbeit hat – das Produkt doch zuverlässig sein kann. Wenn es stimmt, daß nur die schlimmsten Bedingungen den Ausschlag geben, dann werden sich also die schlimmsten Erfahrungen in einem Schriftsteller in Literaturprodukte umsetzen, egal, welche Reflexionen er über seinen Arbeitsprozeß hat. Natürlich kann er verführt werden oder abgelenkt werden, beeinflußt werden, aber im Grunde genommen entsteht die Brauchbarkeit dadurch, daß auch der Autor ein typisches

Produkt seiner Gesellschaft ist. Irgend jemand hat einmal gesagt: In den schlimmsten, in den Staaten mit den schlimmsten Gesellschaften, werden die besten Romane geschrieben. Die würden zur Zeit in Südamerika geschrieben. Da ist schon was dran . . . Es gibt Autoren, die in dieser Situation dann eben nur an ihrer Selbstentschädigung interessiert sind, und solche, deren Wut sich instinktiv auch nach außen richtet, nicht nur nach innen. Es gibt halt dann realistische Autoren und andere. Es gibt Beckett und es gibt Brecht, um exemplarische Namen zu nennen.

TOTTEN Was für eine Aufgabe hat die Literatur heute zu erfüllen? Erlauben Sie, nochmal zwei Zitate von Ihnen anzuführen. 1972: »Literatur hat eine Funktion in der Veränderung, also im Fortschritt der Gesellschaft.«[3] In *Wer ist ein Schriftsteller?*, mehrere Jahre später, drücken Sie sich weitaus vorsichtiger aus: »Daß ein Schriftsteller außer sich selbst noch einen verändert, ist nicht beweisbar.«

WALSER Unwillkürlich arbeitet der realistische Autor an der Ermöglichung von Geschichte mit, weil er auf die schlimmsten Bedingungen des Vorhandenen reagiert. Und diese schlimmsten Bedingungen schreien ja nach Abschaffung, also nach Geschichte, nach Veränderung. Und so hat er also eine Funktion in der Entwicklung der Gesellschaft. Nur, wogegen ich mich zu allen Zeiten gewehrt habe . . . verstehen Sie, von außen habe ich erfahren, ich sei ein linker Intellektueller. Das war ich ja nicht von Hause aus, ich habe mir nicht im Jahre 1949 vorgenommen, ein linker Intellektueller zu werden. Ich weiß gar nicht, ob es das Wort damals gegeben hätte, aber wahrscheinlich schon. In meinem Gesichtskreis hat es das nicht gegeben. Ich habe erfahren, als ich meine Bücher produziert habe, daß ich ein linker Intellektueller sei. Ich habe erfahren, ich sei ein gesellschaftskritischer Schriftsteller. Das hatte ich nie im Sinn, ein gesellschaftskritischer Schriftsteller zu werden. Ich hätte nie daran gedacht. Ich habe sehr viel George gelesen, in meiner Jugend, und alles mögliche. Gut. Als mein erster Roman, *Ehen in Philippsburg*, herauskam, stand in der *Frankfurter Allgemeinen Zeitung*: »Dieser Roman greift nicht an, aber er trifft.« So. Das war nicht mein Konzept, habe ich gedacht, aber gut, das ist so, so fühle ich mich ja richtig verstanden. Ich habe mich immer dagegen gewehrt, daß man eine Funktion bewußt übernehmen kann. Aber ich habe nachträglich gesehen durch die Reaktion der anderen Leute – wenn man das jetzt sehr hart zusammenfaßt, durch die

Reaktion des sozusagen konservativen Lagers habe ich immer mehr gesehen – daß ich ein linker Intellektueller bin. Als mir das bewußt geworden ist, bewußt gemacht wurde, habe ich mich auch ein bißchen historisch zu bilden versucht. Das war aber schon zu spät. Ich bin also kein Marxist usw. Dazu fehlen mir die Bildungsvoraussetzungen. Aber ich bin unfreiwillig und nur durch meine Herkunft und durch meine Erfahrung etwas geworden, was man einerseits einen realistischen Schriftsteller nennt, andererseits bin ich also sozusagen ein Demokrat mit Anspruch auf Realisierung, also ein Sozialist. Das sind aber alles Sachen, das sind Bezeichnungen, die kommen von außen. Ich habe nur meine negativen Erfahrungen verarbeitet. Ich habe nur darauf reagiert, wie es meiner Mutter, wie es meinem Vater, wie es meinen Tanten ergangen ist und wie es mir ergangen ist. Dadurch war ich plötzlich auf einer Hälfte der politischen Szene, und das ist also die linke Hälfte, nicht wahr. So unschuldig ist das bei mir gegangen. Aus tiefster katholischer Heimat und Behütetheit bin ich jetzt also ein linker Schriftsteller geworden, und nach meiner Ansicht kann es nicht sehr viel anders verlaufen, weil Absichten nicht helfen. Es sind ein paar großbürgerliche Söhne vorübergehend zu uns gekommen in den achtundsechziger Jahren, die sich heute wahnsinnig dafür genieren und einen Spitzentanz um den anderen aufführen, um nicht mehr daran erinnert zu werden, daß sie einmal sozialistisch gedacht haben, nicht? Also das Wort Sozialist ist inzwischen einem Geruch von Zurückgebliebenheit oder Lächerlichkeit oder so was verfallen. Naja, gut. Die achtundsechziger Jahre waren eben offenbar sehr einladend für alle möglichen Leute. Einige wurden ja furchtbar radikal in diesen Jahren, so daß man es gar nicht mehr aushalten konnte. Jetzt sind sie aber wieder in Venedig und tragen einen Seidenmantel und sind zufrieden, daß die Sache wieder vorbei ist. Während ich mir das bei mir nicht recht vorstellen kann, weil ich mich, durch meine Herkunft eher ein Kleinbürger, mehr für Geschichte, für Veränderung interessiere.

TOTTEN Als Kleinbürger an Geschichte interessiert?

WALSER Ja. Weil der Kleinbürger eine ausgenutzte, ausgepowerte Figur ist in der Geschichte. Es ist uns doch nicht gut gegangen im neunzehnten Jahrhundert und im zwanzigsten. Wir haben doch die größten Spesen bezahlt, die die Herrschaften auf allen Kontinenten gemacht haben. Und ich glaube, dem Kleinbürger fehlt es an geschichtlichem Bewußtsein und dann als Klasse an Selbstbewußtsein.

TOTTEN Ja. Aber typischerweise reagiert er ja nicht so, wie Sie reagieren, sondern er freut sich sehr, wenn er sein Häuschen hat und seinen Garten und hofft, vielleicht vom Kleinbürger zum Bürger zu werden, und damit hat es sich.

WALSER Kleinbürger sind ja auch Bürger in dem anderen Sinn. Wir sind *citizens, citoyens*, und wir sind Demokraten, zumindest wenn man in einem Beruf beschäftigt ist, in dem das Historische eine Rolle spielt ... Werfen Sie bitte nicht einem pensionierten Dentisten oder sonst einem pensionierten Angestellten vor, daß er sich über sein Häuschen freut, das er endlich hat, und daß er alles darüber vergißt, weil er ja nun sein Häuschen hat. Das ist, das war schließlich der Sinn seines Lebens: die Unabhängigkeit, die ein Häuschen verspricht und doch nicht hält. Was mich zum Kleinbürger hinzieht, ist sein schlechter Ruf, geschmacklich, intellektuell, politisch und vielleicht sogar erotisch, ich weiß es nicht. Also mich zieht er an, ja, es macht mir eine gewisse Lust, also auch ein Kleinbürger zu sein. Das gebe ich zu. Das ist ja nicht so schlimm.

TOTTEN Sie geben Ihren Lesern keine Lösung der individuellen und gesellschaftlichen Probleme an die Hand. Sie entwickeln kein Programm. Man hat Ihnen vorgeworfen, daß das bloße Aufzeigen von Mißständen nicht ausreicht, daß eben eine mögliche Lösung der Probleme angeboten werden sollte. Wie stellen Sie sich dazu?

WALSER Wir haben schon ganze Bibliotheken voller Lösungen und auch Bibliotheken voller Analysen, aber die meisten Analysen und Lösungen sind theoretischer Art. Von Soziologen und Ärzten und Ökologen und Physikern und Fantasten. Und das ist ja alles wunderbar, aber was Schriftsteller tun können, ist nur, was man Geschichtsschreibung des Alltags nennen könnte. Also so, wie die Chose wirklich läuft, so, wie man wirklich in New Hampshire in den siebziger Jahren oder in New England in den siebziger Jahren oder in den sechziger Jahren zu reagieren gezwungen war. Dadurch leistet man einen Beitrag zur Geschichtsschreibung, und dadurch gerät die Sache ins Bewußtsein. Geschichtsbewußtsein muß im mitarbeitenden Leser, in der Gesellschaft entstehen, und das nie in Reaktion auf *einen* Autor, sondern auf alle Ausdrucksbereiche zu einer gewissen Zeit.

TOTTEN Haben Sie eine bestimmte Gruppe von Lesern oder vielleicht einen idealen Leser im Auge, wenn Sie schreiben?

WALSER Man erfährt natürlich, für wen man geschrieben hat, aber man muß nicht wissen, für wen man schreibt.

TOTTEN Aber das wirkt sich dann nachträglich aus, nicht?

WALSER Ja, es wirkt sich jetzt allmählich aus. Ich wage das nicht ganz zu entscheiden. Ich weiß nicht, woher der Einfluß kommt. Man kann das Schreiben nicht richten nach dem Bedürfnis von anderen Leuten, sondern nur nach sich selbst. Es fällt mir nichts ein, bloß weil ich da jemanden in Neufundland wüßte, der gerne so was lesen würde. Andererseits muß ich sagen, vielleicht bin ich einer Veränderung unterworfen, ob das jetzt von außen kommt oder von innen, das weiß ich nicht so genau. Vielleicht haben da wirklich auch Leute mitgearbeitet, haben mich da modelliert. Also ich merke, daß ich literarische Maschinen bauen muß, in denen nicht eine Kraft triumphiert, in denen keine Stimme privilegiert ist, auch nicht die sozusagen eigene Autorstimme. Also das wäre für mich das ideale Buch, in dem eine Stimme so stark ist wie die Gegenstimme. Ich weiß nicht, wie lange ich an diesem Ideal noch herummachen werde, es ist noch nicht so alt bei mir. Es hat sich in den letzten zwei, drei Jahren bei mir ergeben. Und daß sich das so bei mir entwickelt hat, das verdanke ich vielleicht den Lesern, von denen ich seit zwanzig Jahren Briefe kriege. Das verdanke ich vielleicht einer kollektiven Erfahrung. Mag sein. Wobei ich natürlich total falsch liege, wenn ich die Zeit bedenke, in der ich im Augenblick lebe und schreibe, wo ja die Verzärtelung und Überfeinerung der eigenen Stimme als das einzige ästhetische Ideal erscheint. Dieser sogenannte neue Subjektivismus. Aber ich glaube, in dem Konzept könnte man versuchen, genauso differenziert zu sein, wie es dieser sogenannte neue Subjektivismus verlangt.

TOTTEN Naja, als Leser kann man sowieso nicht unbedingt feststellen, was die Stimme des Autors und was die Stimme der Hauptfigur ist. Die Stimme der Hauptfigur muß nicht die Stimme des Autors sein.

WALSER Natürlich ist die Hauptfigur nicht die ungebrochene Stimme des Autors. Aber wie die Hauptfigur, oder das, was sie sagt, oder ihr Schicksal, wie das Buch gelagert ist, wie das verläuft, da merkt man ja, ob man das verachten soll, ob man's lieben soll, nicht? Man merkt an dem Verlauf der Handlungen, ob man dem beistimmen soll oder ob man wütend werden soll. Das ist ja klar. Also dieses ›soll‹, dieses, was sich auf den Leser instinktiv auswirkt, das ist auch das ›soll‹, das dem Autor vorschwebt. Das ist die Stimme des Autors. Also ein Beispiel: Wilhelm Meister, Goethe. Es ist klar, der Wilhelm Meister, das ist nur ein Figürchen von

Goethe. Trotzdem kann er in dieser Figur exemplarisch ausarbeiten, wie er selber seinen Lebenslauf verstanden wissen möchte. Johann Wolfgang *himself*. Nämlich dieses Dingsda von Künstler, zum Kaufmann, zum Adeligen, in der Bürgerklasse keine Selbstverwirklichung, nur Leistungsprinzip, und deswegen Austritt aus der Bürgerklasse, Übertritt in den Adel, der damals allein Selbstverwirklichung ermöglichte. Also Verlassen einer Klasse, in der du nicht zu dir selber kommen kannst. Das ist die Erfahrung, die da zu diesem Roman geführt hat. In siebzehnjähriger Arbeit. Und das ist ganz klar am Wandel Wilhelms und an der Art, wie wir diesen Wandel durch die Darstellung Goethes empfinden sollen. Das ist ganz klar, was wir da als die Autorstimme empfinden sollen ... Gut. Es ist jetzt das große Problem: Kann ein Autor mit mehr als einer Stimme vertrauenswürdig erzählen? Vielleicht täusche ich mich im Augenblick, wenn ich sage, ich möchte die Gegenstimme, was auch immer sie bedeute, wie sie auch immer sich zu Wort meldet, ich möchte sie verstärken. Vielleicht täusche ich mich, vielleicht jage ich da einem Unerfindbaren nach und schreibe dann bloß künstliches Zeug damit. Im Augenblick glaube ich noch daran. Ich bin schon immer mehr als eine Stimme in mir gewesen. Und wenn ich mit einer Stimme gesprochen habe, dann habe ich schon ein bißchen reduziert. Also ich bin eigentlich eine eher polyforme Erscheinung, da ich nicht selbstsicher bin wie Goethe. Ich könnte meine Unsicherheiten verstärken, und dann hätte ich mindestens schon zwei Stimmen.

TOTTEN Die aber in dem Roman dann ...

WALSER ... als zwei Figuren zum Ausdruck kommen. Also so, wie da dieser Klaus Buch und der Helmut Halm im *Fliehenden Pferd*.

TOTTEN Ja. Wobei der Klaus Buch aber doch unbedingt sekundär ist.

WALSER Ja, das ist es eben, also das ist das erste Buch, das ich, ohne es zu wissen, in dieser Arbeitshaltung geschrieben habe. Mich hat nachher ein Freund darauf aufmerksam gemacht. Er hat gesagt: die beiden Stimmen in dir hast du da zum ersten Mal gegeneinander ins Spiel gebracht. Gegeneinander. Ich habe beim Arbeiten immer gedacht, ich würde mich da gegen einen wirklichen Klaus Buch wehren. Jetzt ist der natürlich noch zu kurz gekommen gegenüber Helmut Halm. Das stimmt eindeutig. Das ist ein ungerechtes Verhältnis. Also könnte ich das ganze Arbeitskonzept, das ich da mühselig herstammle, so formulieren: ich will einfach den Klaus Buch stärker machen.

TOTTEN Ja, aber indem Sie alles durch das Bewußtsein einer Figur widerspiegeln, ist ja unbedingt die andere Figur sekundär.

WALSER Ja. Das ist die Frage. Das ist genau die Frage. Ich würde gerne diese paradox klingende Aufgabe, so wie Sie es formuliert haben, lösen. Trotz perspektivischer Enge zur sogenannten Hauptfigur möchte ich das Feld der Gegenfigur verstärken. Die Enge dieses Blickwinkels ist für mich die Hauptquelle der Produktivität, seit ich zur Er-Figur übergegangen bin, also seit 1976.

TOTTEN Macht es da noch einen Unterschied aus, ob es eine Ich- oder Er-Figur ist, wenn alles von innen gesehen wird?

WALSER Ja, in der Stimmung. Die Ich-Figur ist grenzenlos. Auch sprachlich ist sie dann so schwer zu wenden und zu dämmen und zu fassen.

TOTTEN Können Sie ein bißchen näher erklären, warum Sie nie *ex cathedra*, als auktorialer Erzähler sprechen?

WALSER Ja, weil das ja der Anlaß zu meiner Arbeit überhaupt ist, daß ich mit Sachen nicht mehr als blankes Ich fertig werden muß, sondern unter dem schützenden oder Spiel-ermöglichenden Vorwand der Figur. Das macht es ja schön, nicht wahr, mit der gleichen Misere spielerisch umzugehen, eben gebrochen durch die Erlebnisfähigkeit einer Figur ... Man reetabliert eine Situation und glaubt so, mit der Figur kann man da leichter über die Runden kommen als in Wirklichkeit. So etwa. Denn als Ich habe ich nichts zu sagen.

TOTTEN Ja, aber es geht jetzt nicht nur um Ich- und Er-Erzählung, sondern ...

WALSER Ja, aber ich meine jetzt auch in der Er-Erzählung, als Ich, als blanke Person, habe ich überhaupt keine Sprache. Also, wenn Sie das zum Beispiel mit alten Praktiken vergleichen – der Thomas Mann hatte so eine gezirkelte, manierierte, siebenmal in sich selbst um nichts herum verkrümmte auktoriale Erzählersprache, nicht? Verstehen Sie? Ich merke ja auch, wieviel Verwindungsmühe der sich da hat machen müssen, bis er so auf seinem eigenen Thrönchen erschienen ist. Ich hab das überhaupt nicht. Ich existiere nicht, wenn ich einen Aufsatz schreibe, einen Vortrag machen muß, dann ist das Schlimmste dieses am Schreibtisch ... Deswegen möchte ich mich ja vor jedem Aufsatz immer drücken, aber es fehlt dann die Widerstandskraft ...

TOTTEN Sie sprechen jetzt vom Aufsatz, ich sprach von Erzählungen.

WALSER Wenn Sie sagen, ich mache keine auktorialen Aussagen in den Büchern . . . Weil es keine Sprache dafür gibt. Als bürgerliches Ich habe ich keine Sprache.

TOTTEN Es gibt aber auch noch einen Mittelweg: wie Fontane das macht, wie er als Zuschauer beschreibt.

WALSER Ja, das kann ich nicht, das weiß ich nicht, wie das geht.

TOTTEN Oder Stücke schreiben.

WALSER Oder Stücke schreiben. Richtig. Ja, ja.

TOTTEN Verallgemeinernd kann man sagen, daß Sie in Ihren Stücken offen Kritik an der Gesellschaft üben, daß in Ihren Romanen jedoch häufig Themen wie Liebe, Ehe und *midlife crisis* im Vordergrund stehen und die Gesellschaftskritik erst durch die Hintertür hereinschleicht. Spezifischer: individuelle Probleme werden kenntlich gemacht als von der Gesellschaft verschuldet. Warum wählen Sie diese Methode? Wir haben schon ein bißchen hierauf hingearbeitet.

WALSER Ja, die öffentliche Situation des Theaters lädt natürlich ein, das auf der Bühne darzustellen, was nur gemeinsam, und zwar wirklich in physischer, psychischer, örtlicher, zeitlicher Gegenwärtigkeit diskutiert werden kann oder sollte. Viele Motive gibt es, die die Intimität zwischen zwei Buchdeckeln für solche und solche und solche Erfahrungen gut sein lassen. Die Intimität und die Öffentlichkeit des Mediums ist für mich maßgebend für die Wahl des Genres. Das ist meistens problemfrei und ganz klar. Aber wie das *Fliehende Pferd* mir gezeigt hat, gibt's manchmal Grenzbereiche, das ist dann die Novelle . . . Ich möchte sehr gern noch ein oder zwei Novellen schreiben und auch sehr gerne Romane.

TOTTEN Stücke nicht mehr?

WALSER Doch, schon, ein oder zwei Stücke.

TOTTEN Aber Sie fühlen sich als Prosaschriftsteller wohler als als Stückeschreiber?

WALSER Ja, das muß ich wohl, wohl oder übel.

TOTTEN Weil die Prosa erfolgreich war.

WALSER Ja.

TOTTEN Die Frauenfiguren in den Romanen sind bisher immer recht blaß geschildert worden und nicht gerade schmeichelhaft in vielen Fällen.

WALSER Hm. Blaß schon, aber schmeichelhaft . . .

TOTTEN Oft ganz entsetzlich.

WALSER Ja. Was soll ich da sagen? Da jeder Leser das volle Recht zu seinem Eindruck hat, kann ich Ihnen da gar nicht widersprechen, auch wenn ich es anders sehen würde.

TOTTEN Das reicht aber nicht. Hat das etwas damit zu tun, daß Sie als männlicher Autor die Frauen nicht so beschreiben können? Na, Nebenfiguren sind sie sowieso, darüber hinaus noch blasser als die anderen. In den letzten beiden Büchern, da ist es nicht mehr so prononciert wie in den vorherigen.

WALSER Das hat für mich nichts damit zu tun, daß es Frauenfiguren sind, verstehen Sie. Da, wo die Hauptfigur so unflätig sich ausbreitete, da waren eben auch die Frauen unter den Zukurzgekommenen.

TOTTEN Können Sie sich jetzt denn vorstellen, daß Sie als Hauptfigur eine Frau wählen könnten?

WALSER Monika, ich kann Ihnen nur sagen, daß ich viel Zeit damit verbringe, über einen Roman nachzudenken, den ich überlege seit 1962. Und dieser Roman hat vier weibliche Figuren, und er hat schon einen Titel und alles, aber den kann ich noch nicht schreiben.

TOTTEN Eine prekäre Frage: Welchen publizistischen Zwängen ist der Autor unterworfen?

WALSER Naja, also, die haben wir eigentlich schon erwähnt, wenn man so Aufsätze schreiben muß, die man eigentlich nicht schreiben würde, aber doch schreibt, weil man nicht faul und nicht feige sein will.

TOTTEN Aber ansonsten, beim Schreiben von Prosa, kommt das überhaupt nicht ins Spiel?

WALSER Meinen Sie jetzt irgendwelche Rücksichten politischer Art oder . . .

TOTTEN Schreiben, was gerade gefragt wird?

WALSER Nein, nein.

TOTTEN Keinesfalls?

WALSER Nein.

TOTTEN Das hatte ich auch nicht erwartet, aber ich wollte doch einmal fragen.

WALSER Es würde ja auch nichts helfen. Es fällt einem ja dadurch nichts ein. Als die zwei Bücher *Jenseits der Liebe* und *Ein fliehendes Pferd* besprochen wurden, da wurde immer von dieser *midlife crisis* geredet. Da kann ich ja nichts dafür. Ich bin halt auch in dem Alter, in dem solche Bücher entstehen, und die Leute, die dieses

Gerede von einer *midlife crisis* heraufgebracht haben, sind wahrscheinlich auch in dem Alter. Sie nennen das halt mal *midlife crisis*, ich nenne es halt *Jenseits der Liebe* und *Ein fliehendes Pferd*.

TOTTEN In Deutschland gibt's noch kein Fachwort dafür.

WALSER Nein, wird es auch nicht geben.

TOTTEN Warum, ist es eine amerikanische Marotte?

WALSER Nein, das nicht. Unsere Soziologie ist nicht so produktiv. Das läuft momentan doch eindeutig vom Westen nach Osten.

TOTTEN Die nächste Frage werden Sie auch nicht mögen. Worauf beruht Ihrer Meinung nach der Erfolg Ihrer Romane?

WALSER Nun, die hatten ja unterschiedlichen Erfolg.

TOTTEN Bleiben wir vielleicht bei den letzten beiden?

WALSER Was überhaupt Erfolg angeht, da habe ich zwei Erfahrungen gemacht, die vielleicht da zitierenswert sind. Die erste ist, daß ich von Anfang an nie ein sogenanntes bürgerliches Lesepublikum hatte, das auch Bücher verschenkt und deswegen teure Hardcover-Bücher kauft. Meine teuren Auflagen also sind sehr klein, und erst wenn sie im Taschenbuch zur Verfügung standen, haben sie die 100 000-Grenze passieren können. Das scheint sich jetzt gerade ... vielleicht nur für diese zwei Bücher ... vielleicht, 's wär schön, wenn es sich für dauernd verändern würde. Woher das kommt? Es hat doch mit dem, was wir vorher besprochen haben, auch zu tun, da wirkt ja immer viel zusammen. Einen edlen Grund könnte man nennen: den, daß ich meine Willkür und Selbstherrlichkeit durch ich weiß nicht welche Demut gezähmt habe und daß also die Bücher erträglicher geworden sind, weil die Ich-Figur nicht mehr so triumphiert darin, ja. Das könnte ein Grund sein. Ein anderer Grund könnte sein, daß ein paar konservative Chefkritiker mich bei ihrem Publikum herzlicher empfohlen haben, seit sie glauben feststellen zu können, daß mein ihnen unangenehmeres politisches Thema nicht mehr als solches im Vordergrund der Bücher steht. Das kann's auch sein. Man weiß nie.

TOTTEN Was erhoffen Sie sich von der englischen Übersetzung von *Ein fliehendes Pferd*?

WALSER Hm. Neugierig bin ich. Erhoffen tu ich mir nie etwas. Ich möchte beobachten, wie amerikanische Leser darauf reagieren, aus verständlichen Gründen. Weil das zur eigenen Identität etwas beiträgt, wenn man Probleme hat, die auch Leute auf einem anderen Kontinent hätten oder als ihre erkennen würden. Das würde mich natürlich sozusagen – wenn sie den ungeheuer pathetischen Ausdruck gestatten – auf der Erde geradezu heimischer machen, nicht? Naja, muß man abwarten.

TOTTEN Schreiben Sie an Ihrem Buch über Ironie? Soll das irgendwann erscheinen?

WALSER Ja. Das schreibe ich immer, wenn ich irgendwo bin wie Dartmouth oder Texas oder an anderen Universitäten.

TOTTEN Weil Sie dann unterrichten und sich deshalb mit dem Material befassen?

WALSER Ja, dann schreibe ich immer ein bißchen daran weiter. Also diesmal habe ich nicht viel daran geschrieben.

TOTTEN Wie oft müssen Sie dann noch nach Amerika kommen, bis das Buch fertig ist!

WALSER Das ist ja eine Nebenarbeit. Es tut dieser Arbeit auch gut, wenn sie sich über viele Jahre hinzieht. Ich empfinde es bei dieser Nebenarbeit als angenehm, daß ich jetzt in mancher Hinsicht schon anders denke als vor drei Jahren, und hoffe, daß ich in drei Jahren anders denke als heute.

TOTTEN Ist es ganz theoretisch?

WALSER Sagen wir mal, es ist vielleicht polemisch und interpretierend.

TOTTEN Man sagt, daß Ihre Lieblingsschriftsteller Kafka, vielleicht noch Proust und Brecht sind und daß Ihre am wenigsten geliebten Autoren Goethe und Thomas Mann sind.

WALSER Das ist also nicht recht.

TOTTEN Das stimmt nicht?!

WALSER Nein, das ist das Gerücht, das Gerücht.

TOTTEN Ich glaub', das Gerücht hört man vom *horse's mouth* auch oft genug.

WALSER Nein, so dumm bin nicht einmal ich als Theoretiker, daß ich in eine Antipathie gegen Goethe mich hineinfallen lassen könnte. Das ist grotesk, nicht wahr. Das ist nur so, Monika, wenn man in Deutschland oder im germanistischen Bereich oder im Literaten-Bereich eine andere Form der Verehrung pflegt als die eingeübte, dann ist man ein Gegner. Ich meine, ich pflege einfach Goethe auf eine andere Art zu verehren, als in der Emil-Staiger-Kirche Goethe gepredigt wurde und in der Erich-Heller-Kirche über Thomas Mann gelispelt wurde. Das ist einfach nicht meine Art, diesen Geigenbogen zu führen. Diese für mich etwas schmalzige Verehrung, die mag ich nicht. Also jetzt meine ich mehr den Heller als den Emil Staiger. Mit Thomas Mann setze ich mich auseinander. Ich finde, das hat dieser große Autor verdient. Ich widerspreche seinem Ironiekonzept. Das darf ich, denn er hat auch verschiedenen Konzepten widersprochen, und Thomas Mann finde ich durchaus attraktiv. Was ich schlimm finde, sind nur seine Nachlaller. Der einzige, der ein Recht hat, so zu denken wie Thomas Mann, war Thomas Mann, aber von jedem weiteren hätte ich schon ein kritisches, intellektuelles, helles, historisches Verhältnis verlangt und nicht einfach, was man zum hundertsten Mal einfach zitiert: Ironie ist das, was Thomas Mann darüber geschrieben hat, nicht? Das finde ich grotesk. Was in den *Betrachtungen eines Unpolitischen* steht, dazu hatte nur Thomas Mann in der historischen Lage und als der mit diesem Bruder Gesegnete und sich so verteidigen Müssende ein Recht. Das sind alles hinreichende Bedingungen, daß es zu diesen Meinungen kommen konnte. Und was Goethe angeht, es ist völlig grotesk. Ich habe soviel Historisches gelernt durch mein *Wilhelm Meister*-Studieren. Daß ich natürlich die Kleist, Hölderlin und Jean Paul gewissermaßen noch wie ein imitierter Goethe-Zeitgenosse gegen das Unverständnis des Weimarer Meisters verteidige, das darf man mir nicht übelnehmen. Da bin ich dann auf deren Seite, weil ich sie als mißverstandene, als mißhandelte Figuren sehe. Das sollte eigentlich jeder tun. Also ich zieh' diesen vorbereiteten Stiefel des Goethe- und Thomas Mann-Gegners nicht an, sondern ich glaube, ich habe ein lebendiges Verhältnis zu diesen Figuren, und bei Goethe gibt es Gott genug zu lieben und ein bißchen auch zu hassen. Und wenn ich das nicht hassen darf, na, dann pfeife ich auf die ganze Auseinandersetzung. Es gibt genug zu lieben an ihm, und ich liebe ihn soviel wie mancher andere, aber einige hasse ich auch kräftig und frei heraus. Das mag ich halt nicht. Das mag ich nicht. Was ich dabei nicht mag, naja, die Selbstobjektivierung. Nur Goethe hatte das Recht, so zu sein, wie er war, jemand, der also fünfzig Jahre lang die Spitze des Kulturbetriebs bildet und von Ost und West, Süd und Nord alles durch sich durchströmen läßt und es auf klassische Weise festhält und uns wiederbietet. Gut, der hatte ein Recht zu dieser ehrwürdigen, maßgebenden Geste, aber wir müssen doch einen kritischen Umgang riskieren dürfen mit dem, was uns da geboten wird. Also es darf nicht verboten sein, und man muß nun nicht gleich geschmäht werden, und ich bin wirklich schon von den komischsten Leuten dafür geschmäht worden, wenn ich Jean Paul in gewisser Hinsicht als Realisten gegen Goethe verteidigt habe, weil beide im Jahr 1794 ein wichtiges Buch herausgebracht haben, der eine den *Hesperus*, der andere den *Wilhelm Meister*. Ich kann ja auch nichts dafür. Fünf Jahre nach der französischen Revolution kommen diese beiden Bücher heraus, und das eine ist von einem Kleinbürger, und das andere ist von einem Großbürger geschrieben. Das heißt doch nichts über die gewissermaßen schriftstellerische Leistung. Ich sag doch nicht, der *Hesperus* sei besser als der *Wilhelm Meister*, das wäre doch grotesk. Das sind zwei grundverschiedene Bücher, deren historische Brauchbarkeit ich diskutiere, indem ich die Art, wie Goethe das Verlassen seiner Klasse und den Übergang zur herrschenden Klasse und wie Jean Paul ein ähnliches Thema erzählt. Da sag ich, das ist sehr vielsagend, wie die beiden Herren das machen, und davon mache ich einen mein Bewußtsein belebenden Gebrauch. Ich geb ja keine Noten, die Herren sind ja tot und groß und bedürfen meiner Benotung nicht. Ich sage nur, ich kann nicht im Anbetungsverhältnis erstarren. Ich möchte wirklich mit dem Goethe umgehen, wie wenn er warm und lebendig im Zimmer wäre, nicht wahr, und sagen, nein, ja, nein, ja. Nicht?

TOTTEN Aber bei Kafka haben Sie nun dieses Gefühl nicht.

WALSER Nein, das ist reine Liebe.

TOTTEN Was lesen Sie sonst noch, sei es Belletristik oder Sachbücher?

WALSER Ich lese, was Sie auch lesen, hoff' ich.

TOTTEN *New York Times* . . .

WALSER *New York Times*, Joyce, Carol Oates, C. S. Lewis, Ann Beattie. Natürlich, wie jeder Berufsliterat muß ich mir meine Lektüre nach meinen Projekten einteilen. Ich habe in den letzten Jahren meine Zeit, die ich für Lektüre habe, stark auf dieses Ironieprojekt ausgerichtet, den philosophischen Hintergrund da, Romantik und so. Dadurch bin ich ein bißchen aus dem Tritt gekommen, was die aktuellen Dinge angeht.

TOTTEN Wie bauen etablierte Autoren, wenn man das mal so sagen darf, jüngere Autoren auf? Durch die Verlagsbeziehung?

WALSER Ich hab immer wieder meinem Verlag Bücher und Manuskripte empfohlen, auch anderen Verlagen schon. Man kann da natürlich nicht viel mehr tun. Das ist ja auch das Wichtigste, daß sie einen Verlag haben.

TOTTEN Gibt es von den amerikanischen Schriftstellern welche, die Sie besonders beeindrucken? Ich meine jetzt nicht unbedingt Zeitgenossen.

WALSER Nun ja, Melville ist, glaube ich, mein Hauptautor. Ja . . . Poe ist vielleicht der wichtigste für mich. Aber Melville auch. Eine Zeitlang war Melville sehr wichtig, mit *Bartleby*. Hemingway war nie ein wichtiger Autor für mich, Faulkner schon eher.

TOTTEN Was für Fragen habe ich ausgelassen? Das heißt, wenn Sie an meiner Stelle wären, was für Fragen würden Sie stellen?

WALSER Sie hätten gar nicht an mich Fragen stellen sollen, sondern mir von sich erzählen sollen. Wenn ich eine Frage höre, schneidet sie sofort in meinen unklärbaren inneren Zusammenhang eine Schneise. Ich kriege ja sofort Angst, wenn ich eine Frage höre. Kann ich die auch beantworten?! Nicht wahr, schon die Frage ist ja eine Reproduktion der Schulsituation, und die ganze Angst von früher drängt sich wieder herein und herauf, und so bin ich einer Frage gegenüber schon immer ein bißchen verkrampft. Und das hat die Gefahr in sich, daß ich die Frage gar nicht mehr richtig eindringen lasse, sondern nur noch so weit, bis zu der Etage, wo schon fertig abgepackte Antworten liegen, die vom letzten Mal sozusagen. Also in der Not versuche ich: Mensch, habe ich da 'ne Antwort, die ich schon mal gegeben haben könnte, halbwegs greifbar, reformulierbar bereit? Ich weiß natürlich, daß es professionell verlangt wird, daß man Fragen beantwortet. Das ist mir klar. Ich halte mich auch für auskunftspflichtig, so ist es nicht. Ich glaube, daß man das volle Recht hat, an jeden Mitarbeiter der öffentlichen Meinung Fragen zu stellen. Nur sage ich dazu – weil Sie jetzt so freundlich sind und mir durch Ihre Schlußfrage eine Lizenz dieser Art in die Hand spielen –, daß Fragen *die* Sprachform sind, der gegenüber ich mich am unfreiesten fühle. Und das kommt sicher von der Schule her.

Anmerkungen

1 In: *Wer ist ein Schriftsteller? Aufsätze und Reden*, Frankfurt (Main) 1979, S. 37.
2 *Über die Neueste Stimmung im Westen*, in: *Wie und wovon handelt Literatur? Aufsätze und Reden*, Frankfurt (Main) 1973, S. 15.
3 *Wie und wovon handelt Literatur?*, S. 12.

»Wie tief sitzt der Tick, gegen die Bank zu spielen?«

Interview mit Martin Walser

Roland Lang fragte Walser nach seinem Verhältnis zur DKP, zur SPD und zur Bodensee-Sippe seiner Romanwelt

LANG Im Sommer ist Franz Xaver Kroetz aus der DKP ausgetreten. In einem Telefoninterview hast du, von der »Frankfurter Rundschau« um eine Stellungnahme gebeten, sinngemäß gesagt: Dieser Austritt ist schon lange fällig gewesen, und mich hat's gewundert, daß es so lang gegangen ist. Meine Reaktion auf diese Aussage von dir war im ersten Moment ganz emotional, ich dachte: Warum ist der Walser wohl so böse?

WALSER Das ist ja nichts Böses. Ich habe nie verstanden, warum der Kroetz die DKP in dieser für mich schon grotesk-imitatorisch wirkenden Art vertreten hat. Das habe ich mit seiner schriftstellerischen sprachlichen Empfindlichkeit nie zusammengebracht: daß er bei UZ-Umfragen, zu lesen dann auf der Titelseite der UZ, immer ein Vokabular in den Mund genommen hat, das wie die Imitation eines Zentralkomitee-Kommunique-Vokabulars gewirkt hat. Mit der Zeit habe ich den Eindruck gehabt, daß ihm das alles nichts ausmacht, was auch immer in der Entwicklung dieser Partei passiere: Er merkt's entweder nicht oder er schluckt's, es ist ihm egal. Deswegen, muß ich sagen, war ich froh über diese Nachricht, weil das in meiner Vorstellung die ramponierte Kroetz-Figur etwas restauriert hat. Denn mir kommt ein Schriftsteller, der ein solches Vokabular reproduziert, gefährdet vor.

LANG Dein Verhältnis zur Partei war ja einmal – ich habe mir da die Wahlzeitung von 1972 zur Bundestagswahl angeschaut, den Dialog zwischen Walser und Bachmann – durchaus von starker Sympathie bestimmt. Dann änderte sich was. Man hatte den Eindruck, und den bestätigt deine Aussage zu dieser Kroetz-Sache, daß du der DKP gegenüber auf Distanz gehst und mehr und mehr eine Haltung der Opposition und der Verurteilung einnimmst.

WALSER Ja, der Eindruck täuscht nicht.

LANG Was hat sich seitdem an der Politik, was hat sich am Bild der DKP, oder was hat sich an der politischen Situation geändert, daß dein Verhältnis zu dieser Partei jetzt eins der Gegnerschaft ist?

WALSER Es hat sich eben in der Partei *nichts* geändert, das ist es. Ich war ja nie Mitglied dieser Partei, aber ich habe am Anfang der siebziger Jahre gehofft – und zwar lange bevor es das Stichwort »Eurokommunismus« in der Diskussion gab, und es war mein Bedürfnis, gerade in der Zeit, in der die SPD sich in der Frage des Vietnam-Krieges anders verhielt, als ich dachte, daß man sich verhalten müsse – ich habe also gehofft, eine Partei zu finden, in der man seine Hoffnungen unterbringen könnte. Die DKP war gerade erst entstanden, und ich dachte, es sei vielleicht eine Entwicklung drin. Ich habe allerdings von Anfang an – und das habe ich niemals, bei keiner Zusammenkunft, verschwiegen – gesagt, daß mir an einer Partei läge, die inländisch wäre; ich habe immer gesagt, eine *hiesige* Partei. Und auch in jener Wahlzeitung mit Bachmann habe ich gesagt, daß mir nicht an einer Partei liegt, die ihr Zentrum im Ausland hat. Die DDR ist momentan Ausland. Und das hat sich nun überhaupt nicht geändert: Die DKP ist für mich eine im Ausland zentrierte Partei geblieben und mein Interesse an dieser Partei ist aus diesem Grunde völlig erloschen. Nicht zur Gegnerschaft geworden. Aber es ist erloschen. Vielleicht habe ich nicht lange genug zugeschaut. Aber für mein Bedürfnis war es lange genug. Ich halte eine Entwicklung unter den gegenwärtigen Umständen innerhalb dieser Partei nicht für möglich. Ich könnte das ein bißchen sentimentaler formulieren, aber sachlich ist das der Inhalt.

LANG Und dieses Erloschensein geht so weit, daß du dir nicht vorstellen kannst, dich jemals wieder für diese Partei zu interessieren?

WALSER Heute sage ich nachträglich – jetzt schon aus einer vollkommenen Ferne: Die DKP hat nicht nur damals, Anfang der siebziger Jahre, sagen wir mal, 1975, ihre Entwicklung versäumt – sie hat überhaupt keine Kindheit durchgemacht, die irgendwohin hätte führen können. Inzwischen ist ja in ganz Europa dieser Zug abgefahren. Andere Parteien haben da ja Entwicklungen durchlaufen, das hätte eigentlich eine Chance geben müssen. Das war offenbar eine Epoche, wo man so eine Entwicklung machen konnte, und in dieser Epoche hat die DKP keine gemacht.

LANG Stelltest du dir vor, eine Kommunistische Partei in der Bundesrepublik mit dem Selbstverständnis der derzeitigen italienischen KP?

WALSER Man muß gar kein anderes westeuropäisches Vorbild zitieren, es würde ja genügen, wenn diese Partei selber eine Entwicklung gehabt hätte. Ich glaube jetzt nicht mehr dran. Wenn die *einmal* gesagt hätten, wir sind von hier!

LANG Wie hätte sich das ausdrücken sollen?

WALSER Dazu gab es doch tausend Gelegenheiten! Innerhalb des Kulturbetriebes haben sich groteske Gelegenheiten ergeben. Von Biermann bis zu Sowieso.

LANG Du meinst also: Stellungnahme gegen die Ausbürgerung Biermanns oder Stellungnahme gegen den Ausschluß einiger DDR-Autoren aus dem Schriftstellerverband . . .

WALSER . . . um mal in der Nähe zu bleiben. Wo sich die Italiener völlig anders verhalten haben als die DKP.

LANG Gut, das waren kulturpolitische Konflikte. Aber man muß die Politik der DKP ja auch an der Innenpolitik messen, und wenn man da den Kulturbereich mal beiseiteläßt . . .

WALSER Nein, man darf den Kulturbereich nicht beiseitelassen.

LANG Aber man kann doch nicht nur auf den Kultursektor schauen!

WALSER Aber davon verstehen wir ja ein bißchen was! Ich verstehe ja ein bißchen was von der Arbeit im Felde der öffentlichen Meinung, weil ich das 25 Jahre lang betreibe, und die Wichtigkeit von Öffentlichkeit, eine Errungenschaft der bürgerlichen Revolution, kann man nicht beiseiteschieben. Das hat für mich nahezu religiösen Rang.

LANG Gut. Nur muß man aber doch gerechterweise die Gesamtarbeit einer kommunistischen Partei sehen, das, was sie an politischen Aussagen und politischen Aktivitäten insgesamt einbringt. Und da könnte man ja sagen, da existiert das, was du diese DDR-Orientiertheit nennst, aber die Partei entwickelt im politischen Feld der Bundesrepublik durchaus Initiativen und wirkt als Kristallisationspunkt, der was wert ist, der was Positives darstellt.

WALSER Ich seh nur, daß sie alles, was in dieser Republik bei uns probiert wird und geschieht, von einem mechanischen DDR-Standpunkt aus beurteilt. Ich seh da überhaupt nicht eine Substanz oder Form der selbständigen Teilnahme an der politischen Entwicklung dieses Staates. Sondern ich sehe immer nur die Reproduktion eines Standpunktes, der außerhalb des Bodens dieser Republik liegt.

LANG Naja, aber es könnte ja sein, daß die DDR – zum Beispiel –

in ihrem Urteil über bestimmte Erscheinungen und Fragen in der Bundesrepublik nicht unrecht hat.

WALSER Das ist unmöglich. Was wäre denn das für ein Urteil? Aus was bestünde denn dieses Urteil? Du müßtest schon einen göttlichen Verstand im Auge vermuten lassen und sagen, daß irgendwo jemand sei, der, außerhalb einer Gesellschaft, die Entwicklung in dieser Gesellschaft besser beurteilen könne als die Leute, die sie tragen, machen, erleiden. Nur aus dem Erleiden einer Situation entsteht Tätigkeit. Und das kann man nicht mit Hilfe von Politologie oder Marxismus oder irgendwas beurteilen. Es ist für mich verrückt zu glauben, es gäbe gewissermaßen eine Wissenschaft, eine Theorie, mit deren Hilfe man etwas, das konkret irgendwo geschieht, beurteilen könne, also sagen: das müßte besser so sein als so. Weil das nur an Ort und Stelle entschieden werden kann. Für mich ist der Inbegriff von Demokratie – und das ist ja das Ziel aller Bewegungen – Föderalismus, also möglichst wenig Zentralismus. Also nur an Ort und Stelle allein kann entschieden werden, was an Ort und Stelle gut ist. Selbst der Inhalt des Wortes »gut« wird an Ort und Stelle entschieden und nicht an höherer Stelle.

LANG Hat sich in den vergangenen fünf, sechs Jahren dein Verhältnis zur SPD verändert, gibt's da neue Akzente?

WALSER Ja. Ich muß sagen, seit 77 habe ich erlebt, wie der Schmidt auf diese Herbst-77-Situation reagiert hat, das hat mir sehr imponiert. Ich meine die Reaktion auf den Terrorismus. Wie die Konservativen da zum Bürgerkrieg aufgerufen haben, ihn schon als im Gang befindlich erklärten, Golo Mann, Franz Josef Strauß. In dieser heißen, aufgeputschten Atmosphäre hat die SPD wirklich Demokratie praktiziert, d. h. sie hat Minderheiten einen Schutz spürbar gemacht. Ich fühlte mich damals von der SPD beschützt, aufgenommen. Von den anderen fühlte ich mich angegriffen.

LANG Aber die SPD hat doch diesen sogenannten Anti-Terror-Gesetzen, die von der CDU initiiert wurden, um die Stimmung auszunutzen, zugestimmt, die hat da ja nicht abgeblockt, die ist da mitgegangen.

WALSER Jetzt sind aber wieder welche rückgängig gemacht worden.

LANG Aber sie konnten doch nur – ich besinne mich da jetzt allerdings als Beispiel nur auf den § 88 a – rückgängig gemacht werden, weil sie mal verabschiedet worden sind. Mir fallen als Gegenbeispiele die Verteidiger-Regelungen ein. Und das Kontaktsperregesetz.

WALSER Ich könnte schildern, was mir in jenem Herbst passiert ist und wie in dieser Situation, in die ich gekommen bin, wie mich da das Verhalten der SPD gestärkt hat. Und ich sagte mir: Jawohl, die widerstehen solchen Einladungen zur Jagd. Die nützen so etwas nicht aus. Die halten da die demokratische Bordwache aufrecht. Da passiert nichts. Die sind für solche putschistischen Abenteuer nicht zu haben, auch wenn ihnen das in einer übererregten Öffentlichkeit vielleicht nicht sofort Wählerstimmen gebracht hätte. Sie haben immerhin erkennen lassen, daß sie an der Korrektur von Berufsverbot-Gesetzen interessiert sind, mit dem Wegfall der Regelanfrage.

LANG Da gibt's ja nun kontroverse Auffassungen über diese »Korrektur« der SPD. Das wird doch von vielen Betroffenen eher als Kosmetik gesehen. Der Gscheidle als zuständiger SPD-Minister verschärft das Berufsverbot im Bereich von Post und Bahn. Diese angeblich neue Haltung der SPD schlägt sich konkret überhaupt nicht nieder. Das schlägt sich nur nieder in einer Kampagne der Augenwischerei.

WALSER Weißt du, das ist jetzt so ein Punkt. Ich muß wirklich sagen, daß ich da empfindlich geworden bin – Doppelpunkt sozusagen. Es macht auf mich keinen Eindruck mehr, wenn jemand die Bundesrepublik wegen dieser Schwierigkeit, die *unsere* Schwierigkeit ist, zu verteufeln versucht, der andererseits zu dieser ganzen Schriftstellerjagd in der DDR das Maul gehalten hat. Und das hat die DKP. Und deswegen bitte ich: Schluß, wenn wir über die DKP reden, wenn wir unsere Schwierigkeiten, die wir in dieser Hinsicht haben, ansprechen. Das ist doch grotesk, das ist doch eine solche Heuchelei!

LANG Wenn ich dich richtig verstehe, ist dein Standpunkt: Wenn man in der Parteienlandschaft der Bundesrepublik und in der ideologischen Landschaft den Faktor benennen müßte, der eine Menge an Positivem mitverkörpert, dann muß man die SPD nennen.

WALSER Das war als Größe für die gesamte politische Entwicklung nie zweifelhaft. Ich weiß, daß ich in einem Interview 1968 oder 69 gesagt habe – vielleicht war ich damals sogar noch zu optimistisch –, aber ich habe gesagt, das ist das Äußerste, was *wir* bei Lebzeiten erreichen können – womit ich meine Generation meinte –, und wenn es ganz gut verläuft, dann verläuft unser Leben in einer sozialdemokratischen Epoche. Die gewissermaßen herrschend zu machen, so daß das ganze sozialdemokratische Programm ausgeschöpft werden kann, ist schon Arbeit genug.

LANG Wenn man das jetzt mit deinen Auslassungen von früher vergleicht, bedeutet das doch eine Minderung oder nachgerade das Einstellen deiner öffentlichen Kritik an der SPD.

WALSER Nein. Nur nicht im Kontext mit der DKP.

LANG Dein Standpunkt ist, daß es bei der SPD eine Entwicklung gibt?

WALSER Ja. Vor allem ist es nicht so, daß man den Eindruck haben muß, daß die ganze Partei zu einem leblosen Reproduktionsapparat von Regierungskalkül geworden ist. Das kann man doch nicht sagen.

LANG Meine nächste Frage betrifft deine Produktivität als Schriftsteller; eine, wie mir scheint, auf hohem Niveau sich haltende Produktivität. Um deutlich zu machen, was ich meine, zähle ich mal die größeren Veröffentlichungen der letzten Jahre auf: *Die Gallistl'sche Krankheit*, 1972; *Der Sturz*, 1973; *Das Sauspiel*, 1975; *Jenseits der Liebe*, 1976; *Ein fliehendes Pferd*, 1978; *Seelenarbeit*, 1979; *Das Schwanenhaus*, 1980.

WALSER Für mich ist das nicht Produktivität, sondern Fleiß. Und so groß ist er auch nicht. Das kommt drauf an, wo man die Jahresklammer ansetzt. Wenn du die Jahresklammer ansetzt von 1960 bis 1970, dann hab ich in zehn Jahren einen Roman geschrieben.

LANG Um so auffallender aber dann die andere Jahresklammer, die von 1970 bis 1980?

WALSER Ja, gut, aber ich habe schon im Jahr 1963 angefangen, Notizen zu machen für eine Figur Dr. Gottlieb Zürn. Ich habe ein Gefühl gehabt von der Erschöpfbarkeit der Perspektive Kristlein. Wie ich jetzt nachträglich sehe, hängt das mit der Ich-Schreibweise zusammen. Wenn du in der Erzählhaltung »ich« sagst, erzeugt das, wenn man das eine Zeitlang macht, ein Bedürfnis nach »er«. Während ich noch Kristlein bedienen mußte, ist bei mir einfach von selber das Bedürfnis nach Ablösung der Ich-Perspektive gewachsen. 1976 hab ich dann angefangen, mit einem Xaver Zürn zu arbeiten, habe den aber noch nicht publiziert. 1978 hab ich einen anderen Einsilbigen, den Halm, dazwischengesetzt, im *Fliehenden Pferd*. Und 1979 dann einen Xaver Zürn. Und erst 1980 den Gottlieb Zürn, der bei mir 1963 als Figur angefangen hat zu existieren. Auf solche Figuren »spart« man ja auch. Das ist wie eine Sparbüchse, die ich jetzt aufgemacht habe. Das Zürn-Programm – das hat sich in langer Zeit gebildet. Ich weiß jetzt ziemlich genau die Zürn-Bücher, die ich schreiben kann, die ich versuchen kann zu schreiben.

LANG Das heißt, daß du romanübergreifend denkst, in einer literarischen Form, die mehrere Romane umfaßt.

WALSER Das hat sich von selbst ergeben. Bei dieser Zürn-Figur z. B. ist es von Anfang an nicht auf *einen* Zürn hingelaufen. Ich weiß nicht, woher diese Scheu kommt, gleich mit dem Zürn zu beginnen, den ich mir damals notiert habe – als Immobilienhändler.

Jetzt ist da noch was: Diese ganze Entwicklungssache ist ja, wenn man das metaphorisiert, keine alleinseligmachende Kraft, sondern das ist ja nur, daß etwas da sei im Fall, daß ein aktuelles Schreiben-Können, Schreiben-Müssen, Schreiben-Dürfen dazukommt. Das heißt, daß man ein Pferd hat, auf dem man, falls man reiten möchte, reiten kann. So ein Entwicklungsplan kann in vollkommen dürre Abstraktion führen, er kann als Plan skelettieren, sterben, man kann keine Zeile damit machen. Ich habe eine Menge solcher Pläne ernährt, die nirgendwo hingeführt haben. Die dann einfach verrecken auf dem Notizpapier.

Manche dieser Pläne und Figuren sind aber auch aktuell zu zünden. Die kann man brauchen. Der Gallistl hat sich bei mir, als er anfing, auf drei Bücher angekündigt: die Gallistl'sche Krankheit, Gallistls Verbrechen, die Gallistl'sche Lösung. Inzwischen häng ich immer noch an der Krankheit und habe weder Verbrechen noch Lösung. Ich weiß nicht, ob je noch was draus wird. Andererseits: als ich 1976 in einer prekären Lage war, war ich sehr froh, eine Zürn-Verwandtschaft anrufen zu können, aus der Zürn-Figurenreihe einen mal zu probieren. Jetzt im Augenblick nähre ich die Illusion, daß ich noch ein paar Jahre mit Zürns verbringen kann. Das kann sich aber beim nächsten Versuch als Irrtum erweisen.

LANG Diese Schreibkonzeption scheint mir was ungeheuer Animierendes zu haben. Das ist doch was, was einen immer wieder zum Ausprobieren verführt.

WALSER Das hängt vielleicht auch mit meinem Glauben an Belletristik zusammen. In den siebziger Jahren siehst du ja eine Ausdünnung der Fiktion. Eine immer weitergehende Radikalisierung auf die Person des Autors. Hauchdünn werden die Figurenhäute. Ich habe da diesen Köhler-Glauben, daß man selber profitiert, wenn man sich dem Widerstand einer Figur entgegensetzt. Und da ich auch den Kinderglauben habe, daß zwischen Lesen und Schreiben kein wesentlicher Unterschied sei, habe ich als Leser bemerkt, daß mich Bücher, in denen einer ungeheuer bevorzugt recht hat und die ganze übrige Welt nur Stichwortlieferant-Personal ist, um *einen* Nabel glänzend zum Vorschein zu bringen, daß mich diese Bücher immer weniger interessieren. Mich interessieren Bücher, in denen der Hauptfigur eine möglichst starke Gegenwelt gegenüber ist. Das ist natürlich noch interessanter, wenn ich eine Figur habe, die nicht nur so ein verheimlichter Schriftsteller ist. Wenn ich tatsächlich das Abenteuer eines Berufes ernst nehme. Ich habe z. B. auf diesen Zürn-Beruf – auf den habe ich wirklich gespart. Ich habe mir die Entwicklung dieses Berufes in den letzten zehn Jahren andauernd angeschaut. Ich verstehe etwas davon, soweit man etwas durch Beobachtung verstehen kann, und dann und wann war ich auch Objekt dieses Berufes. Natürlich, ich kann nicht fünfzig solcher Berufe durchmachen, ich kann das nicht aus dem Ärmel schütteln. Das ist nicht mühsames, sondern schönes Sparen.

LANG Mir fiel auf, als ich das *Schwanenhaus* gelesen habe, daß das ja allmählich eine Gruppe gibt: Es taucht in dem Buch der Franz Horn auf, kurz auch der Xaver Zürn, und dann der Held Gottlieb Zürn. Wie wenn das eine Art Zyklus würde. Da wird eine Bodensee-Sippe von verschiedenen Seiten, Perspektiven her angeschrieben.

WALSER Daß eine gewisse Räumlichkeit entsteht, ja.

LANG Ist das naturwüchsig entstanden, oder ist das eine durchdachte Konzeption gewesen von Anfang an?

WALSER Das geht von Spielereien bis zur Hoffnung auf eine räumliche Chance, daß tatsächlich etwas entstünde. Dazu ist es aber noch zu früh. Das ist so, wie wenn man an ein Bauwerk kommt, wo man gerade die Fundamente sieht, da weiß man auch noch nicht genau, wie die Zimmer aussehen werden. Man kann sie sich nur vorstellen. Ich hab natürlich gewisse Hoffnungen in der Richtung.

LANG Du hältst dir aber auch Rückzugsmöglichkeiten offen, Abbruchmöglichkeiten.

WALSER Abbruchmöglichkeiten . . . Abbrechen kann man weniger, aber man könnte die Stümpfe verwittern lassen. Aber ich habe natürlich die Hoffnung, es bilde sich etwas. Zum Beispiel ist dieser Franz Horn eine unausgeschöpfte Figur. Diese Betriebssituation mit seinem Mitkonkurrenten Liszt, die taucht garantiert noch auf und wird zu Ende geführt. Und dieser Gottlieb Zürn sowieso. Aber das spielt jetzt noch keine Rolle für den Leser.

LANG Im *Schwanenhaus* stirbt ein Kristlein . . .

WALSER Ja, der Onkel dieser . . .

LANG Ich frage mich: Kommen jetzt noch die Kristleins?

WALSER Diese Irmgard Kristlein ist aus dem *Sturz*. Da taucht die auf. Wer das andere nicht gelesen hat, weiß das nicht. Aber das ist auch völlig unwichtig. Das ist eben die nächste Generation Kristlein; die alten Kristleins, die gibt es ja nicht mehr, es ist die nächste Generation, das wäre so ein Nebenehrgeiz. Es wird ja auch die Etablierung dieser Irmgard Kristlein in einem Immobilienobjekt dieses Zürn als Nebengeschichte erzählt. Wenn alles richtig laufen würde in dem Gesamtunternehmen, dann könnte einmal erzählt werden, daß sich das Leidensprofil der Familie Kristlein in einer nächsten Generation anders darstellt, und wie anders es sich darstellt als in meiner Kristlein-Generation. Da würde sich auch eine zeitliche Tiefe und auch vielleicht eine Räumlichkeit herstellen lassen, aber das wäre von den Wachstumsprojekten das entfernteste. Wichtiger wären jene Spuren, die Richtung Horn und Richtung Xaver Zürn und weiter zu Gottlieb Zürn weisen.

LANG Die Personen im *Schwanenhaus*, die sich engagieren, sind keine besonders einnehmenden Gestalten. Im Gegensatz dazu ist der zerknirschte und fast verzweifelt reflektierende Zürn eine sympathische Gestalt. Dann gibt's den Schatz als Figur – aber das ist keiner, auf den man was setzen möchte.

WALSER Du meinst, wie er sich engagiert.

LANG Der engagiert sich ja eher entlarvend und nicht unbedingt auf eine akzeptable Weise.

WALSER Du meinst, wie er sich politisch verdeutlicht, wie sich also die Gegenfiguren vom Zürn zeigen? Die Gegenfiguren, die sich engagieren, wirken, meinst du, weniger einnehmend als der sich nicht engagierende Zürn?

LANG Ja.

WALSER Und was schließt du daraus?

LANG Das war eben mein Eindruck, sonst erst mal nichts. Es gibt dann noch den Sohn vom Schatz, der mit dem »Motz-Fässle«, und da könnte man sagen: aha, da kommt eine Generation, die sich wieder regt. Aber auch bei der Zeichnung dieser Figur spüre ich – aber das ist vielleicht eine Überempfindlichkeit von mir – eine Tendenz, daß der auch schon ein bißchen als persönlichkeitsgestört geschildert wird.

WALSER Das ist die Tochter vom Zürn, die von dem erzählt. Obwohl der Vater Zürn gar nicht so gern hat, daß die das so formuliert, aber, natürlich, das ist eine Perspektive . . . Das ist im Empfindlichkeitsgewebe der Familie Zürn ein Bedürfnis, beim Vater und bei der Tochter, Engagements-Risiken in der Bekanntschaft, beim Vater Schatz und beim Sohn Schatz, herabzuwürdigen, um selber in dem passiven Leidensprofil sich wohlfühlen zu können. Und das macht keiner der Zürns sich selbst zum Vorwurf, aber jeder dem anderen. Der Vater verflucht ja die Tochter, der wird ja furios, weil die Tochter einen so tüchtigen jungen Mann auf diese typisch Zürn'sche Weise verurteilt. Aber es ergibt sich auch, daß der Zürn wider Willen doch auch gezwungen wird, den Schatz ein bißchen anders zu sehen im Laufe der Zeit. Obwohl das nie zurückgenommen wird: die Beurteilung jener Bürgerinitiativen-Seligkeit, die manche Leute entwickeln. Ich kann das auch nicht bewerten.

LANG Das scheint sich mir einzupassen in die Darstellung des Kaltammer, der als ehemaliger Studentenbewegungs- und Apovertreter vollkommen verrottet und zum Zuhälter des Systems wird.

WALSER Zum Kapitän.

LANG Der abstoßend wirkt durch seinen Zynismus und seine Seelenlosigkeit.

WALSER Er war früher führend in der Studentenbewegung, und jetzt ist er führend im Kapitalismus. Jemand, der sich immer durchgesetzt hat. Das soll ja vorkommen. Daß es Leute gibt, die immer vornedran sind, ob es sich jetzt um Studentenbewegung oder um Geschäftsführung handelt.

LANG Ich bin da zu der Vorstellung angeregt worden: es wäre ein Buch zu schreiben – oder vielleicht auch Bücher –, die erarbeiten das Soll und Haben an politischer Erfahrung und was sich in den Verkehrsformen der Menschen verändert hat seit 1966. Wo aber eben auch das Haben, die Aktivseite eingebracht wird. Der Kapitalismus produziert ja nicht nur Verkrüppelung und Gehässigkeit, sondern auch Widerstand, Solidarität, Empfindlichkeit, Erfahrungen, Gegenentwürfe. Die Schwächen und die Gewinne dieser Epoche wären mal auszubalancieren.

WALSER Ist dir das Buch zu wenig positiv?

LANG Diesen Satz würde ich zu dem Buch nicht sagen.

WALSER Ist die Hauptfigur, der Zürn, der nicht ganz ohne seine Familie gesehen werden kann, – der ist ja ein Produkt jener Zeit, er empfindet sich auch nicht anders –, ist das für dich eine positive oder eine negative Figur?

LANG Spontan gesagt: eine positive.

WALSER Eben. Und er ist doch ein Produkt dieser Verhältnisse, dieser kapitalistischen Verhältnisse.

LANG Ja, natürlich, und es gibt ja auch diese Passage, die mir sehr gut gefallen hat und die ich auch als eine Schlüsselstelle in dem Buch fand: dieser Teppichkauf. Mit dem Satz: Kauf ist etwas für sich und zugleich gegen sich.

WALSER Etwas, das man für sich und zugleich gegen sich tut. Das ist der Punkt.

LANG Was ich aus meiner Umgebung weiß und gehört hab, ist, daß du mit deiner, ich will's mal salopp sagen, »neuen Erzählkunst« dir weitere Leserschichten erwirbst. Mir scheint, es lesen neuerdings Leute Walser, die ihn früher nicht lesen wollten oder konnten. Ich weiß von Bekannten – Angestellten –, die mir gesagt haben, sie hätten deine letzten zwei Bücher als spannende Lektüre gelesen. Die mir gesagt haben, die gefallen mir.

WALSER Rational kann ich mir nicht erklären, warum ich so scharf bin auf den Roman. Gewisse Leute haben ja schon längst Schluß gemacht damit. Der Roman als etwas Anachronistisches, als etwas unter unserer Würde. Ich bin eine Zeitlang, als jugendlicher Mensch, auf die Spielbank gegangen. Hab dort immer gegen die Bank gespielt, und ich bin damals mit einem gegangen, der immer mit der Bank gespielt hat. Tatsächlich hat der auch immer gewonnen und ich verloren. Aber das hat mich nicht belehrt. Auf dem ästhetisch-theoretischen Feld hab ich eine unausrottbare Neigung, gegen diese Modebank zu spielen, die die Fiktion für tot erklärt hat. Und die die Fiktion ausdünnt und im Grunde genommen nur noch das Tagebuch gelten läßt. Wenn ich mir jetzt selbst überlege: ist es dieser blödsinnige, von der Spielbank stammende Trick, gegen die Bank zu spielen, oder was ist der Inhalt, warum willst du den Roman, wenn die Leute sagen, es ist nicht mehr fein genug, einen Roman zu schreiben.

LANG Nicht die Leute sagen das, die Theoretiker sagen das.

WALSER Gut, das Publikum nicht, aber man muß sich auch mit den Fachleuten auseinandersetzen, und du mußt dich stellen. Ich habe eine Vorstellung, ich kann sie jetzt nicht so toll begründen, aber die Richtung, in der ich das begründe, ist da. Hoffentlich verstehst du es nicht falsch. Es ist eine religiöse Begründung. Das, was wir als Religion gehabt haben, war das letzte Allgemeine. Das war das letzte Mal, daß wir was Allgemeines hatten – das, was wir mit Demokratie auch beabsichtigen. Wir, – du und ich und solche wie du und ich, die mit dem Bedürfnis nach Sozialismus, die haben auch dieses Gefühl, daß jemand alleine eher ein Unglück ist als ein Glück. Die Religion hatte die Sprache für mehr als einen. Und aus der Religion stammt der Roman, mit diesem Bedürfnis nach Happy-End. Das heißt: unsere Geschichte anders zu erzählen, als sie in Wirklichkeit verläuft, nämlich mit dem Bedürfnis, daß es gut ausgeht.

LANG Wenn man schon beim Vergleich mit der Religion bleibt ...

WALSER Es ist mehr als ein Vergleich, es ist eine Verbindlichkeit.

LANG Aber dann ist es eben nicht nur schlicht »das Allgemeine«, sondern es ist doch auch Wertung. Es wird ja etwas wertend, bewertend erzählt.

WALSER Ja sowieso. Ich fände es ungeheuer, wenn es gelänge, einen Roman zu schreiben, der auch nach zeitgenössischen Kriterien bestünde. Das dürfte ja dann kein Roman des 19. Jahrhunderts sein. Es gibt Sachen, die man nicht beabsichtigen kann, das sind die wichtigsten. Da kann man nichts »machen«, auf die ist man angewiesen.

Wir reden ja die ganze Zeit davon, was man beabsichtigen kann und, wie ich glaube, sogar beabsichtigen muß. Also trainieren muß – handwerkliche Sachen. Aber es gibt etwas, das hat man überhaupt nicht in der Hand, und das ist das Thema. Das ist das, woraus die Notwendigkeit resultiert, überhaupt zu schreiben.

Ich habe jetzt die Erfahrung gemacht: das Thema entsteht ohne Souveränität, ohne Willkür. Ich habe 1976 *Jenseits der Liebe* gebracht, das ist, wenn man nachträglich hinschaut, die Konkurrenz zweier Angestellten unter einem Chef. Dann kam 78 das *Fliehende Pferd*, das ist die Konkurrenz zweier Männer vor zwei Frauen. Dann *Seelenarbeit*, das ist die Abhängigkeit eines Angestellten von diesem Chef. Und jetzt *Schwanenhaus*, die Konkurrenz nicht von Angestellten, sondern von mittelständischen Kleinunternehmern, Geschäftsleuten.

Ich habe mir diese Themen nicht gewählt. Ich habe mir diese Figur Zürn gespart, ich wußte damals nicht warum, es war mein Bedürfnis. Jetzt wäre es mir natürlich sympathisch, wenn ich nachher, was weiß ich, vier oder fünf oder sechs Romane hätte, die gleichzeitig auch noch von Themen lebten, die in dieser Zeit eine Rolle spielen. Weil, dann wäre meine Hoffnung, daß die Fiktion noch was leiste, dokumentierbar.

III.

Erhard Schütz
Von Kafka zu Kristlein
Zu Martin Walsers früher Prosa

I.

»Ich glaube, es war im November 1972, als sich Anselm Kristlein das letzte Mal bei mir meldete. Es war eine Art Abschied« – erinnert sich Martin Walser nahezu ein Jahrzehnt später.[1] Und gibt dann noch einmal ein ausschweifendes Bild dieses »deutsche[n] Abenteurer[s] des 20. Jahrhunderts. Geboren 1920«[2] – sieben Jahre älter als sein Autor.

»Ach ja, Anselm«, seufzt er gegen Ende routiniert, »dich haben sie unter anderem auch für einen Gesellschaftskritiker gehalten. Als hättest du je eine Lippe riskiert, wenn die ganzen Verhältnisse dir nicht vorher Angst eingejagt hätten.«[3]

Im November 1976, also genau vier Jahre nach Kristleins ›Abschied‹, hatte Walser, »gutmütig«, wie Kristlein, sich zu einem Vorwort bereden lassen, das er einer Arbeit mitgab, die eben dies genau zu zeigen beabsichtigte: Kristlein als Gesellschaftskritiker[4] –, und hatte dabei, in diesem Kontext zunächst merkwürdig, von der Angst gesprochen: »Vielleicht kommt Todesangst bei mir, vor lauter Nichtlebenkönnen, zu kurz.«[5]

Nach Kristleins, des »Spielkameraden und Ausdruckspartner[s]« Abschied aber, ihn durchs »umgekehrte Fernrohr«[6] schon sehr verkleinert im Blick, war der Frage: – »Und wer verletzt uns denn am meisten? Die Aussicht, daß wir sterben werden oder die höchstirdische Herrschaft, die uns nicht leben lassen will wie wir wollen?«[7] – die allmähliche Entfernung von der naheliegendsten Antwort bereits eingegeben.

Kristlein, überall in »Feindesland«[8] – und das in Flucht vor mangelndem Selbstbewußtsein –, Heinrich Lersch, an dem Walser interessiert, »wie einer, was er tun muß, sinnvoll machen will«[9], Schiller – »mein Schiller« – mit dem Bedürfnis »Nach Himmel«[10] – das sind jüngste Antworten, Umwendungen und Abwendungen der Frage, die ehedem bloß rhetorisch scheinen konnte.

Von hier aus jedenfalls läßt sich nach dem Vorher fragen: Wie hat es bei einem, der ja mit Kafka angefangen hat, denn überhaupt dahin kommen können, für gesellschaftskritisch – als ein Chronist und Satiriker – gehalten zu werden?

II.

»Wer den Dichter will verstehen, muß sich sein Bücherregal ansehen« – knittelte abwandelnd Marcel Reich-Ranicki in seiner Laudatio anläßlich der Verleihung der Heine-Plakette an Martin Walser. Und zählt dann auf, was dessen »zweite Heimat« sei: »Da stehen sie im Nußdorfer Haus friedlich nebeneinander: Franz Kafka und Marcel Proust und Robert Walser.«[11]

Von daher, vor allem von Kafka her, ist Walser denn auch stets allzu flink verstanden worden.

Den seltenen Fall nämlich, daß ein deutscher Autor eine programmatische Reflexion am Anfang seiner Karriere abgab, wie Walser 1952 in seiner Dissertation über Franz Kafka, *Beschreibung einer Form*, nahm die Literaturkritik sehr dankbar auf, obwohl Walser doch schon im selben Jahr unter dem Titel *Kafka und kein Ende* böse gegen diejenigen gewettert hatte, die Kafka zur Kurrentmünze kleinschlugen: »Nach 1933 hat man ihn totgeschwiegen. Nach 1945 hat man ihn totgeschrieben.«[12]

Die Rezensionen seines ersten Prosa-Bandes, *Ein Flugzeug über dem Haus*, jedenfalls nennen fast unisono Kafka seinen literarischen Lehrmeister, ihn selbst einen Kafka-Epigonen.[13] Und noch anläßlich von *Ehen in Philippsburg* versäumt kaum ein Rezensent, darauf hinzuweisen, daß Walser bekanntlich von Kafka herkomme, in seinem bisherigen Werk ihm streng verpflichtet gewesen sei, um in der Folge dann auszuführen, inwieweit er sich jetzt gelöst habe oder immer noch die Spuren erkennen lasse. Selbst eine jüngste literaturwissenschaftliche Darstellung kommt zu dem Fazit: »Walser brauchte ungefähr 10 Jahre, um sich schreibend aus der Kafka-Welt herauszulösen. Die Hörspiele *Der kleine Krieg*, *Der Angriff auf Perduz* und *Ein grenzenloser Nachmittag*, die Mitte der fünfziger Jahre gesendet wurden, und der 1956 verfaßte Roman *Ehen in Philippsburg* lassen diese Lösung bereits erkennen.«[14]

Dagegen hatte Hans Egon Holthusen schon an der frühen Prosa unter dem Titel *Ein Kafka-Schüler kämpft sich frei* bemerkt: »Die Erfahrung beweist, daß junge Autoren, die sich dem Einfluß Kafkas vorbehaltlos eröffnen, vor sich selbst und ihrem Publikum einen besonders schwierigen Stand haben; man muß schon sehr begabt sein, um unter dem Zauberbann dieser übermächtigen Einbildungskraft nicht einer idiosynkratischen Ansteckung zu erliegen, sondern früher oder später zur eigenen Bestimmung sich durchzudringen. In manchen Fällen wächst sich eine solche Schülerschaft zu einer nichtendenwollenden Geduldsprobe für den Leser aus. Walser gibt schon in seinem ersten Buche zu verstehen, daß er es kurz machen will, und daß er selbst jemand ist.«[15]

Gewiß, einige seiner ersten Geschichten sind mehr Kafka verpflichtet, als selbst verfaßt. Für die frühe Erzählung *Gefahrvoller Aufenthalt* z. B. weist Klaus Pezold detailliert deren Abhängigkeit von Kafkas *Der Bau* nach.[16]

Solche Abhängigkeit hatte seinerzeit auch der Verlag bemerkt. Der von Walser ursprünglich vorgesehene Titel *Beschreibung meiner Lage*, hatte Peter Suhrkamp dem Autor geschrieben, käme nicht in Frage, weil »es ein ausgesprochener Kafka-Titel ist«. »Dann sind wir der Ansicht«, so Suhrkamp weiter, »Sie sollten sich mit den Titeln der einzelnen Geschichten noch befassen. *Beschreibung meiner Lage*, *Die Geschichte eines Pförtners* und *Die Geschichte eines älteren Herrn* verdecken nur schlecht ihre Herkunft von Kafka. [. . .] Die Abhängigkeit ist bei diesen Titeln [. . .] stärker und auffälliger als bei den Geschichten selbst.«[17]

Walser hat daraufhin die ursprüngliche Konzeption stark geändert und von den monierten Stücken, soweit er sie nicht umarbeiten konnte, hat er keines woanders publiziert. Sie sind heute nicht einmal mehr im Manuskript erhalten.[18]

Die vom Verlag wahrgenommene Differenz von Titel und Text hätte darauf aufmerksam machen können, daß Walsers Abhängigkeit von Kafka eine andere war als die damals gemeinhin gängige der theologisch-ethischen, ›weltanschaulichen‹ Ausdeutung der ›Kafka-Welt‹. ›Kafkaesk‹ war ja der inflationäre Inbegriff eines Umstands, der mit Kafkas Werk nur bedingt, wohl aber sehr mit der Realität, auf die es antwortete, zu tun hatte, mit dem nämlich, was Adorno seinerzeit die ›verwaltete Welt‹ benannt hat.[19]

Statt nach den Konsequenzen dieser Umstände für die Weise des Schreibens zu fragen, verschwand hinter dem Stereotyp der ›kafkaesken‹ Kafka-Welt die Bereitschaft der differenzierten Wahrnehmung literarischer Technik.

Die Beschreibungs-, d. h. Wiederholungs- und Verdoppelungsseligkeit des Lamentos über die ›kafkaesken‹ Zustände war ja den Lapidaren Kafkas diametral entgegengesetzt. Wo Kafka seine Bilder wie Begriffe arbeitete, wurde nun ›kafkaesk‹ zur vermeintlich zureichenden begrifflichen Erklärung. Walser selbst hat diese Differenz von zeitgenössischer ›Weltanschauung‹ und Kafkas Werk schon im Titel seiner Dissertation pointiert: *Beschreibung einer Form*. Daß er die Aufmerksamkeit auf das literarische Verfahren und nicht auf die kursierenden Deutungs-Ideologeme gerichtet wissen wollte, hat er im späteren Aufsatz von 1962, *Arbeit am Beispiel. Über Franz Kafka* noch einmal hervorgehoben.

Kafka habe, schreibt Walser dort, »immer an einem einzigen Beispiel gearbeitet, dieses Beispiel hat er in immer schärferen Verhältnissen zum Ausdruck gebracht«. Und er schließt dann weiter, daß Kafka »von der Wirklichkeit keinen unmittelbar freudigen Gebrauch machen konnte«, ja, »daß die Härte, die seine Genauigkeit, seine Gewissenhaftigkeit für die Darstellung seiner Lage verlangte, daß diese Härte im natürlich sich anbietenden Material der Wirklichkeit nicht zu erreichen war«.[20]

Man kann Walsers früheren Geschichten, von daher gelesen, ansehen, wie sie eben dies, die Härte und Genauigkeit, das Lapidare Kafkas erzielen wollen, wobei aber schon einige von ihnen zeigen, wie er, in gleicher Intention, in der »Arbeit am Beispiel«, dessen Verfahren entscheidend transformiert, geradezu ins Gegenteil wendet: in zunehmende sprachliche Umtriebigkeit. Den Realismus Kafkas – »Geschichten, die unseren Lebensstoff realistischer fassen als es je in imitatorischer Behandlung der Realität hat gefaßt werden können«[21] – versucht Walser einzustellen, indem er sich, scheinbar in ›imitatorischer Behandlung der Realität‹, deren Irrealität herausholt, sie traktiert, als sei sie so, wie sie vorgibt zu sein. Walser betreibt die »Gewissensforschung«[22] weniger an sich – wie er für Kafka es behauptet – als am allgemeinen Meinen. Das Motiv ist aber dasselbe: Kein Dichter habe »so wenig recht haben wollen« wie Kafka (und Robert Walser).[23] Dieses Nichtrechthabenwollen verbindet ihn mit seinen ›Vorbildern‹: gerade nicht recht haben wollen mit dem, worin die Leserschaft, stellvertretend die Kritik, sich stets wiedererkannte, indem sie sagte: Genau so ist es, aber es ist natürlich verzerrt so. Weshalb Walser rundum als Satiriker galt.

Die ›Verzerrung‹ kommt dadurch zustande, daß Walser ›das Menschliche‹, von dem die Kritiker behaupten, daß es als Realität des alltäglichen Lebens die Texte und ihre Figuren übersteige, gerade wortreich negiert. Er nimmt in seinen Figuren vielmehr die Menschen als das ernst, was sie für sich sein möchten, nimmt sie als Wunschbilder ihrer selbst. Das macht ihre Lächerlichkeit aus. Nicht zufällig pointiert Walser, daß Kafka beim Vorlesen seiner Geschichte oft vor Lachen nicht weitergekonnt habe: »Weil der Ernst, mit dem er seine Gewissenserforschung betrieb, nur noch in Komik mündete. [...] Der Ernst dieser Lebensarbeit wäre angesichts seiner Sinnlosigkeit bloß noch lächerlich, wenn der Autor diese Sinnlosigkeit nicht als Komik in seinen Ausdruck aufnehmen würde.«[24] Das hat Walser für sich generalisiert.

In der Geschichte von *Templones Ende* wird geradewegs der Schlüssel dazu geliefert.

Von Templone, dessen Mißtrauen dem geselligen Verkehr seiner Nachbarn gegenüber als wahnhaft, zugleich auch rigoros moralisch erscheint, heißt es im Verlauf seiner zunehmenden Isolation: »Je mehr Templone vereinsamte, desto schärfer beobachtete er.«[25] Dieser Satz der Erzählung findet sich im Kafka-Aufsatz nach seiner Wechselbeziehung hin entfaltet: »Von Anfang an suchte er nach diesem ›Grenzland‹ zwischen ›Einsamkeit und Gemeinschaft‹; man kann in diesem Grenzland nicht leben, aber man kann beobachten, wie gelebt wird. [...] Es wird wohl so gewesen sein: der Rückzug hat das Schreiben gefördert und das Schreiben den Rückzug.«[25]

Dem entspricht der Satz der Erzählung: »Templone muß man allein lassen, denn ein Mann wie Templone kann nur von sich selbst zur Strecke gebracht werden, soweit wäre es also, nicht wahr, Herr Templone . . .

Templone wachte aus solchen Träumen immer ganz erschöpft auf [...]«[27].

Die Figur dieser Jagd nach sich selbst, Verfolgung und Vermeidung zugleich, vollzieht der Autor in seiner Prosa. »Seine Gegner«, schreibt Walser über Kafka und für sich, »waren nicht die voll umrissenen Personen seiner Erfahrung.«[28] Sie sind vielmehr, was er von sich in seiner Umwelt entdeckt und verfolgt, um (sich) darin entkommen zu können.

Das ist ein Verfahren der Ironie, wie Walser sie bei Kafka versteht: Kafkas Ironie, schreibt Walser in Worten Hegels, »läßt gelten, was gilt, als gelte es«. Daß »das Opfer dem Täter zuzustimmen versucht«[29], ist nicht nur schlimm, sondern auch lächerlich. Wenn der Autor aber in seinen Figuren Opfer und Täter zugleich ist, dann bietet ihm deren Lächerlichkeit die Chance zu entkommen.

Die Grundlage dafür teilt er mit Proust, wiewohl er erklärt, er habe damit bei Proust nichts anfangen können: »in gewissen, auch sehr genau beschriebenen Erinnerungsfeiern findet Proust die verlorene Zeit wieder, und damit etwas gegen den sonst übermächtigen Gedanken an den eigenen Tod. [...] Das habe ich zwar interessiert gelesen, weil es ja vom Tod handelt, aber es ist mir weder ein- noch aufgegangen, wieso eine wiedergefundene Zeit und ihre Auferstehung im Kunstwerk die Zeit aufheben soll«.[30] Seine eigene These dagegen lautet: »Ich halte die unscheinbaren Situationen des Alltags, den die Gleichgültigen den banalen Alltag nennen, für ebenso wichtig wie irgendeine Festwoche voller Metaphysik.«[31]

Die Wendung auf den nur scheinbar unscheinbaren Alltag entkommt aber nicht dem, was Walser als »taube Lese-Erfahrung« bei Proust von sich fernhält.

Die Auffassung von Ironie, die er sich zugelegt hat, nämlich das ›Geltende‹ gelten zu lassen, als gelte es tatsächlich, versteckt, daß es dabei um anderes geht: sie soll, mehr als zur Kritik des Alltags, dazu dienen, ein unbestreitbar Geltendes so nicht zulassen zu müssen, eben den »übermächtigen Gedanken an den eigenen Tod«.

Vor lauter Nichtlebenkönnen sei bei ihm die Todesangst zu kurz gekommen, war eingangs zitiert worden. Das ist aber eine Figur der Flucht, eine, die das gesamte Werk konstituiert. Darum beispielsweise das Opfer Kristleins . . .

Einen »Beitrag zur Geschichte der alltäglichen Bewußtseinsverletzung«, genauer wohl: zur Geschichtsschreibung der alltäglichen Bewußtseinsverletzungen habe er liefern wollen, hat Walser über sich gesagt.[32] Diese Geschichte schreiben kann aber nur, wer deren organisierende Perspektive, den Fluchtpunkt sich klar macht: den Tod. Erst von da aus kann er den bestimmten, den nicht mehr eigenen, kann er all die alltäglichen Verletzungen als dessen Einübung erfassen.

Das Eigentümliche an Walsers Werk ist dann aber, daß es auf der Flucht vor der Konsequenz – im hastigen Blick auf das Nichtlebenkönnen im Alltäglichen wortreich, sich ständig beredend geschrieben – diese gerade präsent hält. Oder, in Worten der Empatie: Man bangt beständig um das Leben seiner Figuren.

Die im Blick auf Proust geäußerte Überzeugung, die nicht originell, aber wichtig ist, der Roman sei »die Geschichtsschreibung des Alltags« und »das Gesellschaftliche [...] *die* Erscheinungsform des

Geschichtlichen«[33], läßt sich in dieser Perspektive einlösen. Die Flucht davor, die Walsers Prosa – freilich immer weniger – stets neu versucht, gewährleistet zugleich, daß sein Schreiben mehr liefert als bloße Illustration einer derartigen Theorie von Geschichte, daß es zugleich immer – seismographisch – ein Gespür enthält für das darin nicht Aufgehende, für die Momente des Glücks. Weshalb Walser gelegentlich ausbricht, in dessen – zu unmittelbare – Beschwörung. Dies jedenfalls läßt sich gerade dort besonders zeigen, wo Walser noch nicht zu Kristlein gekommen ist, der Figur, der er sich auch nach ihrem Verstummen doch nicht entziehen kann. *Ehen in Philippsburg*, der Roman von 1957, seiner erster, für den er den Hermann-Hesse-Preis erhielt, zeigt die Stärken und Schwächen seiner Prosa geradezu exemplarisch. Denn der Roman bringt eine Vielfalt beobachteter Alltagsdetails, aber auf typologisch gesonderte Figuren säuberlich aufgeteilt; er bringt das ›Nichtlebenkönnen‹ als Gier nach Leben, und er bringt zugleich auch rücksichtslos eine große Zahl Figuren regelrecht um. Und schließlich handelt er von dem Institutionellen, zu dessen Verinnerlichung die unfreiwilligen Teilnehmer der bürgerlichen Gesellschaft unablässig gezwungen werden und sich selbst zwingen.

Ehe nur im Ehe*bruch*. Das ist *auch* Kritik dieser Gesellschaft, aber mehr noch ist es, in den Figuren spektralisiert, Angst und Wut über das ›stets gebrochene Versprechen des Glücks‹.

III

»Keines anderen deutschen Schriftstellers hat sich die literarische Öffentlichkeit mit ähnlicher Intensität angenommen«, sagt Marcel Reich-Ranicki von ihm: »So wurde Walser der deutschen Kritik liebstes Sorgenkind.« Denn: »Er ist überall verwundbar.« Und: »Er scheitert, und sein Ruhm wächst.«[34] Nicht zuletzt, weil in den Schwächen Walsers die Kritik sich selbst verzeiht. Das geht etwa so vor sich:

Sein Roman *Ehen in Philippsburg* ist durchweg als Satire aufgenommen worden. Karl Korn z. B. nennt ihn gleich im Titel einen »Satirischen Gesellschaftsroman«, lobt den »satirischen Witz« des Autors.[35] Auch andere haben den Roman ähnlich eingeschätzt, allerdings einen Mangel beklagend. Wolf Jobst Siedler moniert, daß es keine Figur darin gebe, »die nicht einem Klischee entspräche«[36];

Lisa Dechene bescheinigt ihm, daß er sein Material wie ein Soziologe ausbreite[37], und Rudolf Hartung nennt das Ganze eine »Explosion im Wasserglas; das quirlt und sprudelt munter, aber unaufregend«. Dies vor allem, weil Walser dem Leser jede Anstrengung mit den Figuren abgenommen, indem er selbst sie schon »ausgezeichnet exekutiert« habe.[38]

Das alles ist nicht unrichtig, trifft aber nur soweit zu wie das generelle Einverständnis des ›Ja-so-ist-es‹. Wobei zu fragen ist, wem es denn anzulasten sei, dem Autor oder den Zuständen, daß niemand sich mehr aufzuregen vermag.

D. h. man regte sich schon über »einige physiologische Freimütigkeiten« auf, wie Rudolf Hartung es umschreibt: Josef Mühlberger z. B. erregt sich an dem Gedanken, auf dem Buch laste »der Fluch einer dumpfen Sexualität, nicht ein Schimmer weltfreudiger, heller Sinnenfreude streift es. Es ist lüstern, ihm fehlt jede echte Sinnlichkeit.«[39] Aber das ist eher unwichtig, der punktuellen Zurückgebliebenheit der Ära Adenauer geschuldet.

Einzig Ronald H. Wiegenstein geht das Problem des ›Gesellschaftskritischen‹, des ›Satirischen‹ grundsätzlicher an. Er erkennt nicht nur die immanenten Probleme der literarischen Ökonomie des Romans – »Beumann hat es eigentlich schon nach hundert Seiten geschafft« –, sondern reibt sich auch an dem Moralismus des Buches. Was Lisa Dechene ihren Lesern beruhigend versichern kann: »Walsers Bild der Familienkrise ist umfassender katholisch begründet als etwa die letzten Romane von Luise Rinser«, wird Wiegenstein zum springenden Punkt: »Walser hat mit jansenistischer Prüderie sein Buch so fest im Griff gehalten, daß es daran beinah erstickt. Solcher Erstickungstod ist freilich nur eine Demonstration der Lage, in die heute einer gerät, der sich vornimmt, ganz strikt bei der Sache zu bleiben. Diese Sache selbst nämlich versteinert ihm unter den Händen. Das Petrefakt aber fällt aus der bestimmbaren Geschichte heraus und wird zu einem Stück Mythologie. So endet Aufklärung, weil sie in einer unübersehbar gewordenen Welt nur mehr Annahmen setzen kann, in Resignation. Über die Satire ist ein Tabu verhängt.«[40]

Dies rekurriert unter der Hand auf eine Überlegung Adornos: »Schwer, eine Satire zu schreiben. Nicht bloß weil der Zustand, der ihrer mehr bedürfte als je einer, allen Spottes spottet. Das Mittel der Ironie selber ist in Widerspruch zur Wahrheit geraten.«[41]

Dies kommt daher, erklärt Adorno, daß Satire nur Resonanz haben kann, wenn ein gewisser Konsens der Subjekte besteht. Dieser Konsens aber habe sich aufgebraucht, weil »das formale Apriori der Ironie«, Einverständnis, »zum inhaltlich universalen Einverständnis geworden« ist.

Walsers Ironie ist durch den Versuch geprägt, dieses Einverständnis selbst zu ihrem Gegenstand zu machen.

Das klingt unterschwellig in den Interpretationen an, die *Ehen in Philippsburg* als Geschichte des Parvenüs und Kritik des Aufsteigers – mithin des um jeden Preis zum Einverständnis Bereiten – gelesen haben.[42]

Doch verkappt diese wohlmeinend gesellschaftskritische Lesart, daß am Versuch, Einverständnis zum Gegenstand der Ironie zu machen, Ironie notwendig scheitern muß. Die Lesart, daß der Roman eine Kritik des Aufsteigers sei, macht das wider Willen deutlich: Wo die allgemeine Lage so ist, daß der Unterschied nur noch darin liegt, ob jemand gerade aufgestiegen ist oder noch, im Aufstieg begriffen, sich abmüht, besagt Abneigung gegen den Emporkömmling bloß, daß diese selbst als Konsens obsolet geworden ist. Die Kritik des Einverständnisses bleibt ohnmächtig, weil sie sich allenthalben auf Einverständnis verlassen muß; zugleich aber wird sie, im Wechselspiel dessen, dann durchaus subversiv.

Lisa Dechene bemerkt zur Form des Romans: »Die Satire wirkt an manchen Stellen sprunghaft wie eine feuilletonistisch angelegte Glosse, die ihren Wuncheffekten nachgeht und sich – im Schwung der Polemik – wenig an erzählerische[n] Aufbaugesetze[n] stört.« Eben das Sprunghafte der Wuncheffekte gestattet aber – die einzige Möglichkeit solchen Verfahrens – zu erkennen, dem Einverständnis verhaftet und dennoch darüber hinaus zu sein: *Selbstkritik des Einverständnisses als permanente Inszenierung.*

Gerade daß der Autor sich an ›erzählerische Aufbaugesetze‹ so wenig hält, daß er Figuren- und Erzählerperspektive wechseln läßt, sprunghaft glossierend, mal beschreibend, mal projizierend, mal deutend verfährt, gerade das macht erkennbar, wie sehr tatsächlich es um »Wuncheffekte« geht.

Im Mittelpunkt steht zwar der ›Aufsteiger‹, aber es geht um mehr. Das läßt sich aus Adornos Überlegungen weiter folgern, die man hier fast umstandslos auf Walsers Figur Beumann beziehen kann: »Der Haß gegen den, der mehr scheinen möchte als er ist, legt ihn aufs Faktum seiner Beschaffenheit fest. Die Unbestechlichkeit gegenüber dem Gemachten, der uneingelösten und zugleich kommerziell ausgespitzten Prätention des Geistes, demaskiert die, welchen es mißlang, dem gleichzuwerden, was als Höheres ihnen vor Augen steht. Dies Höhere ist Macht und Erfolg und offenbart sich durch verpfuschte Identifikation selber als Lüge.«[43]

Macht und Erfolg sind es, die Hans Beumann, Parzival, Muttersohn, der am Ende in die Gralsrunde seines Zuschnitts aufgenommen wird, zufallen, indem er sich zu ihnen still und einverständig verhält. Aber – und das ist entscheidend – in der Darstellung ist gerade kein Haß gegen ihn zu spüren, vielmehr selbst hinterhältig duldsames Einverständnis: So ist es eben.

Wobei allerdings die travestierende Allegorese der Sebastians-Weihen im Ende sehr stören müßte, wäre sie selbst nicht die Potenzierung des Einverständnisses mit der Geschmacklosigkeit der Figuren. Darin wird Walsers *Ehen in Philippsburg* zur tendenziell endlosen Geschichte; von Kristlein an weiter fortgeschrieben bis heute.

Das führt wieder zurück auf die »Wuncheffekte«. Adorno setzt nämlich fort: »Dies Höhere ist Macht und Erfolg und offenbart sich durch verpfuschte Identifikation selber als Lüge. Aber es verkörpert dem Faiseur stets zugleich die Utopie: noch die falschen Brillanten strahlen vom ohnmächtigen Kindertraum, und dieser wird mitverdammt, weil er scheiterte, selber gleichsam vors Forum des Erfolgs zitiert.«

Der »Kindertraum« ist im »dummen Hans« (Karl Korn) Beumann bewahrt und verraten zugleich.

»Alle Satire ist blind gegen die Kräfte, die im Zerfall freiwerden.« Woraus Adorno folgert: »Daher hat denn der vollendete Verfall die Kräfte der Satire an sich gezogen.«[44]

Doch ist, wie verhängnisvoll es auch ist, dies nur eine Seite. Eine andere, ohnmächtige, so ohnmächtig wie Kunst stets war, ist die Antwort des Kunstversuchs darauf: den Zerfall selbst zu ihrem, verdächtig positiv strahlenden, Kern zu machen.

Beumann beispielsweise erfährt sich, so will es sein Autor, als zwiespältig: »Das war überhaupt sein größter Kummer in jeder Gesellschaft, daß er immer einen Dolmetscher in sich aufstellen mußte, auf daß der eine fade und meistens recht unzutreffende Übersetzung gebe von dem, was er eigentlich meinte.«[45]

Diesen Zwiespalt erfährt er vor allem, wie sollte es anders sein, in der Diskrepanz zwischen Selbsteinschätzung und Selbstwunsch, der Diskrepanz z. B. zwischen der wahrgenommenen eigenen Unflexibilität, Schwere und Trägheit und dem Anspruch auf Wendigkeit, Brillanz und Schärfe. Das Gefühl jedoch, gebraucht zu werden, erleichtert es ihm, aus der Lethargie dieser Diskrepanz herauszutreten, hinein in die Laufbahn, die Karriere – und gibt ihm die Möglichkeit, diesen Schritt als den üblichen zu ›verstehen‹: »Mein Gott, das war doch eine sattsam bekannte Biographie in Mitteleuropa, ein schon stereotyp gewordener Verlauf, vielfach formuliert und ins Bild gebracht, dieser Verrat, der den Jüngling zum Mann macht.« (S. 42)

Es bleibt ihm zunächst jedoch das Gefühl sozialer Heimatlosigkeit: »Er gehörte nicht dorthin. Hierher auch nicht. Und nach Kümmertshausen auch nicht« (S. 64) – bis er immer mehr, zudem im Mittelteil weitgehend aus dem Blick genommen, sich einpaßt, reduziert auf das, von dem er meint, daß er es sein müsse, weil seine Umwelt glaube, er sei so. Gerade aber die Bereitschaft, sich nach dem Bild zu modeln, von dem er glaubt, die anderen hätten es von ihm, macht ihn den anderen ähnlich.

Den Kampf am Ende, den Bruderkampf gegen den ›Lottogewinner‹, gegen sein soziales Doppel, besteht er vor allem deshalb, weil er den glücklichen Zufall längst als eigene Leistung rationalisiert hat. Gerade wenn er danach »in zwei Hälften zerrissen« auf dem Bett sitzt, ist diese Zerrissenheit (zwischen der Ehefrau und der Geliebten) sein Entréebillet in die gute Gesellschaft, Ausweis seiner gelungenen Enkulturation: Er hat sich der allgemeinen Schizophrenie angepaßt, in welcher der Konventionsbruch selbst konventionalisiert ist. Zwar quält es ihn moralisch noch, aber er beglaubigt schon in der Erfüllung seines Wunsches nach der Geliebten das Allgemeine. Indem er seine libidinösen Bedürfnisse an die Geliebte abspaltet, wird auch für ihn die Ehe, was sie für alle anderen ist: bloß noch Garantie der sozialen Integration.

Bis dahin war Beumann, der – ›naiv‹ – die anfängliche Vernunftbeziehung aus Dankbarkeit und Pflichtgefühl als Liebe zu akzeptieren unternommen hatte, inmitten der anderen – mit ihren nach der Oberfläche der Norm desolaten Beziehungen – eine Provokation gewesen. Jetzt aber folgt er, weil er sich gelungen einverständig gemacht hat, der Konvention.

Darin wird in ihm der ›Kindertraum‹, weil er – scheints – gelang, vors Forum des Mißerfolgs zitiert. Im Zerfall des Wünschens zeigt sich die Kraft des Zerfalls: Denn Beumann will Benrath sein. Sind Klaff und Dr. Alwin abstrakte Kontrastfiguren (positiv/negativ), so fällt die Beziehung Beumann zu Benrath um so mehr auf. Beumann wünscht sich in Benrath – was der Autor von sich selbst abgespalten hatte – dessen Eloquenz und Provokationskraft. Unterstrichen wird diese Vorstellung durch die – auch umgangssprachlich riskante – Konstruktion: »So einen Freund wenn er hätte!« (S. 69)

Beumann macht sich Gedanken, warum Benrath so sein könne, wie er erscheint: »Vielleicht weil er wunschlos war, wo alle anderen wünschten, aber nicht eingestehen wollten, daß sie und wie sehr sie wünschten.« (S. 71) Es ist aber nicht Wunschlosigkeit, sondern Stärke des Wünschens, die Benrath bestimmt. Wo die anderen ihrem Wunsch in der Abspaltung von Ehefrau und Geliebter nachgeben und damit das Wünschen an die reglementierte, fragmentarische Befriedigung verraten, beharrt er auf der totalen Erfüllung des Wunsches, – die aber einzig in der Permanenz des Wünschens liegen kann. Wo die anderen durch kontrollierte, plane Spaltung zusammenhalten, erfährt sich Benrath selbst als den »wahren Schizophrenen« (S. 90).

Es ist ja keineswegs ein »ungebändigte[s] Ausleben«[46], das ihn bestimmt, sondern die Befriedigung durchs Leiden an der Unentschiedenheit, deren Moralismus der rigiden Abstinenz Klaffs verwandt ist.

Sein Fazit: »Ich will nicht auf mich verzichten« (S. 107), verdeutlicht, was er vollführt: Selbsterhaltung durch ständige Fluchtbewegung, Selbstentwurf durch Lüge: »Es ist wirklich allein der Lügner, der Gott negiert und sich an seine Stelle setzt, sich zumindest neben ihn setzt, um die Welt zu entwerfen, die er gerade für notwendig hält . . .« (S. 106).

Beumann, der gesellschaftliche Außenseiter des Anfangs, integriert sich am Ende in die Moral der Doppelmoral; Benrath, der bewunderte Insider, dagegen erweist sich da als der stets schon Außerhalbstehende. Darum ist er aber auch der einzige, dem es gelingt, sich zu erhalten, nicht auf sich zu verzichten, weil er sich entzieht – in den Schlaf, aus der Stadt.

Er, dem Anthony Waine Leben in einer »infantilen Spielwelt« attestiert[47], braucht Beumanns Verrat nicht zu begehen, denn in seinen beständigen Fluchten verweigert er sich der ›beschämenden Alternative, ein Kind zu bleiben oder Erwachsener werden zu müssen‹ (Adorno). Dann aber ist, aufs Ganze gesehen, Beumanns Bleiben ein Opfer dafür, daß Benrath entkommen kann.

In Beumanns Wunsch nach der Freundschaft Benraths wünscht der Autor sich selbst, das, was er von sich doch nur in der Abspaltung haben kann. Benraths Wendigkeit, Sprachfähigkeit ist ja im Ernst keine andere als die Walsers, höchstens größer phantasiert, weil sie der Fiktion nach mündlich funktioniert, wo der Autor sie schriftlich erst sich konstruieren muß.

Von hier aus gelesen bewahrheitet sich als produktiv, in der Zersetzung, was Wolf Jobst Siedler negativ vermerkt: Walsers »literarische Spiegelfechterei«. In der Tat handelt es sich um Spiegelfechterei, um die permanente, inszenierte Selbstauseinandersetzung durch Selbstentzug. Walser hat das in der Hesse-Preisrede wünschenswert deutlich formuliert: »So gesellschaftskritisch sich [...] ein Schreiber auch aufführt, zuerst meint er doch immer sich selbst. Vielleicht ist das, was er schreibt, eine Buße für ihn, vielleicht ein Gericht, vielleicht eine vorbeugende Maßnahme, vielleicht ein Spaß [...]«[48]

Die zerfällten, prismatisierten Figuren – wie deren Reversbilder, die durchs gesamte Werk von einem Buch ins andere verschleppten – sind die sichersten Spuren des flüchtenden Autors, in (eifersüchtiger) Verfolgung seiner selbst. »Wir glauben die Dinge und das, was die Leute denken, ganz genau zu kennen, einfach aus dem Grunde, weil wir uns gar nicht darum bekümmern, aber sobald wir den Wunsch nach Wissen verspüren, wie ihn der Eifersüchtige hegt, wird das alles zu einem verschwimmenden Kaleidoskop, in dem wir nichts mehr erkennen.«[49]

Das Kaleidoskop, das scheinbar verschwimmende Bild, die – scheint's – endlosen Zerlegungen in Figuren, bringen doch immer nur eins zur Geltung: den Zwang der Symmetrie, die endlose Wiederholung unter Kuratel des Spiegels.

»Später stirbt man ja so oder so, dachte er. Das ist die einzige Gewißheit, die man im voraus haben kann. In allem anderen war er ein Mann nachträglicher Feststellungen. [...] Sein Leben bestand, genau besehen, darin, mit diesen immer nachträglich festgestellten Tatsachen auf seine Weise fertig zu werden.« (S. 104).

1 Nach Martin Walser [= M. W.], *Abschied von Kristlein*, in: *Die Zeit*, 13. März 1981.

2 Ebd.

3 Ebd.

4 Heike Doane, *Gesellschaftliche Aspekte in Martin Walsers Kristlein-Trilogie*, Bonn 1978.

5 M. W., *Vorwort. Ein Blick durchs umgekehrte Fernrohr*, in: Heike Doane, a. a. O., S. 2.

6 Ebd., S. 2 u. 1.

7 Ebd., S. 2.

8 M. W.: *Abschied von Kristlein*.

9 M. W., *Ein Prolet von Gottes Gnaden*, in: *FAZ*, 30. Januar 1981.

10 M. W., *Der schwere Panzer wird zum Flügelkleide. Zurück zu Schiller, heim zu Schiller: Die Geschichte einer Knaben-Erweckung*, in: *Rheinischer Merkur/Christ und Welt*, 3. April 1981.

11 Marcel Reich-Ranicki, *Martin Walser, das anatomische Wunder*, in: *FAZ*, 28. März 1981.

12 M. W., *Kafka und kein Ende*, in: *Die Literatur*, Nr. 2, S. 5.

13 Vgl. Paul Noack, *Ein Kafka-Epigone*, in: FAZ, 23. März 1956, und Walter Geis, *Vögel ohne Flügel*, in: *Staatsanzeiger für Baden-Württemberg*, 14. März 1956.

14 Anthony Waine, *Martin Walser*, München 1980, S. 19.

15 Hans Egon Holthusen, *Ein Kafka-Schüler kämpft sich frei*, in: *Süddeutsche Zeitung*, 31. Dezember 1955.

16 Klaus Pezold, *Martin Walser. Seine schriftstellerische Entwicklung*, Berlin (Ost) 1971, S. 27f.

17 *Peter Suhrkamp an Martin Walser*, zit. nach Pezold, a. a. O., S. 25.

18 Vgl. Pezold, a. a. O., S. 293.

19 Vgl. Theodor W. Adorno, *Dissonanzen. Musik in der verwalteten Welt*, Göttingen 1956.

20 M. W., *Arbeit am Beispiel. Über Franz Kafka*, in: *Erfahrungen und Leseerfahrungen*, Frankfurt (Main), 1965, S. 144f.

21 Ebd., S. 145.

22 Ebd., S. 144.

23 Ebd., S. 146.

24 Ebd., S. 144.

25 M. W., *Ein Flugzeug über dem Haus und andere Geschichten*, Frankfurt (Main) 1980, S. 87.

26 M. W., *Arbeit am Beispiel*, S. 143.

27 M. W., *Ein Flugzeug . . .*, S. 102.

28 M. W., *Arbeit am Beispiel*, S. 145.

29 M. W., *Selbstbewußtsein und Ironie. Frankfurter Vorlesungen*, Frank-

furt (Main) 1981, S. 195; vgl. auch bes. S. 39f.

30 M. W., *Leseerfahrungen mit Marcel Proust*, in: *Erfahrungen und Leseerfahrungen*, S. 141.

31 Ebd., S. 142.

32 M. W., *Vorwort*, S. 2.

33 M. W., *Deutsche Gedanken über französisches Glück*, in: *Neue Rundschau* 92 (1981), H. 1, S. 53.

34 Marcel Reich-Ranicki, *Martin Walser, das anatomische Wunder*.

35 Karl Korn, *Satirischer Gesellschaftsroman*, in: *FAZ*, 5. Oktober 1957.

36 Wolf Jobst Siedler, *Deutschlands junge Männer sind mißmutig*, in: *Der Tagesspiegel*, 17. Dezember 1957.

37 Lisa Dechene, *Martin Walser und die ›Ehen in Philippsburg‹*, in: *Echo der Zeit*, 20. Dezember 1964.

38 Rudolf Hartung, *Explosion im Wasserglas*, in: *Der Monat*, Dezember 1957, S. 77–78.

39 Josef Mühlberger, *Tiefstand der Literatur*, in: *Rhein-Neckar-Zeitung*, 9. Dezember 1957.

40 Ronald H. Wiegenstein, *Gerichtstag über feine Leute*, in: *Frankfurter Hefte*, Mai 1958, S. 366–368.

41 Theodor W. Adorno, *Minima Moralia. Reflexionen aus dem beschädigten Leben*, Frankfurt (Main) 1969, S. 280.

42 Vgl. z. B. Renate Möhrmann, *Der neue Parvenü*, in: *Basis 6*, Frankfurt (Main) 1976, S. 140ff.

43 Theodor W. Adorno, *Minima Moralia*, S. 282.

44 Ebd.

45 M. W., *Ehen in Philippsburg*, Reinbek 1963, S. 28.

46 Anthony Waine, Martin Walser, S. 63.

47 Ebd., S. 62.

48 M. W., *Der Schriftsteller und die Gesellschaft*, in: *Dichten und Trachten*, Frankfurt (Main) 1957, S. 37f.

49 Marcel Proust, *Auf der Suche nach der verlorenen Zeit*, Bd. 11, Frankfurt (Main) 1964 (Werkausgabe in 13 Bänden), S. 146.

Thomas Beckermann
Epilog auf eine Romanform

Martin Walsers Roman *Halbzeit.* *
Mit einer kurzen Weiterführung, die Romane
›*Das Einhorn*‹ und ›*Der Sturz*‹ betreffend

1. Rollenkonflikt und soziale Kontrolle

Die Darstellung bestimmter Rollenverhalten, nicht die Abbildung der sozialen Institutionen, konstituiert den gesellschaftlichen Raum, in dem Anselm Kristlein handeln muß. Weil Walser auch den Nebenfiguren ein Eigenleben zugesteht und dieses mehr oder weniger ausführlich erzählt, gelingt es ihm, in breiter Auffächerung ein gesellschaftliches Panorama zu entwerfen.[1] Die Struktur dieser Gesellschaft, in der traditionelle Werte und Verhaltensweisen neben dem vom Wirtschaftsgeschehen geforderten Rollenspiel bestehen und mit diesem in Konflikt geraten, verhindert die Bestrebungen der vereinzelten Subjekte. Das herrschende Konkurrenzprinzip ist das reale Fundament der inhaltlichen Ironisierung. Zugleich entwirft die Darstellung im Pluralismus der Verhaltensformen auf die Biografie Anselms bezogene Bilder möglicher Festlegungen, denen er sich zu entziehen sucht. In seinem Aufstiegsstreben hat Anselm etwas von Berts ökonomischem Egoismus; wie Edmund durchschaut er den Machtapparat und den Zwangscharakter dieser Gesellschaft; und mit Alissa teilt er das Bedürfnis, sich von den anderen zu unterscheiden.

Die Flucht vor der Familienkonvention ist der Anlaß, Vertreter zu werden. »Ich brauche Lärm, Klatsch, Gerüchte, sowas ernährt mich, verstehst Du, und wenn ich nicht ernährt werde, kann ich Alissa nicht ernähren.« (246) Sein Beruf, die öffentliche Rolle, wird ihm zur Möglichkeit der Freiheit von Alissas Festlegungsversuchen. Da er die Anpassung von früh an geübt und das entsprechende Bewußtsein entwickelt hat, kann er den Anforderungen der Gesellschaft ohne große Mühe nachkommen. Er verhält sich ihr gegenüber als »rollengemäße Individualität«.[2]

Im Kreis von Josef-Heinrich kennt er seinen Platz: »Ich war er-

füllt von meinem Auftritt.« (294) Bei Frantzke wartet er in unauf-
fälliger Position ab, bis Anna ihn ins Gespräch bringt. Er überwindet rasch die anfängliche Unsicherheit und bekommt die erhoffte
»Sprechrolle« (584). Mit drei Reden (601f., 624f., 632f.) führt er
sich ein und steigert sich bis zur gewinnenden Souveränität: »Dann
spielte ich noch den demütigen Schelm.« (634) Anselm vermeidet
es, mit denen in Konflikt zu geraten, die schon zum festen Personal
dieses Kreises gehören. Sein Taktgefühl und seine Redegabe werden honoriert; man sieht in ihm eine Bereicherung der eigenen
Welt.

Die Aufnahme in den Frantzkekreis ist Lohn und sichtbarer Be-
weis für seinen beruflichen Erfolg. Sein Verhalten macht ihn zum
Spezialisten für Werbung. Er versteht es, Texte zu verfassen, die
den Verkaufsstrategen zusagen. Anselm, der sich virtuos den ökonomischen und sozialen Verhaltenserwartungen seiner Umwelt
anpaßt, paßt denen, die die Macht haben. Seine öffentliche Rolle ist
spielerische Einfühlung und Übernahme, sein Emporkommen
rasch und konfliktlos.

Anselm benutzt das Rollenspiel in der Gesellschaft, um der Bestimmung durch den bürgerlichen Traditionsüberhang seiner
Herkunftsfamilie und durch Alissa zu entgehen. Es bietet ihm die
Chance, gegen alle Widerstände in der sozialen Umwelt zu bestehen; »die Rolle selbst ist eine Schutzfunktion, auf die das Individuum als Halt nicht verzichten kann, solange ihm die Welt jenseits
der festgelegten Begegnung fremd und drohend bleibt.«[3] Zugleich
aber bedeutet das öffentliche Verhalten, diese »Person, die hergestellt wird von ihm auf Verlangen der Welt«[4], selbst wieder eine
Festlegung. Die Handlungsfreiheit hat zur Bedingung, daß die
richtige Rolle gewählt und als Rolle gespielt wird. Da für Anselm
die Rollenerwartungen der jeweiligen Bezugsgruppe vorsehbar
und erlernbar sind, kann er sich in ihnen zur Geltung bringen. Das
aufstiegsbezogene Rollenspiel ist Voraussetzung für die ersehnte
soziale Anerkennung. Der schnelle und reibungslose Wechsel zwischen den Rollen macht seine Individualität aus. Durch ihn fühlt er
sich den anderen überlegen; »sollen andere es so mit ihr treiben,
Du tust das nicht, Du unterscheidest Dich« (67).

Diese persönliche Eigenart ist jedoch nur relativ zur Gebunden-
heit der anderen an ihre eine Rolle. Die Determination Anselms
besteht darin, daß er nur noch in Rollen agieren kann und deshalb
in den Situationen versagt, die mehr als eine vorgeformte Verhal-

tensweise verlangen. Damit deutet sich die Möglichkeit an, daß Anselm in dem, was ihm Freiheit zu sein scheint, gebunden ist, daß er in der Form des Rollenspiels gesellschaftliche Inhalte akzeptiert und tradiert, die gerade die gewünschte Unabhängigkeit versperren.[5]

In der fortgeschrittenen Industriegesellschaft vermittelt sich die Fremdbestimmung durch die tolerierte Freiheit. Anselm ist weder an eine bestimmte Gruppe noch an eine unveränderbare ökonomische Position gebunden. Sein Streben nach individueller Entfaltung läßt ihn immer neue Bezugsgruppen für sein Verhalten suchen, die ihm jedoch nicht die erhoffte persönliche Sicherheit und Selbstbestätigung bieten. Sie sind ihm das Mittel der beruflichen und sozialen Anerkennung, nicht das Ziel seines Bestrebens. Mit seinen informellen Gruppenbeziehungen geht er lediglich taktische Engagements ein. Die Personen, mit denen er bei Josef-Heinrich und bei Frantzke verkehrt, interessieren ihn nicht; geborgen fühlt er sich nur in der Form des gesellschaftlichen Umgangs, im Rollenspiel. So ist er trotz seiner sozialen Integration ein einzelner, trotz seiner vermeintlichen Gruppenzugehörigkeit ein Massenindividuum.

Anselm fällt es leicht, die öffentlichen Erwartungen zu erfüllen. Schwieriger ist sein Verhalten zu Alissa, da er ihr gegenüber darstellen muß, was er nicht sein will. Er weigert sich, dem Bilde nachzukommen, das Alissa von ihm hat. Sie ist ihm überlegen, weil sie auf ihrer einen Rolle beharrt, er aber gezwungen ist, sowohl das von ihr gewünschte Verhalten zu übernehmen als auch seine eigenen Interessen zu wahren. Ihre Sicherheit bedeutet für Anselm, der in der Gesellschaft leben will, die Ablehnung all dessen, was er dort übernommen und an sich ausgebildet hat. Auf diese Weise fordert sie Anselm heraus, verlangt von ihm sein ganzes Rollenspielvermögen.

Anselm gerät in eine doppelte Abhängigkeit. Er bleibt dem immer gleichen Anspruch Alissas konfrontiert und er verfängt sich in der Weise seines Rollenspiels, das ihm die Überwindung dieser Festlegung ermöglichen soll. Im Konflikt zwischen der Verwirklichung jener Werte der Innenlenkung, die Alissa personifiziert und denen er selbst wenigstens teilweise nachstrebt, und der gesellschaftlichen Außenlenkung durch die Berufswelt wird die Unvereinbarkeit seiner verschiedenen sozialen Positionen offenbar. Er durchschaut beide, bemerkt ihre Grenzen und nutzt für sich ihre Chanen. Sein eigentlicher Ausbruchsversuch, für den die Freiheit von Alissa im erfolgreichen gesellschaftlichen Rollenspiel notwendig ist, erfolgt in dieser zweifachen Begrenzung. Dadurch isoliert sich Anselm von allen Bereichen und akzeptiert in der Form seines Befreiungsversuchs die Inhalte der Industriegesellschaft.[6]

Anselms Selbstverständnis ist abhängig von der Meinung anderer über ihn; im ständig wechselnden Kontakt mit der Umwelt sucht er, die Selbstbestätigung zu finden. Die Frage an Melitta – »Hörte sie denn nicht wie ich schrie: bin ich? bin ich nicht? bin ich? bin ich nicht?« (506) – wird als dynamisches Prinzip der Innenleitung zum Motiv der Suche. Der Zwang, irgendwann einmal die Antwort zu erhalten, bestimmt seinen Lebensweg. Er forscht nach, ob das Mädchen in Ramsegg überhaupt Melitta gewesen ist (498ff., 556ff.), sucht Melitta nahezukommen, bis er sie sieht, aber in ihr nicht mehr das Mädchen von damals, sein Bild von ihr erkennt (867). Er sperrt sich gegen Alissa, die ihn ihren Erwartungen zupassen will; er strebt nach gesellschaftlichem Erfolg und ist zugleich bemüht, der »Verkettung an die Identität« (197) zu entgehen. Jede vorzeitige Eigen- oder Fremdbestimmung lehnt er ab, damit seine Existenz nicht beschränkt wird. Im Rollenspiel sieht er die Möglichkeit zur Flucht auf dem Weg zu sich selbst, »und man weiß jetzt nicht, was durch diese ganzen Hinzuerwerbungen, durch diesen erzwungenen Imperialismus oder Mimikry, was da verlorenging oder was da hätte anders werden können.«[7]

Die Wendung gegen die Familie und die Anpassung an die Gesellschaft sind die Bedingungen für den Freiheitsbereich, den Anselm auf seiner Suche braucht. Eine Antwort auf seine Frage geben sie nicht. Anselm glaubt, diese in der persönlichen und unkonventionellen Liebe zu finden. »Wer, außer ein paar Frauen, bestätigte mir, daß ich auch da war?« (274) Weil Melitta für ihn wegen der Vorstellung, die er von ihr hat, unerreichbar ist, sieht er sich auf andere Frauen verwiesen. Wahrscheinlich suchte er vordem bei Gaby, Anna und Sophie des Rätsels Lösung, aber seine Besuche bei ihnen sind, da sie, selbst an ihre kleine Rolle gekettet, ihm nicht geben konnten, was er braucht, nur noch Pflichtübungen. Im dargestellten Lebensabschnitt scheint die Jüdin Susanne die Frau zu sein, die ihn hoffen läßt, zu sich selbst zu kommen. Sie fesselt Anselm, der Tag ihrer ersten Begegnung wird ihm zum »Tag Nummer eins« (340). Diese Frau veranlaßt ihn zu immer neuen Anstrengungen. Susanne lenkt ihn von Melitta ab und macht ihn selbstsicher Alissa gegenüber.

Aber als sie endlich mit ihm zur Fahrt in den Atzengrund berei
ist, vermag er nichts, als seine alte Rolle, die des Verkäufers, zu
spielen. Das Rollenspiel hat die Herrschaft über sein individuelles
Bestreben gewonnen. In dem Augenblick, wo er sich ganz geben
will, bleibt er eine allgemeine »Momentpersönlichkeit«[8], die sich
der erlernten Verhaltensweise gemäß nach Angebot und Nachfrage
richtet. Das Streben nach einzigartiger Subjektivität kann sich nur
in einer Rolle äußern, es wird zum Teil seiner Rolle. Das Rollenspiel ist seine Individualität. Da es sich als Ausbruchsmöglichkeit
anbietet, verhindert es den Ausbruch in die Rollenlosigkeit.[9]

Anselm scheitert an Susanne und an sich selbst, da seine Verfüh-
rerrolle schon ökonomisch determiniert ist. Die sozialen Implikationen seines Handlungsvermögens unterdrücken die Entfaltung
und Kommunikation substantieller Individualität.[10] Die Rollen-
virtuosität Anselms, die ihm vor den Augen der Gesellschaft höchste Anerkennung einbringt, läßt die mögliche Bestätigung von seiten einer geliebten Person zum vorgeformten Schema gerinnen. Sie
verfällt dem Diktat von Reklame und Konsum.

In seinen Beziehungen zu anderen Frauen ist sich Anselm dieser
Determination schon bewußt geworden. Bei Anna fragt er sich:
»Gut, ich war Konsument, aber sonst?« (274) Durch die Reklame
dringt Erotisches in den wirtschaftlichen Bereich ein. Umgekehrt
vermittelt sich die ökonomische Rationalität durch das Rollenverhalten in die erotischen Beziehungen der Menschen. Ihre Verhaltensweisen sind jederzeit reproduzierbar, ihre potentiellen Kräfte
werden mit Beschlag belegt. »Jetzt erst zahlte sich Phase eins aus
[...] Der Verkauf hatte begonnen [...] The sale, Susan, the male-
sale.« (698ff.)[11] Sexualität wird in der Weise des sich selbst bestäti-
genden Verkaufs zum heimlichen Konsum. Sie soll, als verblei-
bender Rest der inneren, privaten Welt, den Druck der Gesellschaft kompensieren, ist aber von dieser abhängig sowohl durch
ihr Residualverhältnis als auch durch die Formen, in denen sie
vollzogen wird. Diese Sexualität schwankt zwischen Zweckrationalität (male-sale; Statussymbol) und Irrationalität (Ausbruch der
Triebe); in beiden Fällen bleibt sie abstrakt. Und noch in ihrer biologischen Vehemenz ist sie sozial kontrolliert, da die »funktionale[n] Leistungen der normalen menschlichen Sexualität«[12] allein
auf den Ausgleich sozialer Frustrationen hinauslaufen.

Durch diese »repressive Entsublimierung«[13] der Erotik übt die
Gesellschaft Macht über die Individuen aus. Die leistungsorien-

zierten Verhaltensweisen der vom Wirtschaftsprozeß Abhängigen
reproduzieren sich in der Intimsphäre. Der Ausbruchsversuch Anselms, für den »die sexuelle Lustsuche [...] zu der verfügbarsten
Kompensation für die disziplinierte Abhängigkeit und Dirigiert-
heit, die sachliche Monotonie und Rationalität der Arbeitswelt«[14]
geworden ist, schlägt fehl, da er in der Rolle des erotischen Kon-
sumenten vollzogen wird. Zugleich wirkt er verhaltensnivellierend
und systembestätigend, weil er sich den Zwängen des gesellschaftlichen Anspruches fügt. »Die wichtigste Folge der sexuellen Fehl-
haltung besteht darin, daß sie die ›innere Welt‹ zerstört, die den
Menschen mit der Düsternis und dem Druck der Außenwelt ver-
söhnen soll.«[15] Daß Anselm überhaupt in der erotischen Beziehung Selbstbestätigung sucht, zeigt an, wie sehr er trotz seines Rollenbewußtseins und der internationalisierten Werte durch die er-
worbene Berufsposition der Außenlenkung verfallen ist.[16]

Insofern erweist sich der vermeintliche Unterschied der Gesellschaftsrolle zu der des Ausbruchs als nichtig. Diese ist abhängig
von jener, beide fallen in ihrem Gegensatz zur Familienrolle zusammen. Die im Rollenspiel implizierten sozial-ökonomischen
Inhalte vereiteln den Versuch, die individuelle Freiheit zu erreichen. Eben diese Inhalte verhelfen Anselm einerseits zu seinem un-
aufhaltsamen beruflich-gesellschaftlichen Aufstieg und paralysie-
ren andererseits von vornherein einen möglichen Konflikt zwischen Susanne und ihm zum persönlichen Mißerfolg. Die soziale
Spannung äußert sich im unglücklichen Bewußtsein.

Die Lösung dieser Diskrepanz zwischen der Gesellschafts- und
Ausbruchsrolle und der Familienrolle wird nicht durch Anselm,
sondern durch die herbeigeführt, die sein öffentliches Verhalten
beanspruchen. Anselm ist den Mächtigen durch sein Rollentalent
aufgefallen; man kann ihn gebrauchen und schickt ihn in die USA,
wo er als »psychologische[r] Verschrottungsspezialist« (746) ausgebildet wird. Der individuelle Konflikt wird durch die fortschrei-
tende berufliche Spezialisierung verdrängt. Jener Anselm, der nach
Amerika fuhr, »der kam nicht mehr zurück« (768). Zwar nimmt
Anselm »jederlei Gestalt an, bloß um durch-, um heimzukom-
men«, aber er ist »ein Heimkehrer, auf den man sich verlassen
kann« (768).

Seine Entfremdung ist vollkommen, sein Verhalten paßt sich von
selbst jeder Situation an. Alissa nimmt gerade Wäsche ab, als er
nach Hause kommt. Dabei fällt ihr ein Stück zu Boden. »Bevor sie

drauftreten konnte, hob ich es auf, knickte es ab, es krachte, legte sich dann aber gehorsam über meinen Arm.« (769) Die Anpassung an die Gesellschaft und die Integration in den Familienverband ergänzen einander. Seine weitere Zukunft ist eine Biographie, die sich abschätzen läßt (829f.).

Anselms persönlicher Konflikt, in den er geriet, weil er mehr als das vorgeschriebene Rollenspiel wünschte, findet somit ein doppeltes Ende. Im sozialen Bereich hat er eine angesehene Position erreicht und ist materiell abgesichert. Er ist in die beherrschende Bezugsgruppe aufgenommen worden und spielt dort das erforderliche Spiel weiter. Sein situationskonformes Verhalten, in dem nun seine privaten mit seinen öffentlichen Zielsetzungen konvergieren, affirmiert den sozialen Zusammenhang. Die Generation seiner Eltern stirbt aus (Onkel Gallus, Flintrop), die problematischen Individuen resignieren (Edmund, Dieckow).

Allein in der erneuten Krankheit, im biologischen Protest, verbleibt ihm die Möglichkeit, sein Mißbehagen zu äußern; sie ist »das Honorar [. . .] das sein Körper bezahlt für seine Mimikryoperationen«.[17] An die Stelle der bewußten und rationalen Auseinandersetzung mit der Gesellschaft tritt die stumme, rein physische Reaktion. Die Krankheit bedeutet für Anselm aber nicht den Austritt aus der Sozialität und damit die Chance zur bewußten Entscheidung[18], sondern eine so weitgehende Schwächung seines Organismus und seiner Wünsche, daß die von Alissa betriebene Integration in die Familie mühelos gelingt. Schon seine erste Erkrankung wurde von Alissa für einen »Kreuzzug zu meiner endgültigen Eingliederung in die Familie« (156) genutzt, damals jedoch mit geringem Erfolg. Nach der zweiten Krankheit erwacht Anselm mit einem »ich mache ja mit« (889). Ungehindert können Alissa und die Kinder ihm alle Falten und Sorgen aus der Stirn streichen, »bis sie, ganz glatt, genügend glatt war« (892).

Der soziale Konflikt ist aus dem gesellschaftlichen Bereich ausgesperrt, er wird individualisiert und in paratgehaltenen Verhaltensmustern ausgetragen. Er erscheint als Diskrepanz verschiedener Rollen innerhalb einer Person, die die Gesellschaft nicht in Frage stellt. Wenn Edmund, Dieckow und der Arbeitsdirektor Hünlein unangenehm auffallen, so zeigt dies an, daß sie die falsche Rolle spielen oder die richtige nicht gut genug; sie müssen persönlich die Konsequenzen ziehen. Die Form dieser Konflikte, die Stilisierung zu Rededuellen, offenbart ihre Entfernung zum sozialen Substrat.

Der rhetorische Kampf zwischen zwei Rollenträgern bewirkt Belustigung; die statische Gesellschaft kann ihn sich leisten. Solcher Art dient der Konflikt der Durchsetzung des gesellschaftlichen Anspruchs, indem er das Streben nach individueller Autonomie auf den Stand des sozial Erlaubten einbringt.

Das notwendige Rollenspiel, in dem allein die soziale Anpassung den Schutz der individuellen Integrität verspricht, ist nicht die abstrakte Form einer ahistorischen Kommunikationsweise der Menschen untereinander, sondern der Ausdruck der sozial-ökonomischen Verhältnisse dieser dargestellten Gesellschaft. Deshalb verhindert gerade der Wunsch, ein anerkannter Rollenvirtuose zu sein, das Ziel der freien Selbstbestimmung. Die soziale Kontrolle setzt sich in der Übernahme der angebotenen Verhaltensschemata durch. Insofern ist der Roman *Halbzeit* auf der Ebene des Geschehens die Negation jener optimistischen Bildungsromane, die »das Echte und Substantielle« in »der gewöhnlichen Weltordnung« aufdecken und »eine der Schönheit und Kunst verwandte und befreundete Wirklichkeit an die Stelle der vorgefundenen Prosa setzen«[19] konnten. Weil Anselms Bewußtsein die Rollenerfordernisse wohl erkennen, aber deren Ursachen nicht beseitigen kann, verfällt die ersehnte Autonomie der Manipulation durch den technischen Zwangsmechanismus. Der Weg des Subjektes zu sich selbst führt in die entfremdete Gesellschaft.

2. Detail und Leerformel

Die Schreibweise des Autors kann nicht vom vorhandenen Realitätsvokabular absehen. Um den Erzählgegenstand, die bestimmte Konfliktsituation eines Individuums in der industriellen Gesellschaft, darstellen zu können, muß die interessierte Sprache in der Darbietung ihre Abhängigkeit von der allgemeinen Ausdrucksweise erkennen und überwinden. Durch den Kontrast zu jener artikuliert sie sich und ist noch in dieser Freiheit an die öffentliche Sprache gebunden. In der Schreibweise verschränken sich die sozialen Widerstände, die sich im Medium und der Form der Darstellung einstellen, mit der subjektiven Intention.

Die Freiheit des Autors findet ihren Ausdruck in der Wahl der Erzählhaltung. Walser stellt den Gegenstand aus der Perspektive eines erlebenden Subjektes dar. Das erzählende Ich erkennt die

Realität nur, insofern sie seinem Rollenbewußtsein entspricht. Der Ich-Perspektive wird alles Äußere zum Inhalt des darstellenden Bewußtseins. Deshalb muß die Sprache zweierlei in eins leisten. Sie muß im Aufbau der dargestellten Welt die Sicht des Individuums und damit dieses selbst behaupten, und sie muß in der Erzählung zugleich das Erzählte deuten.

Das wahrnehmende Subjekt wird von den zu erzählenden Gegenständen herausgefordert. Es trennt diese aus der gegebenen Situation heraus und billigt ihnen ein Eigenleben zu, das allein in der Assoziationsvielfalt des Erzählers seine Einheit hat. Damit aber wird das *Detail* zum Anlaß der Selbstäußerung. Das Detail wird ins Subjekt hineingenommen; seine Präzisierung dient der eigenen Identifikation. Alles, was dieses Bewußtsein an sich zieht, läßt seine Eigenart erkennen, ohne es ganz deutlich zu machen. Weil nichts an sich, sondern immer nur in bezug auf das erlebende Individuum erzählt wird, liegt schon im Darstellen des Details seine wertende Interpretation.

Diese Wechselbeziehung von Detail und subjektiver Selbstaussage konstituiert ein Zusammenhang von Elementen der Außenwelt, in dem das Subjekt seine Erfahrungen und sein Wissen der Darstellung der Einzelheit zukommen läßt. Gleichzeitig bestätigt es sich als rollenspielendes Individuum, da es die Eigenart des Details in sich gleichbleibenden Apperzeptions- und Verhaltensmustern aussagt. In der Beschränkung aufs Detail setzt das Subjekt einerseits der planmäßigen Ordnung »eine zerfallene assoziative Dingsprache«[20] entgegen, in der das einzelne zu seinem Recht gelangen will, und bewahrt gerade in dieser Beziehungslosigkeit das Abgebildete; andererseits ist dieses Verhalten ein Ausdruck seiner gestörten »Identität der Erfahrung«.[21] Das erzählende Ich »flüchtet von einer Behauptung zur nächsten, und wird auch noch aus der letzten Behauptung vertrieben«.[22]

Durch die herangezogenen *Vergleiche* gibt sich der Erzähler als rollenspielendes Individuum zu erkennen, das individuelle Bewegungen nur in stereotypen Handlungsmustern aussagen kann. Die möglichen Motive der handelnden Person gehen unter in ihrer Wirkung auf das erzählte und erzählende Ich. »Herr Flintrop [...] gab mir die Hand, als habe er mir zum Tod meiner Frau zu kondolieren« (38); »jedes Wort klingt, als gebe sie ein Radio-Interview, als habe sie eine Stellungnahme zu verlesen« (90); Alissa »sah mich jetzt an, als hätte ich ihr ins Gesicht geschlagen« (254). Da diese

Vergleiche genormtes, nicht subjektgebundenes Verhalten evozieren, können sie auch zur näheren Bestimmung der Dingwelt herangezogen werden; »wenn ich zu den Besprechungen mit meinem M 12 ankratzte, der aussah, als hätte er allein den Krieg verloren« (494).

Die Darstellung der Objekte geht in die des Subjektes über. Was die Eigenart jener ausmacht, hat seinen Ursprung in der Individualität des Wahrnehmenden. Durch diese Redeweise werden einerseits die anderen Individuen in die entpersonalisierte soziale Welt aufgenommen; andererseits erfährt sich das Subjekt nur, wenn es an diesen Rollenträgern Möglichkeiten des eigenen Verhaltens wahrnimmt. Jede Aktivität, auch die eigene, wird gegebenen Rollenmustern verglichen. »Verärgert, als wäre mir ein Geschäft danebengegangen, stapfte ich die Parlerstraße hinauf« (69); »Ich war [...] abgesprungen und schnaufte, als sei ich Verfolgern entronnen« (382). Im Vergleich erscheint die soziale Realität reduziert auf bestimmte Reaktionsschemata, die den Bestand des Systems gewährleisten. Individuelles sagt sich in der Maske des Objektiven aus.

Der Erzähler erweist sich in seinem sprachlichen Ausdruck vom allgemeinen Bewußtsein affiziert. Zur näheren Bestimmung der Innerlichkeit seines erzählten Ich verfügt er über die Elemente der Umwelt. Seine Handlungen wie die der anderen benennt er mit Vergleichen aus dem Reservoir vorgegebener Verhaltensweisen. Damit zeigt dieser Erzähler den Mangel auf, die Innenwelt als eine von allem Äußeren unterschiedene darzustellen. Der Vergleich bietet ein Muster an, das das Darzustellende in der Beziehung zum Verglichenen zugleich festlegt und relativiert. Diese Sprache versucht entschieden, die Außenwelt als dem Subjekt äußerliche auszusagen, wodurch das erzählende Individuum seiner selbst als ein entfremdetes inne wird.

Ähnlich den Vergleichen nehmen die *Zitate* das Material der Außenwelt auf. Sie setzen diese als homogen voraus, deren Teile von gleicher Qualität sind und gleichberechtigt nebeneinander bestehen, so daß sie beliebig verfügbar sind. Da der Erzähler diese Realitätspartikel in ihrem Zustand beläßt und sie so, aus ihrem Zusammenhang genommen, in seine Darstellung einsetzt, montiert er den Weltzusammenhang nach dem Bewußtsein des erlebenden Subjektes. Und dieses Ich kann sich nur äußern, wenn es die von der Gesellschaft bereitgestellten Gegenstände und Anschauungsweisen aufnimmt. Jene stehen ein für die Bewegungen des subjektiven Bewußtseins und werden zu dessen Inhalt. Insofern ist das Zitat die Sprechweise der Außenleitung; es ist die konsumierbare und konsumierende Sprache.

Die Zitate sind Bruchstücke der Klischeevorstellungen, mit denen die Gesellschaft die Erscheinungen zudeckt; »auch ein Freund urteilt da wie eine Nachbarin, die uns nur von ihrem Küchenfenster aus kennt« (266). Mit ihnen kann der Erzähler das Intendierte lediglich umstellen, es als das Nicht-Identische ausweisen. Sie sind der Ausdruck der Unfähigkeit, »eine Katze eben eine Katze zu nennen«.[23] Ihre Integration in die individuelle Schreibweise bezeugt die Situation des erzählten und erzählenden Individuums; dieses ist ein informationssammelnder Rollenspieler mit dem unglücklichen Bewußtsein, sich selbst in den angehäuften Materialien nicht aussagen zu können. Die Montage der Zitate signalisiert den geschlossenen sozialen Kontext in der Form ihrer gebrauchsfähigen Ideologie und kritisiert zugleich die normierten Ausdrucksmuster, indem sie diese an dem zu erzählenden Gegenstand zuschanden werden läßt.

In ihrer Nähe zu jedem Widerspruch unterdrückender öffentlicher Sprache gibt das *apodiktische Präsens*, diese verhaltensbestimmende Aussageform, seine Abhängigkeit vom allgemeinen Bewußtsein zu. »Der, der weckt, macht sich bloß unbeliebt« (12); »Der Schwächere siegt durch Geständnisse« (351); »Dem Handelnden ist weder zu raten, noch zu helfen« (712). Es bedient sich der abgekürzten, geschlossenen Redeweise, um den totalitären Kontext, in dem jede Einzelheit bestimmt und funktionalisiert wird, aufzusprengen. Weil sie die Form der sozialen Sprache aufnimmt und in dieser die unvergleichbare Einzigkeit darstellt, entzieht sie gerade das Subjekt der allgemeinen Manipulation. Das apodiktische Präsens ist die Sprache der Abwehr; es ist situationsgebunden, nicht allgemeinverbindlich, es ist der Ausdruck der Entfremdung.

Damit aber verfällt dieser Redestil den Zwängen der Gesellschaft, gegen die er sich wendet. Denn in dem Subjektivismus der apodiktischen Sentenz schließt sich die Sprache des Romans selbst ab. Sie verharrt bei dem, was sie benennt, und verweigert jede Offenheit, die über die Einzelheit hinausführen könnte. Der festgelegten Partikularität des Individuums als Rollenspieler entspricht die Unvergleichbarkeit seiner diskontinuierlichen Erlebnisse und Zustände, deren Sinn zu starren Maximen gefriert.

Das rollenspielende Subjekt imitiert die Sprachen der sozialen Umwelt; im apodiktischen Präsens gelingt ihm der Ausdruck seiner selbst. Zugleich bindet es sich um so stärker an die Formen der öffentlichen Aussage, je mehr es sich als Individualität setzen will. In seiner Opposition gegen den Zwang der Welt beansprucht es für sich selbst eine singuläre Allgemeinheit. Um den desolaten Zustand des Individuums begründen zu können, bedarf der Erzähler einer Sprache, die noch die Auflösung und den gänzlichen Mangel mitteilen und strukturieren kann.

Als »Metasprache«[24] in diesem Sinn können alle bisher analysierten Strukturelemente der Schreibweise Walsers verstanden werden, insoweit sie die Abhängigkeit von der öffentlichen Sprache aufzeigen und transzendieren. Die parataktische Assoziation, die Vergleiche und Zitate und das apodiktische Präsens versuchen, indem sie die Mittel der sozialen Kommunikation aufnehmen, den Gegenstand seiner Eigenart nach darzustellen. Über ihre Anwendung entscheidet das jeweils zu erzählende Detail. Der Zusammenhang dieser Strukturmerkmale besteht darin, daß sie alle Ausdruck der gleichen Erzählschwierigkeit sind. Im einheitlichen Niveau der ausgeführten Bilder beansprucht der Erzähler, seinen Gegenstand und seine Erzählsituation einer verbindlichen Deutung zu unterziehen.

Die *Bilder* entstammen einer bestimmten Naturanschauung, vor allem den Bereichen der physikalischen Theorie und der Verhaltensforschung. Die physikalische Metaphorik bezieht sich auf die physische Determination des Individuums, die biologische kennzeichnet seine Umwelt. Da aber der einzelne nicht ohne seinen gesellschaftlichen Zusammenhang gedacht und dargestellt werden kann, vermischen sich in den Übergangszonen die beiden Bildbereiche.

Noch ehe Anselm den Zwängen der Gesellschaft unterliegt, haben ihn Schwerkraft und »Planetenschwung« »zu fataler Paßbildähnlichkeit« (10) deformiert. Allein diese Naturgesetzlichkeit führt ihn aus seiner »großen Nachtfreiheit«[25] zurück wie einen »wieder eingefangenen Deserteur« (11). Das »Gewicht« (10), ein Begriff der Körperlehre, der Masse und Anziehungskraft impliziert, übt Druck auf das Subjekt aus, preßt es in eine Form und hält es unter Kontrolle. Als Leitmotiv dieser Fremdbestimmung verwendet der Erzähler das Bild der Sonne.[26]

Wenn der Druck auf das Individuum zu stark wird, »und Gewicht ist immer Übergewicht« (10), dann besteht die Gefahr, daß es sich in seine Teile auflöst: »Rote Wolkenfahnen im gelben Himmel [...] Ich zerfiel in Richtungen, Teile, Schwere [...] Einiges von mir erreichte das Auto.« (225)

Entsprechend ihrer Festlegung auf soziale Erwartungs- und Verhaltensschemata stellt der Erzähler den Mangel der Figuren an persönlicher Identität durch ihre partielle Körperlichkeit dar. Von Alissa sagt er zum Beispiel, als diese Anselm beim Rauchen entdeckt: »gotisch herb stach die Nase jetzt aus dem Gesicht, der Mund schrumpfte, endete links und rechts in einem dunklen Strich, und die Augen krochen aschenregentrüb so tief in ihre Höhlen als möglich« (24).[27]

Die Körperteile verselbständigen sich, treten fürs Ganze ein. »Aber Susanne hatte doch ganz andere Augen. Ja, die Augen allein, die brachte ich noch zustande, die Mandelkern-Augen, weit weit weg von der Nasenwurzel. Aber das ganze Gesicht kriegte ich nicht mehr zusammen« (473); »Die Knochen arbeiteten im Frantzkegesicht« (562); »Es pfeift das Mietergesicht« (678); »Meine Hand gestattete es« (829); »Überall knäulten sich Arme und Köpfe« (833).

Dem aufgedeckten Zerfall der Person in Körperdetails setzt der Erzähler durch die Bilder aus dem Bereich der Biologie die Integration in den Organismus der Natur gegenüber. »Die greift mit der rechten Hand über die linke Schulter, immer weiter kriecht die Hand die Schulter hinab, das Schulterblatt wächst der Hand entgegen, ein neuer Körperteil entsteht, löst sich vom Körper, auch die Hand gehört nirgends mehr hin, zwei Tiere, die nicht zusammenpassen, begegnen einander.« (379) Er bezeichnet die Lippen als »zwei schlafende Schlangen« (67) und die Hände als »zwei weiße Vögel« (91).

Damit ist ein Bildbereich erreicht, in dem sich Unterschiedenes aussagen läßt. Der Erzähler nennt die Zuhörer »Pferde« und die Kinder »Tiere« (33), die Sekretärin ein »Reh aus Metall« (150), die Ehefrau ein »Muttertier« (261); Justus wird zur »deutschen Prachts-Dogge« (303), der Chauffeur zum »Leithirsch« (427), der Industrielle zum »Margarinewal« (662), Frau Frantzke zum »Schwan« (820) und Frau Lambert zur »rothaarige[n] Äffin«. (824)

Dinge und Bewußtseinsinhalte werden diesem Kosmos der Natur einverleibt. Der Ventilator ist ein »Insekt« (150), der Telefonhörer das »kleine Tier« (333); Autos haben eine »Schnauze« (489) und Zigaretten einen »Aschenrüssel« (251). Die Hoffnung stirbt »wie eine kranke Schwalbe« (163), Gedanken bewegen sich wie »eine Schnecke« (186); Träume erscheinen als »gestorbene und durch ihren Tod unendlich schwer gewordene Vögel« (386f.), die Vergangenheit als »Kalenderleiche« (240). Es gibt einen »Rattenschwanz von Mißverständnissen« (558) und den »Schnakenschleier böser Ahnungen« (725). Sprachschöpferisch spricht dieser Erzähler von der »Schlafzwiebel« (9) und der »Nachtplantage« (10).

Vor allem aber wird in dieser Sprache der biologischen Metaphern die soziale Welt ausgesagt. Der Erzähler versteht die Straße als »Gebiß« (36) oder als »Weide, die man mit der rauhen Kuhzunge abgrast« (91). Das Großstadttrottoir ist für ihn »ein Tier mit tausend Schenkeln [...] ein Fries des allergrößten Krieges [...] die Geschlechtskarawane« (227). Er nennt das Gedränge der Passanten ein »Dickicht« (388) und ein bestimmtes Hochhaus den »Bienenstock« (495).

Damit wird die physische und soziale Desintegration eingefangen im Bild der unbewußten und animalischen Natur. Die Rollenzwänge erfordern die Kunst der »Mimikry« (9), die allein die biologische Existenz und die soziale Anerkennung gewährt. »Der Schmetterling wird ein welkes Blatt. So nützlich das sein mag, es bleibt doch komisch. Zumindest für den Zuschauer. Man kann sich nicht genug darüber wundern, daß die Feinde des Schmetterlings darauf hereinfallen, daß die Oma diesen amateurhaft gespielten Begeisterungstaumel für pure Enkelliebe nahm.« (247)

Für die Darstellung des speziellen Konflikts der erzählten Figur benützt der Erzähler die Aussage- und Deutungsmuster der physikalischen Terminologie. Die Sonne und das eigene Gewicht, beide in gleicher Weise von der Gravitation abhängig, zerstören die Freiheit der biologischen Person; dann erst setzt die soziale Anpassung ein. Anselm versucht, sich der physikalischen Kausalität zu entziehen, etwa auf dem mechanischen Weg einer Autofahrt: »nur im Auto waren Schwere und Leichtigkeit wie in uns selbst vereinigt« (93). Besonders aber durch die Aktivität des Bewußtseins soll die ungehinderte Selbstbestimmung ermöglicht werden. Er reflektiert über sein Verhältnis zu Susanne: »frei wird kinetische wird Energie frei fällig ist ein Protest gegen Schwere folglich Kündigung des Gleichgewichts des Bleigewichts des Bleichgesichts« (670).

Verlangt die Öffentlichkeit vom Individuum, eine soziale und erkennbare Rolle zu spielen, so determiniert der Erzähler die private Rolle, vor allem die Beziehung der Geschlechter zueinander, im Bild der Kräfte zwischen Körpern, die dem subjektiven Einfluß entzogen sind. Alissa wird »die wackere Erde« (723) genannt, die Anselm, »dem kalten Planetoiden«, eine »Ellipse« (722) erlaubt. Die individuelle Freiheit scheitert angesichts der Bedingungen, denen sie unterliegt. Welche Anstrengungen Anselm auch unternimmt, er kann sich dem Einfluß Alissas, ihrer Anziehungskraft nicht entledigen. Die Entfernung zu ihr mag noch so groß sein, Anselm verläßt jedoch nie seine vorgeschriebene Umlaufbahn. Anselms Hoffnung, daß seine Liebe zu Susanne ein Akt der Selbstbestätigung sei, enthüllt der Erzähler als reine Kausalität. »Der Mann [...] ist das gravierendste Wesen, noch schärfer gefaßt: das am heftigsten gravitierende Wesen, das wir kennen. Er ist massenanfällig wie nichts sonst.« (714)

Der Konflikt zwischen Anselms Familienrolle und seiner Rolle des Ausbruchs erweist sich als Dreikörperproblem. Alissa kennt die Beziehung ihres Mannes zu Susanne, »und sie weiß ja auch, da ist ein dritter Körper im Spiel, und sie stößt auf das Lagrangesche Problem zweiter Art, wie restauriert sie die kaputtgegangene Keplerellipse wieder, wo doch die Welt strotzt vor Gravitation! Wie holt sie ihn zurück aus dem schrecklichen Feld!« (723). Ihr soziales Gewicht als rechtmäßige Gattin ist stärker als das von Gaby, Anna, Sophie und Susanne. Anselm kehrt notwendig in die Nähe von Alissa zurück. Der Mimikry, dem Anspruch der Außenwelt, kann man, wenn auch mit einem unglücklichen Bewußtsein, Folge leisten; sie läßt eine Entscheidung zu. Der Gravitation jedoch, die als inneres Gesetz auftritt, ist man bedingungslos unterworfen. Zugleich schließt sie, da sie eine Kraft zwischen zwei Massen ist, jede Identität mit dem anderen Körper, sei es Susanne oder Alissa, aus. Innerhalb dieser Gesetzmäßigkeit ist ein Mindestmaß an Entfernung unumgänglich.

Dieser Bildgebrauch ist der konsequente Versuch, »Psychologie durch Gravitation zu ersetzen«.[23] In ihr drückt der Erzähler seine Ablehnung der öffentlichen Sprache aus, die, indem sie benennt, das Bezeichnete in traditionellen Bedeutungen einfängt. »In Ermangelung zuverlässiger, den Menschen betreffender Maßsysteme, bediene ich mich astronomischen Vokabulars, denn die Verhältnisse sind ähnlich [...] Die Freiheitsgrade sind gleich.« (721f.) Seine Metasprache nimmt eine wissenschaftliche Erkenntnisweise

f, die die Determination des natürlichen Menschen erforschen
ll. Insofern stellt sie eine bestimmte Stufe der sozialen Selbstana-
se dar. Der Kontext der verwendeten Begriffe verweist auf ein
ßerliterarisches Verständnis, da diese als Metaphern verwendet
re Definitionen enthalten und so »zwischen dem Bedeutungspol
d dem Meinungspol in der Schwebe«[29] bleiben.

Zugleich aber ist diese Sprache vom »eindimensionalen Den-
en«[30] ihrer Zeit abhängig, weil sie das, was sie aussagt, durch den
instrumentalistischen Charakter dieser wissenschaftlichen Ratio-
lität«[31] festlegt und der Kritik sperrt. Sie folgt den Tendenzen
er sozialen Sprache, vor allem deren Rede von der Natur. Ihr un-
ritisch akzeptierter Bezug auf allgemeine Mitteilungsschemata
velliert das individuelle Interesse. Auf das menschliche Dasein
bertragen, geraten die Termini der Verhaltensforschung und
hysik zur ontologischen Aussage. Eine Sprache, die »Naturkate-
orien [...] auf gesellschaftlich Vermitteltes projiziert«[32], über-
ägt die soziale Determination in das statische Naturmodell. Die
esellschaft verkommt zur zweiten Natur; Mimikry und physika-
sche Gesetzmäßigkeit ersetzen deren Rollenzwang.

Durch diese Sprache hält der Erzähler das getrennt, was die Ge-
llschaft zerrissen hat. Die Vorstellung, daß der biologische Ver-
ehr durch die Massenanziehung geregelt wird, läßt die Individuen
eder zueinander noch zu sich selbst kommen; als konsistente
ildwelt bestätigt sie die soziale Entfremdung. Sie interpretiert die
andlungen Anselms als zwangsläufiges Geschehen eines unkon-
ollierbaren Naturereignisses. Allein durch die darstellende Spra-
he wird sein Ausbruchsversuch zur Erfolglosigkeit verurteilt. Mit
iesen Bildbereichen setzt der Erzähler seine Deutung des Gegen-
andes gegen die Struktur des Dargestellten. Wurde auf der Ebene
es erzählten Geschehens der Erfolg der Ausbruchsrolle dadurch
erhindert, daß sie den ökonomischen Regeln der öffentlichen
olle unterworfen war, so bindet der Erzähler diese Rolle an das
rinzip der Familienrolle. Beide fallen unter das Gesetz der Gravi-
ation und stehen damit im Gegensatz zur Mimikry der Gesell-
chaftsrolle. Dies bedeutet, daß im Geschehen der Wirtschafts-
truktur die Verhinderung des subjektiven Anspruchs, durch die
arstellende Sprache aber der die Geschlechtsbeziehungen be-
immenden Massenanziehung zur Last gelegt wird. Die Schreib-
eise gerät in Widerspruch zur Struktur des erzählten Gegenstan-
es.

Die Grenzen dieser Sprache liegen in der Leistung der Schreibweise. Die lineare Assoziation und die syntaktische Gleichord-
nung, die Zitate, Vergleiche und Sentenzen sträuben sich gegen d[ie]
Imitation eines vorgegebenen Sinnzusammenhangs. Sie versuche[n]
im beschreibenden Wort genau zu sein; und die Widerstände, d[ie]
sie in diesem Bemühen aufdecken, vermitteln eine negative E[r]-
kenntnis über die Gesellschaft. Sie sind das dialektische Mome[nt]
der Sprache, das in der Übernahme partikularer Formen und I[n]-
halte der öffentlichen Redeweise dieser das Unvermögen, einze[l]-
nes zu bezeichnen, vorhält. Auf diese Weise sagt es die Nichtda[r]-
stellbarkeit des Individuellen aus und behauptet eben in der Au[s]-
sparung die Substantialität des Subjektiven. Diese Strukturel[e]-
mente könnten die sozialökonomischen Zustände in Frage stelle[n,]
indem sie die Details der allgemeinen Ordnung entziehen, wür[de]
nicht die gesellschaftliche Integration durch die geschlossene N[a]-
tursymbolik überboten werden.[33] Durch das hermetische Ne[tz]
der Bilder deutet der Erzähler das psychische Verhalten als phys[i]-
kalische Kausalität, das reflektierende Bewußtsein als Rationalisi[e]-
rung dieser Determination und das soziale Handeln als biologis[ch]
normierte Reaktion. In diesem unkritischen Einhausen in das so[-]
zial Vorgegebene resigniert das darstellende Subjekt vor seinem e[i]-
genen Anspruch.

Weil gegenüber der Festlegung durch Mimikry und Gravitatio[n]
das Rollenspiel als Bereich der relativen Freiheit erscheint, ve[r]-
doppelt sich die soziale Entfremdung. Der Widerspruch des inte[r]-
essierten subjektiven Ausdrucks wird ins einheitliche System au[f]-
genommen, welches das gesellschaftlich Kontingente als unen[t]-
rinnbare Natur ausgibt. Die biologischen und physikalische[n]
Apriori lenken von der gesellschaftlichen Manipulation ab. Sie a[f]-
firmieren die reale Entfremdung, da in diesen Konstanten das e[i]-
gentliche Fundament der menschlichen Beziehungen gesehe[n]
wird. Die Selbstbestimmung, die individuelle Freiheit und Schul[d]
einschließt, scheitert an der postulierten Unveränderbarkeit d[er]
Gesellschaft. Obwohl der Autor an anderer Stelle betont, daß da[s]
Individuum »zusammengesetzt (ist) aus biologischer und polit[i]-
scher Geschichte«[34], führt die verwendete Sprache die sozia[le]
Entwicklung auf Naturgesetzlichkeiten zurück. Die Geschich[te]
der Gesellschaft gerät unter die Herrschaft der Natur.

Diese Sprache legitimiert die soziale Unterdrückung und dient a[ls]
Deckmantel des subjektiven Versagens. Sie interpretiert die Situa[-]

ion Anselms und der Gesellschaft und entschuldigt zugleich die
Rolle, die er unter diesen Umständen spielen muß. Noch ehe seine
soziale Aktivität begonnen hat, zerstörte die darstellende Sprache
das Muster des freien Menschen. All das, was in der Folge erzählt
werden soll, ist schon mit dem Mal des Zwangsläufigen versehen.
Die Kritik an der Gesellschaft und ihrer Sprache wird eingezogen
durch den affirmativen Charakter dieser Schreibweise. In ihr reproduziert sich die Struktur der empirischen Gesellschaft. Die ge-
troffene Bildwahl manipuliert den darzustellenden Gegenstand
und unterscheidet sich insofern nicht von der Sprache, gegen die sie
sich wendet. Sie wird damit selbst zum Jargon.[35]

Der metaphorische Bildbereich der Begriffe Mimikry und Gravitation ist bestimmbar, wenn auch nur in den Wissenschaften, denen sie entnommen sind. In ihrer definitorischen Abgeschlossenheit tendieren sie zur stereotypen Wiederholung. Der Funktions-
wert dieser Sprache kommt in dem Bild »Mieze am Sternsteuerrad«
(10) zum Ausdruck, das von Anfang an als unbegriffenes verstanden und in diesem Zustand belassen wird.[36] Da der Erzähler der
»Mieze« Macht über das berichtete Geschehen zugesteht – »gegen
die kannst Du nicht an« (10) –, setzt er die willkürliche Fremdbestimmung absolut. Der Prozeß der Erkenntnis, der in den wissenschaftlichen Bildern angelegt ist, wird abgebrochen.

Der Resignation des erzählenden Bewußtseins entspricht der rhetorische Schematismus, mit dem dieses Bild im Roman auftritt.
Immer wieder wird »die graue Mieze, die mit unserem Erdball
spielt« (41), zitiert. Unter ihrer Anweisung soll Anselm schon im
Krieg und dann in seiner Vertretertätigkeit gestanden haben (60).
In ihrem Auftrag lenken die Menschen Anselm von Melitta ab
(509). Da sie die Geschichte leitet, ist jeder Fluchtversuch – »Wei-
che, Satan-Mieze Du!« – von vornherein aussichtslos. Die »aller-
höchste Mieze« (481), das »Schicksal, die Mieze, der liebe Gott«
(738) bestimmt als »Regisseur« (792, 799) jedes Geschehen; sie
macht sich durch »ihre linke Vorderpfote, die mit den samtigen
Ballen, die krallenlose« (582) oder mit ihrer »Bleifaust« (837, 876)
bemerkbar.

An diesem Bild kommt die »Sprache des Zweifels«[37] zur Ruhe:
»was weiß ich, wo die graue Mieze heutzutage ihren Hof hält«
(467); »Allenfalls die Mieze spielt mit ihm. Ein Tier von wohltuen-
der Unbekanntheit« (641); »der große Regisseur, der nie genannt
sein will« (799). Es erscheint so als subjektive Erfindung, als Meta-

pher des Überbaus, in der Natur wie Gesellschaft ihre Grenzen finden. Die Arbeit an der Sprache erschöpft sich in der Operationalisierung eines Bildes, in dem der Erzähler jede Verantwortung für das dargestellte Geschehen ablehnt. Das zitierbare Bild verkommt zum Wortwitz: »Aber im Überall sitzt eine Mieze oder eine Maus oder eine Miezemaus oder Mausemiez, die beißt den Faden ab« (890f.), durch den der Erzähler in spielerischer Attitüde seine Freiheit zu behaupten sucht, der jedoch die kritische Distanz der Sprache zum Erzählten und zu sich selbst aufhebt.

Diese Bildsprache erstarrt zur vorhersehbaren Funktion, zum rituellen Bedürfnis der Anrufung eines Wesens, das man vordem Gott nannte: »Lieber Gott vergib mir, wenn ich Dich schon mal graue Mieze genannt habe, aber Du wirkst eben oft wahnsinnig verspielt« (406). Sie steht in ihrer »überwältigenden *Konkretheit*«[38] im Widerspruch zur prinzipiellen Unabgeschlossenheit der dargestellten Details. Der Dienst, den sie leistet, ist die Bebilderung dessen, was unbegriffen blieb. Das vorhandene Realitätsvokabular wird nicht durch seine transzendierenden Elemente, sondern durch ein verfügtes Bildschema in einen neuen Zusammenhang überführt, den die Gesellschaft selbst bereitstellt. Die angestrebte Genauigkeit des Wortes fällt dem mechanischen Zitat der Leerformel zum Opfer, deren funktionale Verwendbarkeit die Verdinglichung der Gesellschaft widerspiegelt. Die Metapher als Leerformel ist das Medium, durch das sich Ideologie einstellt, weil das Nicht-Identische und Subjektive in der Aura des Allgemeinen eingefangen wird. Die Tendenz, Gesellschaft als biologischen Zwang auszugeben, sucht ihre Ausdrucksmöglichkeit im Rückgriff auf die traditionelle Totalität eines evozierten Bildzusammenhangs. Im Kosmos der Bildwelt beruhigt sich der Widerspruch der interessierten Darstellung.

3. Erzählstruktur und Affirmation

»So schwer mir das Aufwachen fiel, so schwer fiel mir das Einschlafen.« (9) – »Über mir saßen Drea, Lissa und Guido und sangen, weil ich wieder da war.« (892) Diese Zitate vom Beginn und vom Ende des Romans bezeugen einen Ich-Erzähler, der in der Vergangenheitsform seine Vorgeschichte erzählt. Das darstellende ist mit seinem erzählten Ich identisch; distanzlos evozieren diese

ätze ein raum-zeitliches Kontinuum, das Familienleben innerhalb
ines Jahres. Mit dem Aufwachen beginnt die Deformation, in der
as dargestellte Individuum die Rolle des Ehemanns und Vaters
bernehmen muß. Diese erste soziale Festlegung wird von der Fa-
iilie, die darauf Anspruch zu haben glaubt, nicht als Determina-
on erkannt. Der Erzähler teilt sie in der Reflexion des erlebenden
ch mit. Solange Anselm in seiner Familie ist, bleibt er, der diese
Deformation als uneigentliches Sein empfindet, mit dem, zu was er
eformiert wird, in der einen Ich-Person identisch.
Als er die Wohnung verläßt und sich seinem Beruf zuwendet, der
ine weitere Rolle erfordert, wird der Entfremdungsprozeß in sei-
er Verdoppelung gegenständlich. Der Erzähler hat es nun mit
wei Rollen seines erzählten Ich zu tun. Der Ehemann Anselm
vird zum Objekt des Ich-Erzählers, er wird zur Er-Figur. »Ich
abe im Büro zu tun [. . .] Der Ehemann geht die Treppe hinunter
. . .] Mit jeder Stufe, die er hinabsteigt [. . .] Ich ließ mich wehleidig
röhnend auf meinen Schreibtischstuhl fallen.« (89ff.) Der Per-
pektivenwechsel vollzieht erzähltechnisch den beginnenden Rol-
enpluralismus. Der Ich-Erzähler bekennt sich zu dem Teil seiner
argestellten Person, der als ein Ich seiner ersten Rolle gegenüber-
ritt. Nach Hause zurückgekehrt, fällt bei Alissa die Berufsrolle
on Anselm ab, er ist wieder das ganze Ich. Jedoch muß er kurzfri-
tig die Rolle eines Schwiegersohns spielen: »Ich brauchte Alissas
ute Laune [. . .] und der [. . .] den sie ihren Mann genannt hatte
. . .] Er dankte zwar nicht für das Mitgebrachte [. . .] Ich mußte
nich wieder zusammennehmen.« (243f.)
Dieser Wechsel von der erzählten Ich-Person zur erzählten Er-
'igur korrespondiert der Situation, in der sich das dargestellte Sub-
ekt befindet; er ist die Struktur der Sache selbst. Anselms Fami-
ienrolle bleibt eine aufgezwungene und fremde Existenz. »Als ich
n der Lichtenbergstraße aus meinem Wagen stieg, hatte er die
Krawatte schon gewechselt. Alissa schlug ihr Heft zu und sah mich
n, daß er gleich wieder wußte, wieviel von ihm abhing.« (459)
Daß dieses Verhältnis zu Alissa auch für seine Ursprungsfamilie
ilt, zeigt ein Doppelmonolog nach dem Besuch bei seiner Mutter,
n dem die öffentliche und die Familienrolle Anselms selbständig
ebeneinander erzählen: »Wer liebt schon seine Mutter? / Widerwillig scheuchte ich Fußgänger in die Herde zurück [. . .]« (225)
Für den Ich-Erzähler bedeutet der allmähliche Zerfall der zu erzählenden Person den Verlust der Ich (erzählendes Subjekt) – Ich

(erzähltes Subjekt) -Relation. Der notwendige Rollentausch führt zu einem Ich–Er-Verhältnis, das den Erzähler veranlaßt, will er die Ich-Perspektive nicht aufgeben, sich mit einer der beiden Rollen zu identifizieren. Nach der Feier bei Josef-Heinrich, die in der Ich-Form mitgeteilt wird, fährt Anselm nach Haus: »In meinem taubenblauen Anzug stieg er aus meinem Auto [. . .]« (345ff.) Der Erzähler könnte sich nach vollzogenem Rollenwechsel der erzählten Figur wieder auf das eine Ich zurückziehen. Da er jedoch die Er-Perspektive beibehält, distanziert er sich von dem heimkehrenden Anselm; sein Interesse bleibt auf der Seite der abgelegten öffentlichen Rolle, von der aus er erzählt. Weil die dargestellte Rolle auf diese Weise dem erzählenden Subjekt gegenüber eine relative Selbständigkeit erhält, geht die Erzählhaltung in ein rollengemäßes Erzählen über. Durch den fortschreitenden Konflikt Anselms zwischen seiner privaten und seiner öffentlichen Rolle vergrößert sich die Distanz des Erzählers zur dargestellten Er-Figur. Um dennoch die einheitliche Perspektive zu wahren, wird der berichtende Anselm zum auktorialen Erzähler seiner selbst. Dem figuralen und auktorialen Erzähler in der Darstellung des Verhältnisses von Gesellschaft und Individuum entspricht das rollengemäße und auktoriale Erzählen im Verhältnis von dem Rollenspieler zu der Person Anselms. In beiden Fällen entäußert sich die ›dialektische‹ Bewegung der Erzähltechnik in die Vielfalt partikularer Rollen und Perspektiven und konstituiert so die Form der Darstellung.

Der Erzählkonflikt setzt ein mit der dargestellten Diskrepanz von Anselms Berufs- und Familienrolle. Er nimmt durch seinen Versuch zu, sich dem Anspruch beider zu entziehen. Gabys Anruf macht für Anselm das Spiel der Liebhaberrolle notwendig. Auf dem Weg zu ihr stellt er sich auf diese ein: »Ich war noch schwach. War ich ja auch. Ein Mann, der Zeit gehabt hat, sich viel, wenn nicht sogar alles zu überlegen [. . .] Er weiß nicht einmal, ob er die eigene liebt [. . .] Meine Rolle saß.« (111) Trotz intensiver Rollenvorbereitung gelingt es Anselm nicht, als er Susanne zum ersten Mal allein trifft, eine Rollenidentität zu erreichen; er spaltet sich wiederum auf. »Aber da sprach ich schon. Ich hörte es. Kein Zweifel mehr möglich. Der sich da mit Susanne unterhielt [. . .] der war ich.« (389) Auch die Rolle des Ausbruchs wird in der dritten Person erzählt und erscheint somit als eine, die der Identifikation des Erzählers mit der öffentlichen Rolle Anselms entgegengesetzt ist.

Der Dualismus in der Person des Anselm, der bisher in der Beziehung vom erzählten Ich zum erzählenden Ich auftrat, wird durch die Ausbruchsrolle aufgelöst. Der weitere Zerfall der erzählten Person vergegenständlicht sich in der Figur des Galileo Cleverlein, der jedoch im Vergleich zur dargestellten Umwelt keinerlei Realitätsgehalt zukommt, da sie eine spezifische Erkenntnislage repräsentiert. Diese Figur ist die Konkretisation des Rollenbewußtseins des handelnden Anselm, in der seine Aktivität durch die begleitende Reflexion erhellt und relativiert wird. Sie ist der Gesprächspartner Anselms, der die Erfolgschancen seiner Ausbruchsversuche kommentiert. Cleverlein meldet sich das erste Mal zu Wort, als Anselm gegen Alissas Willen zu Josef-Heinrich gehen will. »Anselm, sagte mein Denksklave zu mir« (252); und er verteidigt Anselms Recht gegenüber Alissas Erwartungen.

Mit dem Auftreten Cleverleins ergibt sich erzähltechnisch die Möglichkeit, daß die eine Person mit der anderen innerhalb des erzählten Ich in Beziehung tritt. Er ist anwesend, als Anselm mit Anna zusammen ist: »Und was meinst Du zu den Beiden da, Galileo?« (278) War in dem ersten Zitat der Ich-Erzähler noch identisch mit der Person, der Cleverlein gegenübertritt, so gibt es hier drei Personen des einen erzählten Anselm: die eine, die die andere fragt, was die beiden (Anselm und Anna) machen. Der Rollenpluralismus fordert eine entsprechende Perspektivenvielfalt ein; der Erzähler stellt nun eine Ich-Person und zwei unterschiedliche Er-Personen seiner selbst dar.

Cleverlein antwortet auf diese Frage: »Du mischst Dich besser nicht ein, Anselm, die erfüllen das Programm« (278). »Anselms Wissenschaftler« (713) verweist auf die Zwangsläufigkeit des Geschehens zwischen Mann und Frau, indem er es als Problem der Gravitation erklärt (714ff.), und wird so zum erzähltechnischen Medium der Auffassungsart des Erzählers. Cleverlein übernimmt als eigene Erzähl-Figur die Formulierung und Fortführung des Gedankens, den zu Beginn des Romans der noch mit dem Erzähler identische Anselm selbst ausgesprochen hatte. Durch ihn wird die allgemeine Abhängigkeit des Individuums in der Krisensituation Anselms auf den speziellen Fall des Rollenkonflikts bezogen.

In dieser doppelten Entfremdung, der sich die berufliche Person Anselm sowohl Alissa wie Susanne gegenüber sieht, vergrößert sich die Distanz des erzählenden zum erzählten Subjekt. Von seiner Ich-Perspektive aus kann der Erzähler die für sich bestehenden Rollen seiner Er-Figuren kommentieren: »Heute ist mir die Wut

fremd, die mich in jener Nacht noch in zwei Wohnungen trieb [. . .]
Damals dachte ich [. . .]« (343) Er mahnt, den jeweiligen Anselm
nicht zu verkennen, und tritt dadurch als Vermittler zwischen seiner erzählten Figur und dem Leser auf (z. B. 573).

Die vom berichteten Geschehen, dem eigenen Leben, hervorge-
triebene Distanz zu bestimmten Rollen seiner selbst nötigt dem
Erzähler verschiedene Darstellungsweisen auf, die die einheitliche
Ich-Perspektive sprengen. Sie läßt das Erzählen selbst problema-
tisch werden. Bisher gab der Erzähler lediglich an, daß er sich seines Schreibens wegen geniere (498; dies sagt ein Erzähler, der kein
Künstler ist, sondern den bürgerlichen Beruf eines Vertreters hat).
Zu Beginn des für den erzählten Anselm entscheidenden Kapitels
Septemberbahn thematisiert der Erzähler seine Aktivität. »Erzählen, soviel wie zugeben, dabei aber heiter machende Distanz vor-
schützen, eosfingrig Blümchen ins melierte Gestrige flechten,
dem, der ich war, auf die Schultern klopfen: alles Watte, was Du da
drin hattest, aber jetzt, na ja, brauch' die Jacke gar nicht erst aus-
ziehen, man glaubt mir ohnedies, daß ich mich geändert habe,
sonst würde ich doch meinen aufgepolsterten Vorläufer nicht so
bloßstellen. So tun, als könne man sich ändern. Irgend so einen
Trick brauch ich schon, sonst kann ich den September nicht erzählen.« (639) Die einzige Freiheit dem vergangenen Ich gegenüber ist
die Darstellung dieser Vergangenheit, obwohl auch diese nichts am
Geschehenen verändern kann.

Von dem Zeitpunkt an, an dem der Rollenkonflikt eine Entscheidung verlangt, wird der Anselm der Familien- und der Ausbruchsrolle durchgehend als Er-Figur dargestellt. Der ›Trick‹, den das erzählende Ich anwendet, ist die auktoriale Disposition dieser Er-
Teile. »Mir liegt daran, ihn unter die Feldherrn einzureihen, um
ihn nicht unter die Intriganten geraten zu lassen« (687); »Ich neige
dazu, Anselm diesen Aufschwall des Gefühls zu verzeihen (691).

Ebenso wie auf der gegenständlichen Ebene hat das Geschehen
erzählerisch einen zweifachen Höhepunkt: die Fahrt Anselms mit
Susanne in den Atzengrund und die Auseinandersetzung mit Alissa. Das Erlebnis mit Susanne wird vom Erzähler ganz in der Vergangenheitsform der Er-Figur[39] berichtet: »Anselm faltete seinen
Befehlstand zusammen [. . .]« (694) Selbstgewiß macht sich der Erzähler bemerkbar: »Falls ich vergaß, die Beleuchtung im Kanabuh
zu rühmen [. . .]« (699), und entwirft stilisierend die Szene, in der
sich die Er-Figur zeitweilig zu einem Ich verdichtet: »Er war beim

dritten Gebot. So bin ich Susanne.« (698) Bei dem erotischen Geschehen stellt sich Cleverlein wieder ein. Der Erzähler teilt das Gespräch zwischen ihm und dem handelnden Anselm mit: »Was fragt Anselm ihn nicht alles, und wie wenig kann er damit anfangen!« (713) Von der auktorialen Perspektive aus wird der Disput im rollengemäßen Erzählen berichtet: »Anselm unterbricht ihn und sagt [...] Bitte, dann muß ich aber weiter zurückgreifen, sagt der Wissenschaftler.« (713) In dieser Erzählhaltung versucht sich der Erzähler vom dargestellten Subjekt ebenso zu distanzieren wie das handelnde Individuum durch die physikalische Gesetzmäßigkeit von dem getrennt ist, was es da tut. Nach dem erfolglosen Versuch der Ausbruchsrolle wird Cleverlein nicht mehr benötigt und später ausdrücklich verbannt. »Cleverlein, ab mit Dir ins Josefs-Spital, Du darfst Dich als emeritiert betrachten.« (858)

Anselms Scheitern radikalisiert seinen Konflikt mit Alissa. Der Erzähler bemerkt dazu: »Versteh ich Anselm noch? Und er selbst, versteht er sich noch?« (718). Um diese Auseinandersetzung darstellen zu können, wendet der Erzähler erneut einen ›Trick‹ an. »Ich werde den banalen Streit auf jene höhere Ebene transskribieren, auf die ein Mensch nach soviel niederträchtiger Wirklichkeit Anspruch hat. / Dialogue sublimé: Anselm [...] / Alissa [...]« (731f.) In der Dialogtechnik, die der Erzähler zuvor schon bei verschiedenen Gelegenheiten verwandte (488, 651f., 668ff., 685f.), wird Anselm zum Rollenspieler in einem fiktiven Geschehen, das ihm erlaubt, seine Rolle zu Ende zu spielen: er tötet Alissa. Damit entfernt sich der Erzähler vom tatsächlichen Verlauf seiner Geschichte; er stilisiert die Rollendiskrepanz und verweist auf einen möglichen Ausgang. Erzähltechnisch bedeutet diese Form die endgültige Wendung der Ich-Erzählungen zum auktorialen Erzählen. Nach diesem rituellen Schluß »müssen die beiden, die ja noch leben, zu Pawels. So ist die Wirklichkeit« (737).

Das zu erzählende Geschehen verlief anders. Die Gesellschaft honorierte Anselms intakte und brauchbare öffentliche Rolle. Die Gesellschaftsrolle erweist sich als unabhängig von den verschiedenen subjektiven Konfliktsituationen; der erzählte Anselm bleibt in den sozialen Bereichen konstant das eine Ich. Diese Rolle löst die verfahrene Lage dadurch, daß sie die anderen Rollen des Individuums in sich aufnimmt. Die neue berufliche Funktion lenkt Anselm von allen anderen Tätigkeiten ab; Alissa wird von ihm zur Repräsentation seiner erworbenen sozialen Position bei Frantzke eingeführt.

Auch die Kontraktion des erzählenden und des erzählten Subjektes zu einer neuen Identität kommt in dieser Situation Anselms zum Ausdruck. »Ich gebe allerdings zu, daß ich am 5. Dezember kaum hätte zurückkehren können, wenn ich der gewesen wäre, der am 18. Oktober fortgegangen war.« (767f.) Die neue Ich-Figur ist jedoch nicht identisch mit dem Ich zu Beginn des Romans. Litt dieses unter der Deformation und hatte es die Tendenz zur Rollenvielfalt in sich, so ist jenes ein auf die soziale Anpassung reduziertes Ich, das nur noch von seinem vergangenen Ich als Er-Figur redet: »Drei Tage lang blamierte er sich auch nicht.« (796) Die Synthese der sich widersprechenden Rollen liegt im unwiderruflichen Rückzug auf eine der Ausgangspositionen. Insofern ist die Erzählstruktur parallel dem dargestellten Geschehen gestaltet; Rollenkonflikt und Erzählkonflikt entsprechen sich.

In einem langen inneren Monolog, der das Aufwachen daheim nach der zweiten Krankheit einleitet, steht der Satz: »Ich bin Don Quixote, nachdem er gelesen hat, was Cervantes über ihn schrieb« (889).[40] Erzählte Figur und Erzähler werden zusammengefaßt. Der schreibende Anselm ist der, der das vergebliche Bemühen des handelnden Anselm erkannt hat, und der beschriebene Anselm stellt fest, daß der Erzähler daran nichts ändern konnte. Da das Geschehen in der Ich-Perspektive berichtet wird, erhält dieser Satz eine weitere Bedeutung: Der Erzähler ist von Anfang an das angepaßte Individuum, zu dem sich der erzählte Anselm erst am Ende des Romans bekennt. Um dennoch seinen eigenen Weg in die Anpassung zu beschreiben, muß er sich vom erzählten Ich distanzieren. Als auktorialer Erzähler kommt er diesem Anspruch nach in der bewußten Deutung des Geschehens durch die Sprache und die Form. Für diese Auffassungsart des darstellenden Ich trifft zu, »daß es die Stadien seiner früheren Ichs, als von seinem jetzigen Stadium unterschiedene, und meist verschiedene erlebt«.[41] Denn das, was es erzählt, wird schon immer auf dessen Ende hin gesehen und durch die Tendenz der integrierenden Elemente als zwangsläufig gedeutet.

Die Handlung findet im endgültigen Schicksal aller Figuren seinen Abschluß. Die Enträtselung Melittas und die erneute Krankheit, aus der Anselm mit einem »ich mache mit« erwacht, vervollständigen seine Integration in die Gesellschaft. Die kleine Utopie des ungestörten familiären Ballspielens auf der einsamen Waldwiese (689) wird im letzten Monolog negiert (889). Die harmonisierende Auffassungsart des Erzählers setzt sich in der Komposition der Kapitel und in der verwendeten Sprache durch. Anfang und Ende in notwendige Abgeschlossenheit verbinden die zugrunde gelegten Bilder, »die Kernwörter des Romans«[42]: »Raubtiergattung«, »Not lehrt Bremsen«, »Schlafzwiebel«, »Mieze« und »ein Gefangener der Sonne« (9ff., 889ff.).

All diese Elemente gehören zu den ›Tricks‹, durch die der Erzähler seinen Gegenstand darstellt. Sie sind Rationalisierungsversuche des angepaßten Individuums, in denen es seine Anpassung als objektiven Zwang versteht. Die Zeitstruktur des Romans bestätigt das unentrinnbare ›Verhängnis‹. Als »Gefangener der Sonne« unterliegt Anselm der Gravitation; er ist abhängig vom jeweiligen Stand dessen, der ihn anzieht. Das ganze Geschehen zwischen Anselm, Alissa und Susanne ist entsprechend den Jahreszeiten, der Ellipsenbahn der Erde um die Sonne gestaltet.[43] Anselm bricht im Sommer auf, erlebt im »Herbstäquinoktium« (708) den Höhepunkt seiner Susanne-Begegnung, verbringt den November in Amerika und wird im März wieder gesund.

Dieser physikalischen Zeit, die zwar eine lineare Entwicklung, aber keinen Fortschritt kennt, korrespondiert die Kreisform der biologischen Zeit. Das Leben des Individuums wird von zwei Krankheiten eingegrenzt. Die ›natürliche‹ Zeit läßt die sozialen Gebilde in ihrer unveränderbaren Statik beharren. Sie sind hierarchisch gegliedert; es gibt nur eine vertikale Bewegung in diesem System, aber keine Veränderung des Systems selbst. In diese Zeitstruktur ist die punktuelle Erlebnisgegenwart des Subjektes eingelagert. Seine Zeitlosigkeit deuten die parataktische Sprache, das apodiktische Präsens und die Rede als Handlungsersatz wie auch die Montage verschiedener Zeitstufen innerhalb seines Bewußtseins an, durch die seine Vergangenheit mit der Gegenwart des erinnernden Ich synchronisiert wird.

Durch die Struktur seiner Darstellung, durch die Behandlung der Zeit, in der Kapitelanordnung und in seiner Erzähltechnik gibt sich der Ich-Erzähler als auktorialer Erzähler zu erkennen. Er deutet seine individuelle Geschichte durch den Widerstand, den das Subjekt in der Gesellschaft erfährt, bewußt als Darstellung eben dieser Realität, in der das Individuum den Kollektivierungs- und Abstraktionstendenzen der Umwelt verfällt und zum typischen Rollenspieler wird. Dieser Erzähler funktionalisiert die inneren Monologe und die Rededuelle, die Bewußtseinszustände und die Realitätsausschnitte, die erlebte Zeit des Subjektes und die statische Zeit der Gesellschaft zu Aufbauelementen eines Geschehenszusammenhangs. Er hintergeht die Forderung seines Autors und liefert in allen Teilaspekten eine »ablösbare Bedeutung«.[41]

In einer Schreibweise, die sich der Technik der Montage bedient, trifft der Autor auf die Produktionsbedingungen seiner Zeit. Die Rationalität seiner Arbeitsweise ermöglicht es, die aphoristisch ausgeführten Details gegen den Zusammenhang, der sie umschließt, darzustellen. Zugleich aber erzwingt diese Auffassungsart ein Modell, in dem die sich widersprechenden Einzelheiten nicht für sich als kontroverse bestehen gelassen, sondern als versetzbare ›Fertigfabrikate‹ zu einem geschlossenen System montiert werden, durch das der Autor seinem »Empfindungszusammenhang [. . .] das rein physikalische Weltbild«[45] gegenübersetzt. Damit ist er der industriellen Ideologie verhaftet, die alles, was ist, funktionsgerecht in ihren Zusammenhang integriert. Gegen die Formgesetzlichkeit des erzählten Gegenstands behauptet der sich nur auf sein Bewußtsein verlassende Erzähler eine Form der Anschauung, in der die konstitutiven Aufbauelemente als verdinglichte die entfremdete Individualität in eine auktoriale Darstellung einsperren.

Das Geschehen wird als sozial verbindliches Rollenspiel dargestellt. Die relative Freiheit in der Wahl einer angemessenen oder unangemessenen Rolle ermöglicht ein kritisches Verhältnis zu dieser Gesellschaft, eine Kritik, die sich im unglücklichen Bewußtsein derer ausspricht, die unter dem Zwang, sich entscheiden zu müssen, leiden. Der Konflikt Anselms besteht zwischen der privaten und der öffentlichen Rolle, deren ökonomische Zweckrationalität die Rolle des Ausbruchs an sich bindet und ihren Erfolg vereitelt. Die Anpassung an den gesellschaftlichen Anspruch bleibt nach dem Scheitern des subjektiven Befreiungsversuches die einzige Chance zum Überleben.

Die Sprache und die Erzählstruktur beziehen dagegen die Ausbruchsrolle auf die Familienrolle. Dem Bildbereich der sozialen Mimikry steht die Kausalität der Gravitation als Beziehung zwischen den Geschlechtern gegenüber. Die Unmöglichkeit der freien Selbstbestimmung hat nun ihre Ursache nicht mehr in der Struktur der Gesellschaft, sondern in den physikalischen Gesetzen, denen der Mensch unterliegt. Das erzählende Ich stellt sich auf die Seite der öffentlichen Rolle und beschreibt die Anselme der privaten und der Ausbruchsrolle als Er-Figuren, als Entfremdung der gesellschaftlichen Ich-Person. Der Perspektivenwandel verkommt zum notwendigen Rollenspiel des Erzählers, um in der Montage verschiedener monologischer und rollengemäßer Erzählstücke seine Konzeption des Gegenstandes durchzusetzen.[46] Weil er sich schon immer zur sozialen Rolle seines dargestellten Ich bekennt, erweist sich der Erzählkonflikt insgesamt als beiläufig, als eine Methode, die die Form des Gegenstands im sicheren Wissen um den eigenen Standpunkt lediglich imitiert. Die Bewegung des Darstellungsprozesses ist eine schlechte Dialektik, deren Ausgangspunkt mit der am Ende des Romans vollzogenen Reduktion der erzählten Person auf die Antithese ihrer Gesellschaftsrolle zusammenfällt.

Durch die Auffassungsart des Autors rundet sich der erzählte Lebensabschnitt zum vollendeten Geschehen, das a priori eine mögliche Veränderung ausschließt.[47] Die im Titel des Romans versprochene Zukunft kann allenfalls auf eine Wirklichkeit bezogen werden, welche die Erfindung dieses Gegenstands ermöglichte. Und eben dieser Wirklichkeit wird unter den gegebenen Umständen die Wiederholung der ersten ›Halbzeit‹ nach den bestehenden Regeln und Bedingungen prophezeit.[48] Durch die Form der Darstellung affirmiert der Erzähler die soziale Entfremdung. Die Schreibweise nimmt die Ideologie der industriellen Gesellschaft auf, indem sie den sozial-ökonomisch bedingten Rollenkonflikt als natürliche Determination legitimiert. Sie setzt der immanenten kritischen Intention auf der Ebene des Geschehens die Bestätigung dieser Verhältnisse durch eine Erzählstruktur gegenüber, die das gesellschaftliche Rollenspiel insgesamt nicht mehr antastet. Wenn das Dargestellte als Zerstörung eines Musters, des Bildes vom freien, sich selbst bestimmenden Menschen, angesehen werden kann, so akzeptiert die Form diese Zerstörung, weil sie diese der Natur, nicht aber der Gesellschaft zur Last legt.

Eine kurze Weiterführung, die Romane *Das Einhorn* und *Der Sturz* betreffend (1974)[49]

Sechs Jahre vergingen, bis Walsers nächster Roman *Das Einhorn* erschien. In diesen Jahren hat er verschiedene Theaterstücke geschrieben, so zwei Teile der auf drei Stücke konzipierten »Deutschen Chronik« *Eiche und Angora* und *Der Schwarze Schwan* (das dritte Stück *Ein Pferd aus Berlin*, das die deutsche Teilung zum Thema haben sollte, unterblieb) und die Kapitalismus-Parabel *Überlebensgroß Herr Krott*[50], die deutlich unter dem Einfluß Brechts steht. In der Wechselrede sah er nun das adäquatere Mittel, Stoffe zeitgeschichtlicher Art darzustellen. »Es sind Fragen der politischen Auseinandersetzung, und da empfiehlt es sich fast unmittelbar, und ganz von selbst, daß man das als Dialog schreibt.«[51] Im essayistischen Bereich radikalisierte sich sein politisches Engagement, etwa in seinen Aufsätzen *Unser Auschwitz* und *Praktiker, Weltfremde und Vietnam*.[52] Bei der Wahl zum Bundestag 1969, die das Ende der Großen Koalition brachte, unterstützte er nicht mehr die SPD, sondern die ADF (Aktion Demokratischer Fortschritt; die KPD [dann DKP] war noch verboten).

Der Roman *Das Einhorn* ist gerade, weil davon nicht explizit die Rede ist, ein genauer Ausdruck der Situation bundesrepublikanischer Intellektueller vor der Zeit der außerparlamentarischen Opposition. Anselm Kristlein hat seinen Beruf abermals gewechselt. Er ist nun Schriftsteller geworden und mit seiner Familie – Alissa heißt jetzt Birga; sie haben mittlerweile vier Kinder – von Stuttgart nach München gezogen. Er lebt von seiner Rolle eines literarischen Zeitgenossen; er ist Vertreter einer »eigenen« Meinung. Ökonomisch ist diese Rolle äußerst gefährdet, da er auf die Nachfrage, auf Auftragsarbeiten angewiesen ist. Zuerst reist er als Diskussionsteilnehmer (zu unterschiedlichen Themen) durch die Lande, dann erteilt ihm die schweizerische Verlegerin Melanie Sugg den Auftrag, ein deutliches Buch über die Liebe zu schreiben. Dieser Auftrag hat zur Folge, daß er sich von seiner Familie entfremdet; zu ungestörter Arbeit wird ihm ein Zimmer im Haus des Industriellen Blomich – in dem auch eine große Party, eine »Nabelschau«, stattfindet – am Bodensee zur Verfügung gestellt. Und er bewirkt, daß er über die Probleme Gleichzeitigkeit (läßt sich Liebe aufnehmen, etwa mit Hilfe eines Tonbands) und Erinnerung (die Wiederbelebung vergangener Ereignisse und Erlebnisse durch die Niederschrift) nachdenkt.[53]

Dieses Nachdenken – vor allem in den »Anlässen, über unser Erinnerungsvermögen verwundert zu sein« – scheint auf den ersten Blick eine bloß poetologische, mehr theoretische Arbeit zu sein. Die Funktion dieser Abschnitte – sowie z. B. die dreimalige Niederschrift des Erlebnisses mit Melanie Sugg[54] – ist es aber, die durch Prousts *A la recherche du temps perdu* genährte Hoffnung, in der Wiedererweckung vergangener Ereignisse zur Identität und zu einem glücklichen Leben zu kommen, radikal zu negieren. Vergangenes und die Erinnerung daran präformieren zwar die Wahrnehmungsstruktur und den Erwartungshorizont. Was jedoch bleibt, ist allenfalls das Bewußtsein erlittener Schmerzen[55], es ist die zweidimensionale Figur auf dem Papier (E 378): »statt etwas, bleiben Wörter«. (E 181)

Der Absage an die konventionelle Heilserfahrung im individuellen Bereich – wiederum im Bild des Personenzerfalls ausgesagt – entspricht die durchgehaltene Erzählproblematik: die zerrissene innere Form (kleine Kapitel) bei genauer Wiederaufnahme des Anfangs am Ende; die zerhackte Sprache beim einheitlichen Schreibgestus; und das Auseinanderfallen des politischen Bereichs und der persönlichen Erwartung (im Bild des »Einhorns«). Während in einer Diskussion (die satirische Beschreibung eines unsinnigen Round-table-Gesprächs) pausenlos die Standardformeln gesellschafts- und kulturkritischer Sprachfertigteile fallen, denkt Anselm Kristlein nur an eine Dame im Pelz: »Er sprach für ihren Ozelot.« (E 104)

Kristleins Erwartung anderen Menschen gegenüber fügt sich nicht in den sozialen und den politischen Zusammenhang. Das hat einerseits zur Folge, daß diese Bereiche für sich bestehen, als etwas vom einzelnen Abgetrenntes erkennbar werden. Deshalb auch werden die allgemeinen politisch-ökonomischen Abhängigkeiten deutlicher als zuvor dargestellt. Zu Beginn des Romans ist von den Ereignissen im Kongo (Lumumba) die Rede, am Ende steht die Kubakrise (Castro). Andererseits muß die subjektive Glückserfahrung – abermals als personale Zweierbeziehung – von vorneherein zum Scheitern verurteilt sein. So wird das Orli-Erlebnis auf doppelte Weise aufgehoben. Es ist nur mit den topischen Mitteln einer Utopie, in der Hoffnung und Angst gleichermaßen vorhanden sind, aussagbar: Regression in die Kindheit, Rückzug in die Heimat, mythische Bilder, Traumvisionen und Sprachenvielfalt. Und der Ich-Erzähler gibt auch diese Version als eine nur erschriebene aus: »Mir muß daran liegen, das, was nicht gewesen sein kann, so eng als irgend möglich mit dem Gewissen zu liieren . . . Denn mir, dem wirklichsten aller Anselme, stand überhaupt kein Geld zur Verfügung für solche Ausflüge ins Märchen.« (E 343f.)

Durch diese radikale, wenn auch voller Wehmut vorangetriebene Absage an den spätbürgerlichen Individualismus wird die Voraussetzung geschaffen, die sozial-politische Sphäre als nicht-subjektiven Bereich zu erkennen und darzustellen. Statt der Hoffnung auf Veränderung bleiben die Verhältnisse. Allerdings ist diese Kapitalismuskritik ausschließlich an die Leiderfahrungen einer einzelnen Person gebunden. Die Verhaltensweisen anderer und die Identifikation mit anderen Gruppen und Vorstellungen sind dem, der so in seiner eigenen Geschichte befangen ist, nicht zugänglich. Der Ich-Erzähler denkt in vehementer Phantasiearbeit an sich selbst, und er hofft auf eine Rettung allein durch »Anti-Wörter« (E 373). Alle Personen werden, wenngleich ihre soziale Rolle auch satirisch-polemisch herausgestellt wird, als Personen entschuldigt. Blomich, der Krott-Gleiche, ist z. B. mehr ein freundlich exotisches, für Anselm Kristlein unverständliches Wesen, dessen exemplarische Lebensführung und Macht er imitieren möchte. Aber das Wissen darum, doch nur wieder in die Abhängigkeit des herrschenden Rollenspiels geraten zu sein, wird überlagert durch das Bestreben nach Selbstverwirklichung.

In diesem Roman sind die Möglichkeiten zu Fortschreibungen noch über den *Sturz* hinaus bis hin zur *Gallistl'schen Krankheit* angelegt. Anselm Kristleins Hoffnungen, traditionelle Präformierungen, seine Krankheiten etc. werden als »Kristlein-Syndrom« (E 270) diagnostiziert. Blomich wird dann sein Arbeitgeber, der eigentliche Gegentyp sein. Vor allem aber: Kristleins und des Autors Beruf, der des Schriftstellers, ist ein Beruf, »der zu nichts so sehr berechtige wie zur Hoffnung« (E 344).

Wie facettenreich und chaotisch das Geschehen der vorangegangenen Kristlein-Romane auch ist, es ist eingebunden in die strenge Form. Die Anfangs- und die Endsituationen entsprechen sich, sie begrenzen den Handlungsspielraum der Hauptfiguren und führen die immanente Bewegung in den Kapiteln *Befund (Halbzeit)* und *Lage II (Das Einhorn)* auf den Stillstand des »Ich liege« zurück. Die Struktur des dritten Kristlein-Romans *Der Sturz* ist dagegen eine andere, eine offene. Der erzählerische Ausgangspunkt liegt im mittleren Kapitel, das im Präsens ausgeführt wird. Von ihm aus gesehen berichtet das erste Kapitel Erlebnisse der jüngsten Vergangenheit, das wird im Präteritum erzählt, und entwirft das dritte Kapitel eine mögliche Zukunft, im Futur angeboten.[56]

Anselm Kristlein, nun über fünfzig Jahre alt, ist, um seine Familie ernähren und doch noch schreiben zu können, ein Angestelltenverhältnis eingegangen. Für Blomich leitet er als Heimleiter jenes

Haus für erholungsbedürftige Arbeiter, das er im *Einhorn* von der herrschaftlichen Villa aus sah. Erzählerischer Anlaß des ersten Kapitels ist der letzte gescheiterte Versuch, zu Geld und damit zur Unabhängigkeit zu kommen – die alte, schwer aufzugebende Hoffnung. Das Erbe Alissas, 72 000 DM, das zur Pachtung eines Hotels gedacht war, fiel in München einem Schwindler zum Opfer. Anselm tritt den Heimweg zu Fuß an, und dieser Rückzug wird zur Odyssee, in der die Lebensläufe der früheren Anselme gleichsam verkürzt wiederholt und gesteigert werden. Es ist ein Spießrutenlaufen durch eine verstellte Welt: Anselm bewirbt sich als Sekretär beim BuSoM (Bund Sozialdemokratischer Millionäre), er räsonniert über vagabundierende Dollars, er trifft auf Al Fatah-Terroristen und auf eine Landkommune, deren Mitglieder zum Buddhismus übertreten. Er taugt nicht zur Fabrikarbeit und gerät in die Bande erotischer Exzentriker mit Nazi-Vergangenheit. Es ist, in gedrängter Form, die apokalyptische Leidensgeschichte einer Person, die immerzu unpraktisch handelt, weil sie sich außerhalb der geforderten Normen (Konkurrenz, Leistung etc.) stellt, weil sie ihrer Sehnsucht und Phantasie freien Lauf läßt.

Anselms Verbergungsbedürfnis nimmt zu, er wandert nur noch nachts. »Am liebsten hätte ich meinen Heimweg in etwa 800 bis 1200 Meter Tiefe verlegt.« (S 53) Die Schuld daran gibt er dem Zwang, Geld verdienen zu müssen: »Wenn man nicht geldverdienen müßte, gäbe man keinen Laut von sich. Still ruhte die Welt und sanft, und vor allem: jeder in sich, er wäre nicht unterworfen.« (S 25) Da dieser Zustand aber unter den gegebenen Umständen unmöglich ist, findet er, der Redegewaltige, sein Glück, für eine Nacht, bei einem taubstummen Mädchen, das er Genovev nennt. Es ist ein Leben in völliger Negativität; ein Irrweg, bei dem alles, was er tut, gegen ihn verwendet werden kann, bis es zum Mordprozeß kommt, aus dem ihn allein Alissa befreien kann. Am Ende wird er von Unbekannten, wehrlos und fast dankbar, zusammengeschlagen. »Es krachte, als zerrisse eine riesige hölzerne Welt und so.« (S 135)

Die abhängige Gegenwart des Heimleiters erzählt das zweite Kapitel. Er, vor allem aber Alissa, müssen, während die Kinder auf eine ihnen gemäße Art sich verweigern (Lissa sogar kurzfristig das Haus verläßt), für deren Erholung sorgen, die in Blomichs Betrieben krank wurden. Das geht über ihre Kräfte, sie kollabiert. Anselm gibt vor zu schreiben, etwa über Spinnen, schreibt auch, den

Roman, unterhält sich mit alten und neuen Freunden, die bei ihm ihre letzte Zufluchtsstätte suchen, weil sie alle ebenso vereinsamt und kaputt sind wie er selbst. Weil sie für diese Gesellschaft und, unter diesen Umständen, fürs Leben nicht taugen.

Den Vertretern der Kapitalisten gegenüber, ob sie nun Kaiser, König (die wiederum untereinander im Konkurrenzverhältnis stehen) oder Heinrich Müller heißen, ist er hilflos. Als eine Arbeiterin die Hausordnung, die er durchsetzen muß, nicht einhält – sie trägt keinen BH, worüber sich die anderen beschweren –, fehlt ihm die Kraft zur Opposition und zur Solidarität; die Arbeiterin wird vorzeitig heimgeschickt.

Das »absolut Höllenhafte unserer Existenz« (S 150) zeigt sich in der Vielzahl der Todesfälle und Selbstmorde: Edmund, Beumann, Fritz Hitz etc., aber auch Blomich, Kaiser und König kommen um. Und sie zeigt sich bei Anselm Kristlein in seiner Phantasiearbeit: in seinem Verkehr mit der alten Hanni; in seinen Träumen der Erschöpfung und des Wegsinkens[57]; und im Bild des Sicheingrabens. Gerade diese Tätigkeit, ein Loch ausheben, schockiert die Umwelt; die einen vermuten, Anselm sei auf Schatzsuche, die anderen sehen in dieser »sinnlosen« Arbeit eine Provokation. Eines Tages wird in dem Loch, das Anselm Kristlein für sich bestimmt hatte, Michel Enzinger tot aufgefunden, dessen letzter Brief, russisch geschrieben, übersetzt lautet: »Sehr geehrter Herr Kristlein! Wie wollen Sie stürzen, allein oder zu zweit? Das ist wichtiger als all Ihr Deklamieren. Alissa schreit genau so nach Ihnen wie Ihr Michel Enzinger« (S 360).

Das Ende kommt, als das Blomich-Unternehmen, von einer amerikanischen Gruppe übernommen, das Heim auflöst und Anselm Kristlein gekündigt wird (übrigens im September, in den früheren Romanen der Monat, in dem Anselm Susanne und Orli traf). Ökonomisch bedeutet dies den Entzug der Existenzgrundlage. Die Aktivität verfällt, das Haus wird von Spinnennetzen umwoben. In dieser Situation schreibt Anselm jene Sätze nieder: »Über meinem geliebten Papier wird er mich finden. Und mein Gesicht wird einen ruhigen, bzw. menschlichen Ausdruck zeigen, der ihm neu ist. Ich bin ziemlich sicher, daß ich mir durch Lesen und Schreiben einen solchen, fast gefestigt wirkenden Ausdruck erwerbe. Behauptung oder Selbstbehauptung, das wird er an mir bemerken. Und schon deshalb bleibe ich an meinem Schreibtisch, bis er kommt« (S 296). Als einziges bleibt die intensive und vielleicht rettende Tätigkeit des Schreibens und Lesens.[58] In der vollkommenen Schwäche und Ausweglosigkeit kann Schreiben eine Hoffnung, die Arbeit des Schriftstellers für ihn selbst und für andere notwendig und sinnvoll sein: ». . . und Sie werden an der Tür stehen bleiben müssen, ohnmächtig, bzw. angenagelt vor Staunen über meine Kraft.« (S 297) In Alissas Tagebucheintragungen, die am Ende des Kapitels stehen und in denen – wie schon bei der *Halbzeit* – das Titelwort vorkommt, liest es sich anders: »Eine ununterbrochene Abwärtsbewegung seit? . . . Das Tempo nahm dann immer mehr zu. Jetzt ist nicht mehr daran zu zweifeln, daß es ein Sturz ist. Und er bemerkt es nicht.« (S 308)

Im dritten Kapitel entwirft Anselm für sich und seine Familie eine Zukunft, in der die Kinder bei Verwandten ausgesetzt werden sollen, damit sie sich leichter durchzusetzen lernen. Falls Anselms Cousine kommt, die erst Medizin studierte, dann mit ihrem Körper Geld (für sich und Anselm) verdiente, zu den Al Fatah-Leuten ging und nun Genossin geworden ist, wird sie wie »eine Rettung, die größte Gefahr« (S 325), denn er hat nicht mehr die Kraft, Revolutionär zu werden, obwohl das »Leben im widrigen Element« (S 43) dazu herausfordert. Er ist an seinen Gegentyp gekettet, ihm durch seine Abhängigkeit von ihm zu ähnlich geworden. »Ich kann mich gerade noch von diesem Gegentyp emanzipieren . . . Offenbar hänge ich an ihm wie an mir selbst . . . Ich werde den Absprung finden. Das wird aussehen wie eine Art Selbstmord oder Auferstehung.« (S 324f.)

Anselm Kristlein wird sich mit Alissa, also in der herkömmlichen Zweier-Beziehung, auf den Weg machen. Auf der Fahrt durch die Alpen könnten sie dann im Moder eines Hochmoors liegend oder unter Gletschern das Glück der Zweisamkeit erfahren. Aber ein Abrutschen des Wagens in einer verschneiten Kurve würde diese Hoffnung zunichte machen können. Ein Ende, das diese erschriebene Zukunft durch wortwörtliche Übernahme des ersten (und letzten) Abschnitts des ersten Kapitels mit dem Ende seiner Odyssee von München an den Bodensee verbindet. Das ist eine negative Utopie[59], weil Anselm für sich und für die tot im Schnee liegende Alissa, die sein Halt und sein Ruhepunkt von der *Halbzeit* an war, nun an einen neuen Anfang denken könnte: »Es sei jetzt geradezu Zeit für uns, uns zu verändern, und das und nichts anderes sei unser Ziel.« (S 356)

Das ist das Ende der noch unentschiedenen Halbzeit, das literarische Bild der zerstörten Welt, in der Anselm Kristlein lebte und litt. Schon die Sprache weist hin auf diese Veränderung. Sie ist einfacher, direkter und eindeutiger geworden. Vergleiche und Zitate kommen seltener vor; die Reduktion aufs Wesentliche geht hin bis zur Abkürzung. Das genaue und illusionslose Wissen um die Rolle und die Möglichkeiten eines Schriftstellers in einer vom Markt diktierten Gesellschaft verstärkte das essayistische Element in seinen Romanen. Waren es im *Einhorn* die ästhetisch-anthropologischen *»Anlässe, über unser Erinnerungsvermögen verwundert zu sein«*, so wird im *Sturz* in den drei »Gegentyp«-Kapiteln das sozio-ökonomisch fundierte Modell eines Kapitalisten entworfen. Und das ist der Beginn einer Hoffnung auf ein menschlicheres Leben durchs Schreiben und durch die Parteinahme. Die hier skizzierte Radikalität des Romans hat ihren Grund nicht in der Genese der Personen, ihres Bewußtseins und der inneren Struktur des Handlungsgefüges der drei Romane. Sie ist möglich geworden durch die politischen Ereignisse der vergangenen Jahre und durch die Erfahrungen, die Walser in der Zwischenzeit als aufmerksamer und mitleidender Zeitgenosse gemacht und literarisch fixiert hatte.

Anmerkungen

* Thema dieses Beitrags, der sich auf einige Abschnitte der Dissertation des Verfassers *Martin Walser oder die Zerstörung eines Musters* (Bonn 1972) bezieht, ist nicht eine extensive Interpretation des Romans, sondern eine kritische Analyse des Verhältnisses von erzähltem Stoff zu seiner Formel anhand des dargestellten Rollenkonflikts, des Bildgebrauchs und der Erzählstruktur. – Die Zahlen im Text verweisen auf die Erstausgabe des Romans *Halbzeit*, Frankfurt (Main) 1960; seitenidentische Ausgabe Frankfurt (Main) 1973, Suhrkamp Taschenbuch 94 (2 Bände).

1 In der Terminologie David Riesmanns (in: *Die einsame Masse*, Hamburg 1958) kann man von außengeleiteten Rollenspielern (die Kinder, Josef-Heinrich, Bert, Frantzke), von problematischen Rollenspielern (Anna, Dieckow, Edmund) und von innengeleiteten Rollenspielern (Alissa, Flintrop) sprechen.

2 P. Hofstätter, *Einführung in die Sozialpsychologie,* Wien 1954, S. 205; zitiert in H. Schelsky, *Soziologie der Sexualität,* Hamburg 1955, S. 115.

3 A. Mitscherlich, *Auf dem Wege zur vaterlosen Gesellschaft,* München

1963, S. 349.

4 Th. Beckermann, *Erzählprobleme in Martin Walsers Romanen*, Biberach an der Riß 1968, S. 23.

5 Vgl. hierzu J. Habermas, *Zwischen Philosophie und Wissenschaft: Marxismus als Kritik*, in: J. H., *Theorie und Praxis*, Neuwied/Berlin 1963, S. 174: »In dieser Dimension der Entwicklung wächst, etwa mit der Chance, sich zu den Rollen als solchen verhalten zu können, sowohl die Freiheit des Bewegungsspielraums in der Disposition der Rollenübernahme und des Rollenwechsels, als auch eine neue Art der Unfreiheit, soweit man sich unter äußerlich diktierte Rollen genötigt sieht; [. . .]«

6 Vgl. hierzu G. Lukács, *Die Theorie des Romans*, Neuwied/Berlin ²1963, S. 82: »Durch dieses selbe Abschließen wird aber das Individuum zum bloßen Instrument, dessen Zentralstellung darauf beruht, daß es geeignet ist, eine bestimmte Problematik der Welt aufzuzeigen.«

7 Th. Beckermann, *Erzählprobleme*, S. 21.

8 A. Mitscherlich, *Vaterlose Gesellschaft*, S. 344.

9 Einmal wird dieser Traum als kleine Utopie konkret. Während einer Autofahrt sieht Anselm eine Familie, die in einer Waldschneise Ball spielt. »Nicht einer hatte herübergeschaut, so waren sie bei ihrem Ball, den einer dem anderen zuwarf, ohne jede Hast, so zuwarf, daß der nächste den Ball spielend leicht fing und ihn weiter warf, träg im Kreise, träg ohne Ende im Kreise träg herum. Könnten Götter gewesen sein.« (689)

10 Vgl. hierzu K. Horn, *Zur Formierung der Innerlichkeit*, in: *Der CDU-Staat*, hg. von G. Schäfer/C. Nedelmann, München 1967, S. 193: »Die biologische, naturhafte Seite der Subjekte als Basis ihres Strebens nach Autonomie, nach ›Ich-Integrität‹ wird zugunsten der gesellschaftlichen Zweckrationalität immer mehr zurückgedrängt und in zentrale Verwaltung genommen, die Subjekte werden als leere Schalen begriffen, in die gesellschaftlich funktionale Reaktionsweisen als Reflexe plaziert werden müssen.«

11 K. Pezold (in: *Martin Walser. Seine schriftstellerische Entwicklung*, Berlin-Ost 1971, S. 308f. Anm. 91) verweist darauf, daß die hier zitierten 39 Gebote, wie im Text selbst angegeben, den *39 Tips für bessere Verkaufserfolge* in: *Wirtschaft und Werbung* (Juni 1953, S. 176f.; Übersetzung aus *Printers' ink*) entsprechen und teilweise wörtlich zitiert werden.

12 H. Schelsky, *Sexualität*, S. 72.

13 H. Marcuse, *Der eindimensionale Mensch*, Neuwied/Berlin 1967, S. 76ff.

14 H. Schelsky, *Sexualität*, S. 124.

15 P. A. Baran/P. M. Sweezy, *Monopolkapital*, Frankfurt (Main) 1966, S. 340.

16 Vgl. hierzu D. Riesman (u. a.), *Die einsame Masse*, S. 159: »Der Geschlechtstrieb stellt infolgedessen eine Art Abwehrmechanismus dar gegenüber der Gefahr, in völlige Teilnahmslosigkeit zu verfallen. Dies ist einer der Gründe für die starke seelische Erregung, die der außen-geleitete Mensch mit seinen Geschlechtsbeziehungen verbindet. Er sieht in ihnen eine dauernde Daseins- und Selbstbestätigung. Der innen-geleitete Mensch [. . .] bedurfte solcher Bestätigungen nicht.«

17 Th. Beckermann, *Erzählprobleme*, S. 22.

18 A. Mitscherlich (in: *Krankheit als Konflikt*, Frankfurt/Main 1966, S. 104 und 113) weist auf diese Möglichkeit hin anhand der Analyse zweier Krankheitsgeschichten.

19 G. W. F. Hegel, *Ästhetik*, hg. von F. Bassenge, Frankfurt/Berlin/Weimar o. J., Bd. II, S. 452.

20 Th. W. Adorno, *Standort des Erzählers im zeitgenössischen Roman*, in: Th. W. A., *Noten zur Literatur I*, Frankfurt (Main) 1958, S. 71.

21 Th. W. Adorno, *Standort des Erzählers*, S. 62.

22 M. Walser, *Freiübungen*, in: M. W., *Erfahrungen und Leseerfahrungen*, Frankfurt (Main) 1965, S. 107.

23 J.-P. Sartre, *Was ist Literatur?*, Hamburg 1958, S. 167.

24 H. Marcuse, *Der eindimensionale Mensch*, S. 209f. Marcuse führt diesen Begriff im Hinblick auf die philosophische Sprache ein.

25 Th. Beckermann, *Erzählprobleme*, S. 22.

26 Beispiele hierfür finden sich im ganzen Roman; z. B. »Eigentlich hetzte mich die Sonne« (9) und »Excellenz, hier spricht die Sonne« (693). Vgl. auch das Wortspiel »Solfeggio [. . .]« (724f.).

27 Weitere Beispiele auf den Seiten 127, 293, 303, 415, 717 etc.

28 Zitat aus einer Äußerung Walsers dem Verfasser gegenüber. Einen ähnlichen Gedanken teilte Walser auch M. Scheers mit; vgl. M. Scheers, *Martin Walsers ›Halbzeit‹ – Versuch einer Formanalyse*, Diss. (Masch.), Gent 1963/64, S. 71f.

29 H. Weinrich, *Linguistik der Lüge*, Heidelberg 1966, S. 31.

30 H. Marcuse, *Der eindimensionale Mensch*, S. 139.

31 Ebd., S. 172.

32 Th. W. Adorno, *Erpreßte Versöhnung*, in: Th. W. A., *Noten zur Literatur II*, Frankfurt (Main) 1961, S. 157.

33 Vgl. hierzu H. Marcuse, *Der eindimensionale Mensch*, S. 249: »Die Verherrlichung des Natürlichen gehört zu der Ideologie, die eine unnatürliche Gesellschaft in ihrem Kampf gegen die Befreiung schützt.«

34 M. Walser, *Unser Auschwitz*, in: M. W., *Heimatkunde*, Frankfurt (Main) 1968, S. 19.

35 Vgl. hierzu M. Walser, *Imitation oder Realismus*, in: M. W., *Erfahrungen*, S. 67: »Jargon, das ist angewandte Sprache.«

36 Kluge verweist in dem *Etymologischen Wörterbuch der deutschen Sprache* (Berlin ¹⁹1963) darauf, daß Mieze als Bezeichnung für die weibliche

Katze eine »übertragene Koseform zu *Maria* sein« kann (S. 477). Damit wäre auch durch die Verwendung dieses Wortes in der *Halbzeit* eine Beziehung zu Frauen, ein erotisches Element angedeutet. In dem leitmotivischen Bild »Mieze am Sternsteuerrad« gehen Biologisches und Physikalisches ineinander über.

37 Vgl. hierzu das Kapitel 3 in: M. Walser, *Freiübungen*, S. 95 ff.

38 H. Marcuse, *Der eindimensionale Mensch*, S. 114.

39 Diese Aussage muß eingeschränkt werden, da nur das ›tatsächliche‹ Geschehen im epischen Präteritum dargestellt wird. Sobald der Erzähler auf die allgemeine Gesetzmäßigkeit, die diesem Geschehen zugrunde liegt, zu sprechen kommt, bedient er sich des ›zeitlosen‹ Präsens: »Die Erde tappt ins Perihelium [...]« (708 ff.). – Vgl. hierzu, daß in dem Roman *Das Einhorn* in einer Kapitelüberschrift diese Erzählproblematik thematisiert wird: *Vergangenheitsform für einen Sommer*, Frankfurt (Main) 1966, S. 225.

40 Vgl. hierzu M. Walser, *Freiübungen*, S. 98: »[...] Der Held eines neuen *Don Quichote* hieße nicht mehr Don Quichote sondern Cervantes.«

41 K. Hamburger, *Die Logik der Dichtung*, Stuttgart 1957, S. 230.

42 Th. Beckermann, *Erzählprobleme*, S. 22.

43 Auf diese Zeitstruktur, die er eine »äußerliche Form« nennt, verweist auch M. Scheers in: *Martin Walsers ›Halbzeit‹*, S. 69 ff., wobei er einen Hinweis Walsers aufnimmt.

44 Th. Beckermann, *Erzählprobleme*, S. 19. Auf die Frage, ob in der Kapitelfolge schon eine Deutung des Geschehens angelegt sei, antwortete Walser: »Keine Bedeutung, keine ablösbare Bedeutung. Ich meine das so, daß man Romankapitel anordnet und dadurch etwas Weltbildhaftes geben will. Ich glaube, da wird die Welt durchschaubarer geschildert als sie ist. Ich möchte sie in dem Zustand lassen, in dem sie mir erscheint.«

45 E. Franzen, *Der Roman und die Wirklichkeit*, in: E. F., *Aufklärungen*, Frankfurt (Main) 1964, S. 50.

46 W. Kayser verkennt diese Möglichkeit, daß selbst der innere Monolog und die Bewußtseinsprotokolle Aussageweisen eines auktorialen Erzählers sein können, wenn er schreibt: »Mit der erlebten Rede und dem inneren Monolog ist nun aber erreicht [...] das völlige Verschwinden des eigenwertigen Erzählers.« In: W. K., *Die Anfänge des modernen Romans im 1. Jahrhundert und seine heutige Krise*, in: *DVjS* 28 (1954), S. 443 f.

47 Vgl. hierzu G. Lukács, *Die Theorie des Romans*, S. 126: »Die Form kann ein Lebensprinzip nur dann wirklich verneinen, wenn sie es apriorisch aus ihrem Bereich auszuschließen vermag; muß sie es in sich aufnehmen, so ist es für sie positiv geworden [...]«

48 Vgl. hierzu Walsers Selbstankündigung des Romans, *Aus dem Stoff der fünfziger Jahre* (in: *Deutsche Zeitung*, 24./25. September 1960): »Was

uns jetzt noch passieren kann, ist in den fünfziger Jahren beschlossen. Es handelt sich nicht um Schuld und Verantwortung, sondern um die Augenblicke und Jahre, in denen sich unser Leben entschied.«

49 Zitiert wird nach folgenden Ausgaben: *Das Einhorn*, Frankfurt (Main) 1966, seitenidentische Ausgabe, Frankfurt (Main) 1974 (suhrkamp taschenbuch 159 [= E]; *Der Sturz*, Frankfurt (Main) 1973 (= S).

50 Alle Stücke Walsers in ihrer letzten Fassung in: M. W., *Gesammelte Stücke*, Frankfurt (Main) 1971 (suhrkamp taschenbuch 6).

51 *Interview mit Martin Walser* (durch Josef-Hermann Santer), in: *Neue deutsche Literatur* 13 (1965), H. 7, S. 102.

52 Beide Aufsätze sind abgedruckt in dem Band *Heimatkunde*, Frankfurt 1968 (edition suhrkamp 269).

53 Vgl. hierzu: Rainer Nägele, *Zwischen Erinnerung und Erwartung. Gesellschaftskritik und Utopie in Martin Walsers »Einhorn«*, in: *Basis-Jahrbuch 3*, Frankfurt (Main) 1973, S. 198ff. – Nägele hat sehr ausführlich auf das utopische Element in Walsers Werk hingewiesen. Er ist jedoch der Ansicht, daß Kritik den »Umschlag ins Positive« nicht darstellen könne, »ohne sich selbst aufzuheben«, denn das wäre »eine Aufhebung im Bewußtsein anstatt in der Gesellschaft« (199). Das ist eine Auffassung, die den Künstler auf seine Leidensrolle festlegt und die es ihm verwehrt, daraus Konsequenzen zu ziehen, als ob die gedankliche und künstlerische Arbeit keine gesellschaftliche wäre. Zudem geht er im Spannungsfeld von Erinnerung (der Vergangenheit) und Erwartung (der Zukunft) leider kaum auf die im Roman dargestellte politisch-soziale Gegenwart der frühen sechziger Jahre ein.

54 S. 59ff. als Ich-Erzähler, S. 151ff. als Tonbandprotokoll und S. 154ff. als Er-Person.

55 Vgl. hierzu: Hermann Kinder, *Anselm Kristlein: Eins bis Drei – Gemeinsamkeit und Unterschied*, in: *Martin Walser*, München 1974 (*Text + Kritik*, H. 41), S. 38ff., bes. S. 39–41. – Kinder folgt jedoch dem idealistischen Postulat einer normativen Ästhetik, daß alle Teile eines Werks in einen geordneten und sinnvollen Zusammenhang zu bringen seien, so daß die heterogenen Momente und Brüche, die nicht das Unvermögen des Autors, sondern die objektive Situation kennzeichnen, zum Verschwinden gebracht werden.

56 Einen weiteren Hinweis für die andere Erzählsituation geben die Kapitelüberschriften. Lauteten sie früher etwa »Mimikry« und »Septemberbahn« *(Halbzeit)* oder »Wörter für Liebe« und »Vergangenheitsform für einen Sommer« *(Das Einhorn)*, so bezeichnen sie jetzt die soziale Lage, mit »Geldverdienen«, »Phantasie des Angestellten« und »Mit dem Segelschiff über die Alpen«. Die Überschrift des vorangegangenen Kapitels wird zudem noch bei jedem folgenden wiederholt, so daß sie kumulierend jeweils die ganze Geschichte enthalten.

57 Diese Träume hat auch Alissa. – Vgl. hierzu: Martin Walser, *Über*

Traumprosa. Nachwort zu Wolfgang Bächler, *Traumprotokolle. Ein Nachtbuch*, München 1972 (Reihe Hanser 98), S. 118ff.

58 Es schreiben auch Fritz Hitz, Elmar Glatthaar, Michel Enzinger u. a.; Edmund wird das Manuskript über die Spinnen zugeschrieben.

59 Diesen Aspekt hat Peter Laemmle, »*Lust am Untergang*« *oder radikale Gegen-Utopie?* (in: *Martin Walser*, S. 69ff.), zu Recht besonders betont.

Rainer Nägele
Zwischen Erinnerung und Erwartung

Gesellschaftskritik und Utopie
in Martin Walsers *Einhorn*

Walsers Romane haben bisher in der Kritik höchst zwiespältige Rezeption gefunden. Allgemein wird ihnen sprachliche Brillanz zugestanden, doch die meisten Rezensenten vermissen Einheit und Zusammenhang, »runde« Charaktere und geschlossene Form.[1] Daß das Fehlen der abgerundeten Personen zu den wesentlichen Merkmalen des modernen Romans gehört – weil es ein wesentliches Merkmal moderner Realität ist –, scheinen manche Kritiker nicht akzeptieren zu wollen. Man spricht sonst eher der Schulgermanistik Rückständigkeit in ihren Bewertungskategorien nach, wenn es um zeitgenössische Literatur geht. Diesmal hat jedoch in einer germanistischen Zeitschrift Donald F. Nelson auf die depersonalisierte Welt in Walsers Romanen hingewiesen und die nicht »abgerundeten« Figuren gegen die publizistische Kritik verteidigt.[2] Derselbe Interpret impliziert dann allerdings auch, daß Walsers Kritik an der Gesellschaft nur negativ sei und keine positive Alternativen biete.[3] Schon Max Frisch sah sich dem altbekannten Ruf nach positiver Kritik ausgesetzt und hat ihn entschieden von sich gewiesen.[4] Kunst sei nicht unbedingt da, fertige Lösungen zu bieten, sondern Fragen zu stellen und in Frage zu stellen. Hinter dem Verlangen nach positiver Kritik steht letztlich die Angst vor der Konfrontation mit dem aufgezeigten Negativen. So ist immer der Dichter willkommen, der mit dem erhobenen Zeigefinger auch das Trostpflästerchen mitbringt. Aufatmend kann der Leser am Positiven sich erholen und vergnügen: die Kritik ist vergessen und verdrängt.

Nicht zu verwechseln mit negativer Kritik – es ist dies eigentlich eine Tautologie – ist jene Art von Pessimismus, der aus der Heillosigkeit einer gesellschaftlichen Situation die unveränderbare Heillosigkeit der Welt ableitet. Kritik hat *a priori* schon die Veränderbarkeit des Kritisierten im Sinn. Je radikaler sie dem Negativen zu Leibe rückt, desto schärfer spitzt sie sich zu auf den möglichen Umschlag ins Positive. Diesen Umschlag darf sie jedoch als Kritik nicht vollziehen, ohne sich selbst aufzuheben. Es wäre dies eine Aufhebung im Bewußtsein anstatt in der Gesellschaft.

Die Kritik als Negation bestehender Verhältnisse schließt Utopie nicht aus. Utopie, richtig verstanden, als Veränderbarkeit menschlicher Verhältnisse ist nicht Negation der Kritik, sondern ihre Verschärfung. Eine solche Kombination von Kritik und Utopie scheint das konstituierende Strukturprinzip in Martin Walsers Roman *Das Einhorn*. In diesem Prinzip laufen die Fäden zusammen, erhalten die scheinbar auseinanderfallenden vielfältigen Motive und Episoden ihre Einheit.

Es lassen sich im *Einhorn* schon bei flüchtigem Lesen einige Hauptthemen leicht herausschälen, an die sich denn auch die Kritik meist gehalten hat, das eine oder andere davon hervorhebend. Da ist der alte Seufzer von der Schwierigkeit des Schreibens, eine im 20. Jahrhundert beliebte Motivation zum Schreiben; zugespitzt und verschärft erscheint das Problem hier als Schwierigkeit, über die Liebe zu schreiben. Dazu kommt die Schwierigkeit des Erinnerns; in mehreren eingestreuten Essays verwundert sich Anselm Kristlein über das Erinnerungsvermögen und darüber, was es alles nicht leisten kann. Er will und kann Proust nicht verstehen und dessen Erinnerungsarbeit, es sei denn als ungeheure Sisyphos-Arbeit. Der frustrierenden, weil alles Leben negierenden Erinnerung entspricht symmetrisch die immer wieder frustrierte und negierte Erwartung, dargestellt im Fabeltier, dem Einhorn.

Aus der Verschränkung der Motive Erinnerung und Erwartung entwickeln sich die verschränkten Antinomien des Romans: melancholischer Regreß in die Vergangenheit, utopischer Progreß in die Zukunft, verbunden in ihrem jeweiligen Berührungspunkt, dem Gegenwarts-Augenblick, der sich als reine Negation darstellt, indem er das Erlebte im Gedächtnis, das Erwartete in der tatsächlich Banalität negiert.

Was Proust unternahm: die Totalität des Lebens und der Zeit zu gewinnen und dadurch den Tod zu überwinden im Einholen der verlorenen Zeit in der Erinnerung und in deren Bewältigung im ästhetischen Akt, will Walser in Frage stellen. Günter Blöcker meint deshalb, Walser habe Proust mißverstanden:

Prousts gewaltige Leistung als Denker und als Künstler besteht ja eben darin, daß er die Vergangenheit in der Gegenwart befestigt – keine sehnsuchtskranke Retrospektive, kein »Gib mir wieder«, sondern ein »Jetzt hab' ich dich ganz!«[5]

Aber gerade darin hat Walser Proust nicht mißverstanden, sondern ihn beim Wort genommen und dieses Wort zu leicht befunden. Was Blöcker als Intention der Proustschen Kunst postuliert – und wohl mit Recht –, beruht auf Prinzipien, die Walser einer Kritik unterzieht. Und das Hauptprinzip beruht auf dem Verhältnis von Bewußtsein und Wirklichkeit in seinen Modifikationen als Sprache und Wirklichkeit, als Kunst und Wirklichkeit. In diesem Verhältnis legt Proust das ganze Gewicht auf das Bewußtsein, das Gedächtnis, die Sprache, die Kunst. Unbefragt übernimmt Blökker diese Gewichtsverteilung. Befragt von Walser, wird sie umgekehrt. Und mehr als das: in solcher Gewichtsverlagerung werden gesellschaftliche Verschleierungsmechanismen aufgedeckt, wofür Herbert Marcuse den Begriff der »affirmativen Kultur« geprägt hat.[6]

Ausgehend von Freuds Theorie der Kultur als eines in bezug auf die Triebstruktur repressiven Sublimierungsprozesses, kritisiert Marcuse schon in *Eros and Civilization* eine Kulturideologie, die in ihrer Verherrlichung idealer Werte die Repression materieller Bedürfnisse rechtfertigt. In dem Aufsatz *Über den affirmativen Charakter der Kultur* wird diese Kulturideologie und ihre Funktion einer genaueren Analyse unterzogen. Als Hauptthesen finden wir: Kultur als ein Reich idealer Harmonie und Schönheit verschleiert die gesellschaftlichen Widersprüche:

Indem das Zwecklose und Schöne verinnerlicht und mit den Qualitäten der verpflichtenden Allgemeingültigkeit und der erhabenen Schönheit zu den kulturellen Werten des Bürgertums gemacht werden, wird in der Kultur ein Reich scheinbarer Einheit und scheinbarer Freiheit aufgebaut, worin die antagonistischen Daseinsverhältnisse eingespannt und befriedet werden sollen. Die Kultur bejaht und verdeckt die neuen gesellschaftlichen Lebensbedingungen.[7]

Den materiellen Nöten stellt sie ideelle Werte entgegen:

Auf die Not des isolierten Individuums antwortet sie mit der allgemeinen Menschlichkeit, auf das leibliche Elend mit der Schönheit der Seele, auf die äußere Knechtschaft mit der inneren Freiheit, auf den brutalen Egoismus mit dem Tugendreich der Pflicht.[8]

Andererseits aber liegt in diesen Kulturbegriffen, vor allem im eigentlichen Bereich der Kultur, in der Kunst, eine sprengende, der etablierten Repression höchst bedrohliche Kraft. Insofern sie nämlich Sublimation höchst konkreter, materieller Glücksbedürfnisse ist, verneint sie diese nicht einfach, sondern bewahrt sie, in sich aufgehoben. So wird für Marcuse gerade die Kunst als Reich der Schönheit zur *promesse de bonheur:*

> Im Medium der Schönheit durften die Menschen am Glück teilhaben. Aber auch nur im Ideal der Kunst wurde die Schönheit mit gutem Gewissen bejaht, denn an sich hat sie eine gefährliche, die gegebene Gestalt des Daseins bedrohende Gewalt. Die unmittelbare Sinnlichkeit der Schönheit verweist unmittelbar auf sinnliches Glück.[9]

Walser scheint direkt auf diese These Bezug zu nehmen in einer Episode im *Einhorn*. Anselm Kristlein erhält eine Einladung zu einem Kostümball. Die Einladungskarte erregt Anselms besonderes Interesse:

> Das Papier, das ich noch immer besitze, erkannte ich natürlich sofort als eine Art Kunstwerk. Ich war gleich so benommen vor Verführtheit, daß ich schon wußte, ich würde bis zur letzten Feststunde auf die Erfüllung einer Erwartung warten, die das Papier in mir erregt hatte. (S. 21)[10]

Marcuses Konzept der Kunst als einer *promesse de bonheur* wird hier ganz wörtlich genommen. Die Party-Situation wird zum Mikrokosmos des gesellschaftlichen Lebens. Die Kunst weckt Glücksansprüche, deren konkrete Erfüllung die Gesellschaft verweigert. So endet Anselms Tag nach dem Fest in einem Bahnhof, dem Versammlungsort aller Enttäuschten und Gestrandeten, und er verbrüdert sich mit ihnen in einer imaginären Rede:

> Ihr Zusammengeschweißten, ihr um euere Erwartung Betrogenen, ihr Schlaflosen, ihr Starräugigen, ihr Zerschürften, ihr Brüder von der schweren Zunge, ihr leeren Geldbeutel, ihr Appartmentbauer und Blockbewohner . . . (S. 40)

Die Rede gleitet über ins Hysterische und ins bekannte Hitler-Vokabular. In der Frustration der Enttäuschten wird der potentielle Hang zum Faschismus sichtbar, der nur auf den richtigen Demagogen wartet. Denn Enttäuschung ist der beste Boden für Ressentiments, und diese sind der Grund, auf dem faschistische und andere politische Opiate am üppigsten gedeihen.

In dieser Episode: Einladung zum Fest in Form einer kunstvollen Karte, die Glückserwartung weckt, enttäuschender Verlauf der Party und schließlich Resignation nach einem ohnmächtigen Aufschäumen verbitterter Gefühle, ist die Grundsituation des Romans festgehalten, die sich nun in verschiedenen Variationen zu immer neuen Motivverbindungen verknüpft. Eine genauere Analyse kann zeigen, wie die einzelnen Details auf diese Grundsituation hin bezogen sind.

Der erste Satz konstituiert die Erzählsituation: »Ich liege.« Aus dieser Situation heraus, als »Lage I« bezeichnet, entwickelt sich das Erzählte als ein Erinnerungsprozeß bzw. als ein sprachlicher Prozeß, in dem nicht das Wort Fleisch wird, sondern das Fleisch Wort. Dabei demonstriert Anselm schon im ersten Satz, daß er als Erzähler nur beschränkte Verfügung über diesen sprachlichen Prozeß hat. Die Sprache erweist sich als höchst eigenwillig:

Protegiert von meinen niedrigsten Fähigkeiten, wurde das Sätzchen immer frecher, radierte rabiat in mir herum, kratzte als Hustenreiz, boxte als überreife Schwangerschaft . . . In der Hoffnung auf regelmäßige Atmung gebe ich nach, lasse es zur Welt kommen als das schlechte pfeifende Satzgeräusch, das mich denunziert. (S. 5)

Sprache als die Hauptform der Realisation menschlichen Bewußtseins ist zugleich dessen Vermittlung zur gesellschaftlichen Umwelt und Medium der Erinnerung. Was wir im *Einhorn* lesen, ist zugleich ein Roman über Macht und Ohnmacht der Sprache, ihre entlarvende und ihre verschleiernde Dialektik. Ihre erste Leistung in diesem Roman ist eine Denunziation: sie enthüllt eine Wahrheit, die das Erzähler-Ich verbergen möchte. Diese Eigenschaft der Sprache, Wahres zu sagen gegen die Meinung des Sprechenden, hatte Hegel schon entdeckt: »Die Sprache aber ist, wie wir sehen, das Wahrhaftere; in ihr widerlegen wir selbst unmittelbar unsere *Meinung*.«[11] Es scheint, daß die Sprache nicht vergessen kann. Verdrängte Bedeutung hält sich zäh in der semantischen Aura; historisch Verdrängtes, psychologisch Verdrängtes hebt sie auf. So hat fast ein Jahrhundert nach Hegel die Psychoanalyse in der Sprache wieder den goldenen Schlüssel zur Wahrheit gefunden. Die moderne Psycholinguistik versucht, diesem Funktionieren der Sprache genauer auf die Spur zu kommen.

Für Anselm hat die Sprache ihre besondere Bedeutung. Er nahm ja seinen Weg vom Vertreter über den Werbetexter zum Schriftsteller. Sein Verhältnis zur Sprache ist höchst ambivalent. Als Werbetexter mit der bewußtseinsformenden Macht des schlagkräftigen Wortes, das Zugang hat zu verdrängtem Glücksverlangen, bekannt, legt er der Sprache fast magische Bedeutung bei. Namen bedeuten ihm die Person selbst (S. 14). Und später wiederholt er: »Ich bin empfänglich für Namen. Wer so wenig immun ist gegen Benennung, muß schüchtern simulieren« (S. 44). Und weiter: »Die Wörter haben eine Macht über mich, begreif das. Wie die Vulkane gehorchen sie nur erdinnerstem Befehl« (S. 96). Hier ergibt sich die Verbindung zum Motiv der Erwartung: die Sprache als Schatzkammer des Verdrängten, in ihrer Verwurzelung in unbewußten »erdinnersten« Schichten regt das dorthin Verdrängte auf zur Rebellion gegen die dem Bewußtsein auferlegten repressiven Momente.

Ganz anders als in der Erwartung funktioniert die Sprache in der Erinnerung. Ist sie dort aufrührerische Macht, erscheint sie hier ohnmächtig, entdeckt sie dort Verdrängtes, negiert sie hier Erlebtes, verwandelt es, sublimiert es und entkleidet es aller Materialität und Sinnlichkeit. So steht sie zwischen den zwei Polen Erwartung und Erinnerung, zwischen utopisch progressiver und melancholisch regressiver Dynamik, zwischen entlarvender und verschleiernder Funktion.

Anselm Kristlein weigert sich, sublimierte Geistesfreuden einzutauschen gegen sinnlichen Genuß, eben weil er dem Bewußtsein und dem nur Geistigen mißtraut. Dementsprechend gibt er sich auch als Schriftsteller keinen Illusionen hin. Sein Beruf und sein Kopf sind ihm »eine mündelsichere, karg verzinsende, wenn auch ziemlich kontenreiche Sparkasse« und nicht »Käfig, Tempel und Hort des sagenhaften Phantasievogels« (S. 6). So erscheint Bewußtsein von vornherein nicht als souverän verfügender Herr der Welt, sondern verflochten in ökonomische Abhängigkeiten. Wo der »Phantasievogel« scheinbar doch flügge wird, erscheint er alles andere als frei. Nächste Zwecke locken ihn: »98 Stufen hoch hängt das Nest hoch im Geäst des Hauses in der Marsstraße. Für dieses Bild entschied ich mich, dem fahre ich entgegen« (S. 8). Die Metapher vom Vogelnest zeigt sich als von der Not verordnete Wunschvorstellung, die zwischen frustrierter Erwartung und frustrierender Realität kläglich genug vermitteln soll. Die List solcher Metaphorik reicht aber noch weiter. Während die traditionelle Metapher aus verkürztem Vergleich, aus Analogie und Assoziation sich ableitet, zwingt der listige Vergleich hier zur Einsicht in klaffende Diskrepanz. Die Naturmetapher verweist auf das Auseinanderfallen von Natur und zivilisierter Blockwohnungsexistenz, nicht auf ihre Ähnlichkeit.

Vergeblich versucht Anselm sein Bewußtsein freizubekommen für Leistungen, wie sie Proust nachgerühmt werden. Mit einem ererbten Vermögen läßt sich eben leichter Erinnerungsgymnastik betreiben als unter solchen Bedingungen:

Ich hole Luft, will den Genuß beider Lungen der Entfaltung des Bewußtseins widmen, aber gleich ticken Heizölsekunden, Mietstunden dröhnen, Birga schreit: wenn ihr die Schuhe absichtlich kaputtmacht, kann ich euch nicht helfen. (S. 11)

Man mag diese Insistenz auf die materielle Verflechtung des Bewußtseins und seine Schwäche dem Materiellen gegenüber getrost materialistisch nennen. Von der Materie und alltäglicher Banalität kann sich auch der »freie« Geist nur mit Geld freikaufen; und das ist allemal sein *rudendum*, das er so geistreich und irritiert zu verdecken sucht.

Obwohl geübt in »Mimikry« seit der *Halbzeit* und ausgebildet zum manipulierenden Werbetexter, verfügt Anselm nur schlecht über die Umwelt, eher bleibt er ihr Objekt. Darin unterscheidet er sich gründlich von seiner Frau Birga, die tatkräftig Situationen beherrscht. Die militärische Metaphorik, die den Umzug beschreibt, verteilt Lebensrollen: da wird Birga zum »Feldherrn«, der am »Tage X« alles planmäßig klappen läßt (S. 14). Die organisierte Umwelt walzt über den verschüchterten Schriftsteller Anselm hin; und der greift zu seinem alten Mittel, sich möglichst unsichtbar zu machen. Was ihm einzig bleibt, sind »von Umzug zu Umzug kleiner und schwerer werdende« Leichname (S. 15). Einzig die Vergangenheit gehört ihm, und die ist tot, er kann sie nicht wieder lebendig machen. So treibt der Geist sein frustrierendes Spiel und läßt der Welt verschüchtert ihren Lauf. Kein Wunder, daß unter solchen Umständen Anselm immer wieder Zuflucht bei Birga sucht, wenn er glaubt, die Situation nicht mehr allein bewältigen zu können. Seine Flucht zu Birga, der Bergenden und Tüchtigen – und wäre es auch nur übers Telefon –, erinnert an die Sehnsucht Thomas Mannscher Künstler nach den Lebenstüchtigen. Schon dort trat der Geist melancholischen Rückzug an, bis eines Tages Adrian Leverkühn die katastrophalen Konsequenzen lernen mußte und im Namen des schwachen Geistes, der sich stolz der materiellen Welt versagt, sein Schuldbekenntnis ablegt:

Statt klug zu sorgen, was vonnöten auf Erden, damit es dort besser werde, und besonnen dazu zu tun, daß unter den Menschen solche Ordnung sich herstelle, die dem schönen Werk wieder Lebensgrund und ein redlich Hineinpassen bereite, läuft wohl der Mensch hinter die Schul . . .[12]

Die Erwartung aber treibt den Geist immer wieder zurück zur materiellen Welt. Denn diese Erwartung wird gespeist aus elementarsten Quellen. Atavistische Primivität und rücksichtsloses Lustprinzip agieren hinter der Szene gesellschaftlicher Rituale. In der Transparenz der Metaphern werden sie sichtbar:

Ich fieberte, hatte Elmsfeuer an den Ohren, prüfte die eintretenden Leiber, welcher Leib war bewacht, welcher nur begleitet, wo waren Risse in einem Paar, welche ist die Beste . . . Ich wagte es nicht, eine Kostümträgerin von ihrem Diskussionsrudel abzusprengen. Ich tat, als hörte ich den männlichen Feinden zu . . . Aber sobald ich zehn Minuten das Trinken vergaß, fand ich mich unstet spurend, jägerhaft gespannt. (S. 24)

Das Vokabular läßt hinter und im Ballfest urzeitliche Hordensituation erscheinen. Und dieselbe Dynamik sieht Anselm im Kulturbetrieb; auch dort gelten Jagdgesetze:

Und dieser zarte Mensch soll einer unserer unbarmherzigsten Schriftsteller sein. Den hatte ich mir immer als einen Scharfschützen gedacht, der sein Leben sozusagen im Anschlag verbrachte. Und so ein Leben auf dem Hochstand, von dem aus er die Gesellschaft beobachtete und bei der geringsten falschen Bewegung beschoß. (S. 25)

Hier gilt das Recht des Stärkeren, der Schwache wird »hingerichtet«. Wir sehen Wollensack und Edmund bei solcher Beschäftigung. Später wird Wollensack selbst das Opfer eines Stärkeren. Ähnlich wie das gesellschaftliche Verhalten von atavistischen Motivationen gelenkt wird, sehen wir Anselm unter der Herrschaft eines absolutistischen, infantilen Lustprinzips, das keine Beschränkung dulden will:

Mir wäre mit dem Ohr, dem Schenkel und den mühelos ausliegenden Brüsten gedient, nicht aber meiner Erwartung, die als herrschsüchtiges und starr totalitäres Einhorn das Wappen meines Wesens am liebsten für sich allein beanspruchen möchte. Sie will offenbar alles.

In Freudscher Terminologie: Lustprinzip und Realitätsprinzip stehen sich unversöhnt entgegen.

Es geht hier aber nicht um ewige und unveränderliche Gesetze, sondern um Konflikte, die der hier dargestellten spezifischen Gesellschaftsform eigen sind, in der nach den Gesetzen des Wettbewerbs atavistische Selektionsdynamik menschlichen Verkehr bestimmt. Das gesellschaftliche Selektionsverfahren spiegelt sich in Walsers Parties in der Form: wer schafft es, an die Spitze eines »Diskussionsrudels« zu gelangen? Von Party zu Party ereignet sich ein evolutionärer Vorgang, in dem die »männlichen Feinde« sich gegenseitig fertigmachen, bis einige Starke endgültig als Rudelführer den Ton angeben. Einmal an der Spitze, werden sie, wie in der urzeitlichen Horde, in ihrer Überlegenheit anerkannt, es sei denn, daß ein noch Stärkerer sie herausfordert und aus dem Felde schlägt. Ebenso gehört ihnen die Gunst der Damen; sie nehmen die Erfüllung des Lustprinzips für sich in Anspruch, die Hordenglieder müssen Vorlieb nehmen mit dem, was der Rudelführer ihnen überläßt.

Was in der Party satirisch zugespitzt erscheint, ereignet sich genauso im ökonomischen Bereich und in banaler Alltäglichkeit. Hier spitzt der Konflikt sich sogar noch zu. Unaufhörlich spricht die Werbung das Lustprinzip an, weckt Bedürfnisse und schafft künstliche. Je tiefer aber der Einzelne in der ökonomischen Hierarchie steht, desto größer wird die Diskrepanz zwischen provozierter Lusterwartung und möglicher Lusterfüllung. Formen der Lusterfüllung, die an sich nicht notwendig der Kommerzialisierung unterliegen, fallen repressiven Maßnahmen anheim, einerseits aus Gründen direkter Repression, andererseits um die durch die Repression geschaffenen Lücken für den kommerzialisierten Konsum zu gewinnen.

Die Illustration dazu folgt der Party auf dem Fuß. Das Fest hat für Anselm Folgen, deren Ursachen zum Teil in einem eingestreuten Essay über Bildungssnobismus sichtbar werden:

Will ich je einen Neuling zugrunde richten, werde ich mich genau so verhalten. Was, bei Ihnen zuhause wurde während des Mittagessens nicht über Baudelaire gesprochen! Das machen Sie mir nicht weis. Und ich werde mich weigern, einzusehen, daß in jeder Familie der Name Baudelaire irgendwann zum ersten Mal genannt werden muß. (S. 30)

Hinter diesem Bildungssnobismus steht ein allgemeineres Gesetz: das der Konformität und des Prestiges, wieder ein bedeutender Konsumfaktor. Viele durch die Werbung geschaffene Bedürfnisse wären ohne Lustanspruch an sich, wäre es nicht die Lust, dem Konformitäts- und Prestige-Anspruch gerecht zu werden, die Lust »to keep up with the Joneses«, wie es im Amerikanischen so schön heißt.[13] Daß dieses Gesetz funktionieren kann, hat sozialpsychologische Gründe, die hier nur zum Teil angedeutet werden können. Wie vor allem am zitierten Beispiel des Bildungssnobismus deutlich wird, ist eines der wichtigsten Momente der Anspruch auf Selbstverständlichkeit: etwas nicht zu wissen bzw. nicht zu haben, muß schlechthin unnatürlich erscheinen. Der Anspruch auf Selbstverständlichkeit und Natürlichkeit verschleiert in bezug auf Konsumbedürfnisse ihre Zufälligkeit und ihre Abhängigkeit von Marktgesetzen, die sich der individuellen Lusterwartung als ihr original angehörig aufdrängen möchten. Unterstützt wird dieser Konformitätszwang durch die ökonomische Hierarchie. Da jede höhere Stufe höhere Lusterfüllung verspricht, wird die Identifikation mit der jeweils höheren Stufe zum Lebensmotor. Die ökonomische Identität ist aber in erster Linie eine materielle, das identifizierende Merkmal der individuellen Identität bilden bestimmte Besitzgüter, zu deren Dekoration noch eine Anzahl von Bildungsgütern gehört, z. B. das Wissensgut, das man im Namen »Baudelaire« vorweisen kann.

Diesem Gesetz ist auch Anselm verfallen. Seine Niederlage im Selektionsprozeß der Party zeigt sich am Ende in völliger Unterwerfung mit den andern unter das Diktat des Rudelführers: »Außer Karsch lachten alle. Ich versuchte mitzulachen. Das schien mir das Sicherste« (S. 38). Die Frustration treibt ihn zunächst, wie schon erwähnt, zum Bahnhof, »in den letzten offenen Saal, in den alle mußten, die nicht fertig wurden mit ihrer Erwartung« (S. 40). Aber selbst hier noch wirken die gesellschaftlich-atavistischen Kampf- und Wettbewerbsregeln. Und wie in der Werbung funktioniert hier die Sprache mit magischer Macht. Benennung klassifiziert den Partner als Freund oder Feind: »Er hatte den Sachsen für einen Deutschen gehalten. Jetzt sah er, daß der ein Kommunist war« (S. 42). Bis in die Erzählgegenwart wirkt die nachfestliche Frustration nach und verbindet sich mit der Melancholie der verlorenen Liebe zu einem Fluchtversuch in die Erinnerung, in die Regression zu noch offener Kindheitserwartung:

Das war, das war und tut, als sei es noch zu haben, als könnte ich noch einmal mit dem Fingernagel des Zwölfjährigen im mehlig-nachgiebigen Holz der Ramsegger Kirchenbank Mädcheninitialen eingravieren. (S. 44)

Aber eben: »Das war, das war und tut so, als ob . . .« Sprache ist magisch mächtig, wo sie Erwartungen weckt, aber ohnmächtig, Vergangenes lebendig zu machen. Genuß der Vergangenheit wird zum nekrophilen Akt, zum gefährlichen Regreß in den Tod.

Damit will Anselm aber nach dem Fest sich noch nicht zufrieden-
geben. Er »hoffte hoffend auf Hoffnung« (S. 45). So lösen sich im
Roman dialektisch Erinnerung und Hoffnung ab und jagen sich
gegenseitig: enttäuschte Erwartung sucht Schutz und Erlösung in
der Erinnerung, diese kann zwar erlebten Genuß in Worte fassen,
da aber die Worte den Genuß nicht wiederbringen, wecken sie
wieder nur die Erwartung auf künftigen Genuß. Manchmal aber
kommt es zum Kurzschluß dazwischen, so nach dem Fest. Anselms Frustration und verletztes Selbstbewußtsein motivieren ihn
zum Kauf eines Jaguars. Er selbst reflektiert hellsichtig über die
Bedingungen solchen Tuns:

Es gibt nur komplizierte Bedingungen. Wäre ich nicht auf das Fest gegangen, hätte ich den Jaguar nicht gekauft. Trotzdem kann nicht nur das Fest
schuld sein. Der Jaguar, ein besseres Kostüm. So einfach ist das nicht. Auf
dem Fest waren zirka zig Menschen. Und fast jedes Kostüm verriet den
Mangel, den es decken sollte. Wieviel haben einen Jaguar gekauft? Meine
Erwartung entspannte sich. Wurde elend schlaff. Nicht daß sich das Einhorn mit einem Jaguar hätte abspeisen lassen, aber da es doch in mir lebte
und von mir lebte, brach es jetzt, sozusagen mit mir, wie ohnmächtig zusammen. (S. 46)

Das Fest ist also nicht Ursache für den Jaguar-Kauf, sondern Anlaß. Die frustrierte Erwartung sucht Ersatz. Die Ankurbelung zu
immer gesteigertem Konsum stützt sich auf die Repression und
Verklemmung natürlicher Bedürfnisse. Je mehr Mangel, desto
stärker wächst der Anspruch auf Ersatz, auf »Kostüm«, wie es bei
Walser heißt.
Der vor dem Realitätsprinzip nicht zu rechtfertigende Kauf hat
ein Nachspiel. Birga will den Vertrag nicht anerkennen. Es kommt
zu einer Szene, deren Banalität zum Leben jener gehört, denen das
Recht auf große Erwartungen und Erfüllungen genommen ist. Das
Leben wird so zu einer Kette banaler Wiederholungen, in denen
sich mechanische Rollenspiele herausbilden, die durchgespielt
werden, als wären sie neu:

Wir, deren Leben aus einer Serie solcher Szenen besteht, sind uns der
Richtigkeit des über uns verhängten Wortes (banal) bewußt, gehen ins
gute Kino, lesen Kraftvolles, aber es gelingt uns trotzdem nicht, unsere eigenen
Szenen eines saftigeren oder feineren Wortes wert zu machen. Das Bedrük-
kende: wir müssen jede unserer Szenen durchmachen mit jungfräulicher
Erbitterung, können gar nicht weiterleben, bevor wir uns und einander
nicht durch die gerade fällige Szene durchgequält haben; und jedesmal sind

wir ganz durchdrungen von der traurigen Einmaligkeit der gerade abgelaufenen Szene. (S. 55)

Auch hier deutet sich wieder die Ohnmacht der Kunst an für jene, deren Leben in dumpfer Banalität verläuft: ihre einzige Funktion ist kurzlebige Illusion; möglicherweise provoziert sie noch einen schwachen Versuch, einzelne schönere Formalitäten nachzuahmen. Daß die »feineren« Worte feinere Lebensbedingungen voraussetzen und daß diese gar möglich wären, wird denen im Dunkeln von der Kunst meist nur in verschleierter Weise vermittelt; und die Kunstinterpreten lassen es sich angelegen sein, jeden Rest von utopischem Impetus zu neutralisieren.

Birga aber läßt sich nicht unterkriegen. In einer Welt, in der über den Menschen wie eine Sache verfügt wird, spart sie sich einen Raum aus, in dem sie verfügt. Dieser von ihr ausgesparte Raum wird auch für Anselm immer wieder zur schützenden »Höhle« (S. 8), zu der er zurückfinden kann. In diesem Raum verliert auch die Magie der Werbung ihre Kraft: »Zweitwagen, schrie der Verkäufer, schrie das Wort heraus als Zauberwort, befehlend, hypnotisierend, ganz im Vertrauen auf eine erprobte Wirkung« (S. 56). Birga, anstatt dem Zauberwort zu erliegen, nimmt es auf und »zermalmt« es. Im Kampf zwischen Birga und dem Vertreter wird auf banalster Ebene der Kampf der Unterdrückten gegen die Unterdrücker sichtbar. Scheinbar weit hergeholt sind die geschichtlichen Analogien, nach denen in Birga die um ihre Kinder kämpfende Mutter Courage, im Vertreter Bernhard von Clairvaux erscheinen. Aber der Kampf, der sich hier abspielt, kommt von weither, ist nicht von gestern, hat nur neue, subtilere und desto gefährlichere Formen angenommen. So sehen wir im Banalsten historisches Schaustück:

Waren nicht die Frauen der Cimbern und Teutonen so gegen die Römer aufgetreten, und dann die Weiber von Weinsberg, nein, Birga war, o ja, die junge Bauersfrau war sie, die ihren Mann dem Kreuzzugsgoebbels von Amiens entriß, dem schmächtigen Peter, der ihren Mann herumgebracht hatte, obwohl Urban verfügte, daß kürzlich Verheiratete das Kreuz nur mit Zustimmung der Frau nehmen durften, dem gab sie's aber, diesem Kukupetros, oder war er gar Bernhard, der Honigredner, der Kreuzzugsdoctor mellifluus von Clairvaux, egal, Birga kannte keine Throne, keine Altäre, sie schrie in historischer Mission diesen Tillyschen Feldwaibel an, daß ihr Eilif *ihr* Eilif sei und daß der Hurenbock Wilhelm das Geld für seine Weiberwilhelmshöhe nicht durch Export ihres braven Hessenmannes verdienen werde. (S. 56)

Anselm, der einerseits Birga seine Bewunderung nicht versagen kann, versucht sein Selbstbewußtsein zu retten, indem er, der frühere Werbetexter, sich auf die Seite der Wirtschaftsmacht stellt, deren Propagator und honigfließender Redner er war. Auf dieser Seite und aus dieser Perspektive kann er sich Birga überlegen fühlen und seiner eigenen realen Position »auf der infanteristischen, der banalen Ebene der Realität« (S. 57). In dieser Höhe glaubt er auch, sein Bewußtsein zu steigern:

Größere Gedanken, etwa das Großeganze berücksichtigende Gedanken, hat man wohl bloß, wenn man weiter oben lebt, mit Überblick, Güte und jeder Art von Vermögen. In den andern kann man sich ja erst hineinversetzen, wenn man dadurch nicht gleich den kürzeren zieht. (S. 57)

Anselm kennt die Gesetze dieser höheren Perspektive, hat er doch früher selbst als Vertreter »Hoffnung . . . verkauft«, Wäsche und Aussteuer an Töchter mit wenig Heiratsaussichten. Aber je geringer die Aussicht auf Erwartungserfüllung, je kälter die Zukunft, desto verlockender die käufliche Hoffnung, die bezahlbare Illusion. Walser wählt nicht zufällig den Fall unerfüllter Erotik: was hier am kruden Beispiel erscheint, weist auf die subtileren Formen erotischer Repression, deren sich der Markt annimmt. Die Wirtschaftsdynamik übernimmt die erotische Dynamik: »Nachfrage und Angebot, zwei Erotikriesen, und nicht weniger rührend als Romeo und Julia« (S. 57). Erotik selbst aber vertritt nur als eine der stärksten dynamischen Kräfte im Menschen alle jene Kräfte in ihm, die Erwartung, Hoffnung und utopisches Handeln, d. h. Handeln unter dem erotischen Reiz des Noch-Nicht, erwecken. Unter solchem Aspekt sah der junge Marx den Menschen als utopisches Wesen, das arbeitend sich selbst verwirklicht. Eine solche Dynamik des Menschen aber ist gefährlich für eine Gesellschaft, die den Status quo ihrer Struktur verewigen möchte. Sie muß den utopischen Impetus brechen, und da sie ihn nicht zum Schweigen bringen kann, funktioniert sie ihn zur Konsumdynamik um.

Anselm, wie gesagt, hat Einsicht in diese Zusammenhänge; aber zugleich ist er ihr Opfer. Und aus diesem Zwiespalt von Bewußtsein und realer Situation wächst ein Druck in seinem Kopf:

Der aus zwei Richtungen wachsende Druck kam voran. Wenn er sich in der angestrebten Stelle vereinigt, weiß ich nicht, was geschieht. Ich halte es plötzlich für möglich, daß ich zuschlage, erwürge, was ich kriegen kann. (S. 58)

Wie schon in der Bahnhofszene wird die Gefahr solcher Frustration sichtbar. Der frustrierte Erwartungsimpuls schlägt um in zerstörerische Dynamik. Anselm rettet sich vor einem Amoklauf gegen die Familie und den Vertreter, indem er den Zerstörungsimpuls gegen sich selbst richtet und sich in den kleinen Finger beißt. Und er, das Opfer, entschuldigt sich beim Vertreter, »als wäre er Isaak und ich Abraham« (S. 58).

Gegen Repression und sexuelle Verklemmung geht Melanie Sugg mit missionarischem Eifer an. Anselm soll ihr Mitarbeiter werden. Nicht mehr für Konsum soll er werben, sondern für Liebe. Befreien soll er von den repressiven Zwängen, indem er ohne Bemäntelung und Verschleierung darstellt, was sonst verklemmt in Euphemismen oder Schweigen bleibt. Tabus sollen gebrochen werden, Anselm als Ritter um eine befreite Erotik fechten. An Melanie Sugg soll er die Ritterlichkeit zuerst bewähren. Da stellt sich dann allerdings heraus, daß die Vorkämpferin für befreite Liebe in der Welt von Hemmungen und Zwängen erfüllt ist. So frei sie mit Worten umgeht, so gehemmt tut sie es mit ihrem Körper. Wieder stehen Bewußtsein und Praxis weit auseinander. Und nicht nur das: eben weil Melanies Bewußtsein ihre körperlichen Verklemmungen verneint, sich stolz für befreit erklärt, kann sie sich nicht wirklich befreien. Auf individueller Ebene finden wir so denselben Mechanismus am Werk, der im gesellschaftlichen Bereich das Bewußtsein in den Dienst der affirmativen Kultur stellt: man gibt sich stolz geistig befreit, um desto leichter die materielle Unfreiheit zu verschleiern. Derselben Verschleierung dient Anselm als Diskussionsredner. Die Diskussionen erscheinen als Ritual, das den Schein der Freiheit zelebriert – aber wehe, wenn Anselm aus der Rolle fällt und die Grenzen des Rituals überschreitet! Dann fallen sie über ihn her, oder sein Aus-der-Rolle-Fallen wird selbst wieder ins Ritual integriert und damit neutralisiert.

Melanies ganzes Unternehmen unterliegt demselben Mechanismus. Was sie produziert, erotische Literatur, sogenannte »Pornographie«, ersetzt die wirkliche Befreiung aus den gesellschaftlich bedingten Repressionen, deren Macht in früher Kindheit ansetzt. Die Neurosen und Zwänge, die im Schoße der Familien heranwuchern, werden durch keine erotische Literatur beseitigt. Bestenfalls kann sie Aufklärungshilfe sein, schlimmsten- und meistenfalls täuscht sie Befreiung vor, wo keine ist. Statt dessen wird sie hineingenommen in den großen Konsum, ein Marktartikel mehr, der verlorene Utopien gewinnbringend sich zunutze macht.

Auf der Suche nach Stoff für sein Buch findet Anselm wenig Hoffnung für die Liebe, so daß er sein Buch umbetiteln will in »Anstatt Liebe«. Aber darauf geht Melanie nicht ein. Sie besteht darauf, »Liebe« zu nennen, was sich da windet und balgt aus verzweifelter Sehnsucht nach Liebe. Barbara (II) ist rührender und erschreckender Ausdruck solcher Verzweiflung. Aber Melanie besteht auf »Liebe«, weil auch sie zu denen gehört, die glauben, die Welt sei sprachlich, d. h. im Bewußtsein zu ändern, wo nur die rücksichtslose Einsicht in die dialektische Verfangenheit des Bewußtseins in die Welt und die konsequente Praxis daraus Bewußtsein und Welt ändern können.

So aber scheint es hoffnungslos. Anselm lebt in einem »Mittelalter« zwischen Vergangenheit und Zukunft, in einem Vakuum zwischen zwei Negationen, einem »nicht mehr« und einem »noch nicht«:

Das Nächste immer goldgelb dicht vor der Nase, alle Verheißung gerinnt im Nächsten, er sagt immer: empfinde ich mich schon? nein, noch nicht, nicht bevor . . . nicht bis . . . dann aber gleich. Erfüllungsdaten. Nähert sich das Nächste, springt die Erwartung zum Übernächsten. Wird er sich nie empfinden? Oder nur wie vorübergehend? . . . Die Zukunft stellt sich ein. Andauernd. Ein Mittelalter löst das andere ab. (S. 59)

Selbstverwirklichung scheint unmöglich, aber die Dynamik nach vorn, das »Noch-Nicht«, eine Kategorie, deren ungeheuere Macht Ernst Bloch entdeckt hat[14], läßt sich zum Schweigen bringen, so wie der Mund einer Frau in Stuttgart von keinem Arzt sich schließen ließ:

In Stuttgart, in der Sonnenbergstraße, lief eine, den Mund offen, aufs Trottoir, lief ein Stück aufwärts, ohne einen Laut zu geben. Versuche, ihr den Mund zu schließen, mißlangen. Ärzte verschiedener Art bemühten sich um diesen offenen Mund. Der Mund blieb offen. Und lautlos. (S. 60)

Aber endlich scheint das Fabeltier, das Einhorn, doch in die Wirklichkeit zu treten, aus dem Noch-Nicht ins Jetzt. In der Begegnung mit Orli fängt nicht nur ein Liebesverhältnis an, sondern wird Utopie beschworen. Walser greift zu topischen Formen utopischer Existenz: Kindheit und paradiesische Natur. Anselm tritt die Regression an in die Kindheit, und in der Natur und Kindheitsumwelt scheint für einen Augenblick im Tanz im Freien die große Befreiung auf. Schon die erste Begegnung mit Orli verwandelt mit einem Schlag das zerspaltene Ich – Anselm ist ja nur der Name eines »Fürwörterparlaments«, eines Konglomerats von Rollenidentitäten – in eine Person: »Anselm, ein Individuum wie nur eins« (S. 226). Die utopische Existenz bricht ein mit elementarer Naturkraft, denn Natur ist hier nicht geruhig-idyllische Wald- und Wiesenlandschaft; zwar fehlen diese nicht, aber vor allem ist sie gewaltige Dynamik, erscheint reinigend und großartig im Gewitter. Hier zeigt sich Walsers Neigung zu Bloch und dessen fast paracelsischer Naturauffassung, aber vor allem auch der Einfluß Hölderlins.[15] Wie für Ernst Bloch der utopische Impetus in der dynamischen Materie liegt, so scheint auch bei Walser das Einhorn aus elementaren Bereichen zu kommen. Es ist ja nicht nur das Fabeltier, sondern auch konkretes Sexualsymbol. Und wo es erscheint, ist es von »Elmsfeuer« umzüngelt (S. 24; S. 226). Anselm selbst scheint im Augenblick der Begegnung in ein Naturwesen verwandelt:

Er kriegt das Hufgefühl. Natürlich, das Einhorn an Bord. Elmsfeuer zündelt am Horn. Anselms Hals windet sich, schmiegt den Kopf in die Luft, als wäre sie gemeint. Wiehert er? Ist er ein Gebrüll? (S. 226)

Das ganze Erlebnis wird zu einem ungeheuren Blitzschlag, aus dem Anselm als »Blitzwrack« hervorgeht (S. 227). Anselm gleitet zurück in immer tiefere Kindheit, bis er als »Sechsjähriger« mit Orli seine Kindheitsumwelt besucht. Die Regression in Kindheit und Natur ist begleitet von der Regression in Sagen und Mythen. Das ist der Haken. Die Realisierung des Einhorns, der utopische Zustand, läßt sich nur topisch darstellen, in Formeln und Bildern, in denen menschliches Glücksverlangen zur Sprache kam und ungestillt immer wieder zur Sprache kommen will. Da Utopie so nur als Forderung auftritt, als Gegenbild und Protest gegen die kritisierte Gesellschaft, nicht aber selbst in Form einer realisierten Gesellschaft, vermeidet sie es, die Kritik aufzuheben. Diese wird vielmehr dadurch noch verschärft, daß zugleich die Unmöglichkeit und Paralyse der Utopie innerhalb dieser kritisierten Gesellschaft dargestellt wird. Der Widerspruch tritt schon an Anselm selbst auf: in groteskem Kontrast hebt der erstarrte Penis sich ab von Anselms Kindheitstraum. In der Erstarrung hält sich die alte Verklemmung. Als Alternative zum frustrierten Sexualvollzug findet Anselm nur Sexualverzicht. Und bald fängt auch die Umwelt an, störend einzugreifen ins Idyll. Eine Utopie aber, die sich nur in der ungestörten Isolation erhalten kann, hebt sich auf. So muß Anselm schon bald bekennen: »Orli, hörst Du, wie Anselms Stimme bricht. Der Knabenton, der hoheklare, geht zum Teufel. Das Hohe Lied kratzt heiser« (S. 272). Das Idyll geht in die Binsen. Von der Utopie bleiben die topischen Formeln, die Bilder, die tot sind als Erinnerung, aber lebendig als Erwartung, als beständige Kritik am Bestehenden und als Forderung nach Veränderung.

Anmerkungen

1 Vgl. die Beiträge in: *Über Martin Walser,* hg. von Thomas Becker-mann, Frankfurt (Main) 1970, (edition suhrkamp 407).

2 Donald F. Nelson, *The Depersonalized World of Martin Walser.* In: *GQ* 42 (1969), S. 204–216. Vgl. auch R. H. Thomas und W. v. d. Will, *The German Novel and the Affluent Society,* Toronto 1968: »If nowa-days we seek these qualities in the West German Novel, together with roundness of character, narrative continuity, and a metaphysical sense of tragedy and fate, we find them pre-eminently in the make-believe world of the serial novels in popular illustrated papers« (S. XIX). Ebenso Reinhard Baumgart: *Die runden Figuren, die immer nur ge-rundet waren, sterben aus,* in: *Aussichten des Romans oder Hat Litera-tur Zukunft?,* München 1970, S. 71.

3 D. F. Nelson, a. a. O., S. 204.

4 »Als Stückeschreiber hielte ich meine Aufgabe für durchaus erfüllt, wenn es einem jemals gelänge, eine Frage dermaßen zu stellen, daß die Zuschauer von dieser Stunde an nicht mehr leben können – ohne ihre Antwort, ihre eigene, die sie nur mit dem Leben selber geben können.« Max Frisch, *Tagebuch 1946–1949,* Frankfurt (Main) 1950), S. 141.

5 G. Blöcker, *Die endgültig verlorene Zeit,* in: *Merkur* 20 (1966), S. 990.

6 Herbert Marcuse, *Über den affirmativen Charakter der Kultur,* in: H. M., *Kultur und Gesellschaft I,* Frankfurt (Main) 1965 (edition suhr-kamp 101).

7 Ebd., S. 64.

8 Ebd., S. 66.

9 Ebd., S. 83.

10 Alle Seitenangaben im Text beziehen sich auf: Martin Walser, *Das Ein-horn,* Frankfurt (Main) 1970 (Fischer-Bücherei 1106).

11 G. F. W. Hegel, *Phänomenologie des Geistes,* Bd. 3 Frankfurt (Main) 1970 (Theorie Werkausgabe), S. 85.

12 Th. Mann, *Doktor Faustus. Die Entstehung des Doktor Faustus,* Frank-

furt (Main) 1967, S. 662.

13 In den letzten Jahren hat sich allerdings die Situation geändert; das Pre-
stige-Denken hat an Motivationskraft verloren. Die zunehmende Kritik am Leistungsdenken hat immerhin Mißtrauen dagegen erweckt. Die
Marktwirtschaft hat sich diesem Umschwung aber bereits anzupassen
gewußt. Anstatt unter dem Motto von Prestige wird jetzt mehr und
mehr mit dem Versprechen von »Fun« und Spaß geworben. Pelzmän-
tel, lange ein ausgesprochenes Prestige-Symbol, werden als »Fun-Furs«
angepriesen. Autos bieten sich an »for the fun of driving«. – Vgl. dazu:
Willi Bongard, *Das Milliardengeschäft mit dem Spaß*, in: *Die Zeit*
(amerikanische Ausgabe), 4. Januar 1972, S. 19.

14 Martin Walser hat Bloch nicht nur gelesen, sondern eine Würdigung
Blochs geschrieben, die zum Schönsten gehört, was über Bloch gesagt
wurde. – *Prophet mit Marx- und Engelszungen*. In: *Süddeutsche Zeitung*, 26./27. September 1958.

15 Das Gewitter nimmt bei Hölderlin eine zentrale Stellung ein als Offen-
barung der schöpferischen Dynamik der Natur und als Gleichnis für
gesellschaftliche Revolution und Übergang vom toten und erstarrten
zum utopisch befreiten Zustand. (Vgl. Rainer Nägele, *Formen der Utopie bei Friedrich Hölderlin*, Phil. Diss. University of California, Santa
Barbara 1971.) – Walsers Hölderlin-Verständnis findet ein schönes
Zeugnis in seinem Aufsatz: *Hölderlin zu entsprechen. Von der schweren Vermittlerrolle des Dichters*. In: *Die Zeit*, 27. März 1970.

Kurt Batt
Fortschreibung der Krise: Martin Walser

Unter allen bekannten westdeutschen Autoren ist vermutlich Martin Walser derjenige, dessen Schaffen von der Krise des Erzählens am heftigsten und andauerndsten betroffen wurde. Und dies einmal, weil er, einer der intelligentesten und beredsamsten Vertreter der Nachkriegsgeneration, die Problematik des freien Schriftstellers in der spätbürgerlichen Gesellschaft sehr früh durchschaute, und zum anderen, weil er sich trotz solcher Vorbehalte immer wieder bemühte, neue Ansätze des Erzählens zu finden, sei es auch nur, um dessen Fragwürdigkeit einzugestehen. Denn aus der Rückschau, nach dem Erscheinen von *Fiction* (1970) und *Die Gallistl'sche Krankheit* (1972), lassen sich die voraufgegangenen Romane schwerlich noch als satirische Inventuren des gehobenen mittelständischen Lebens der BRD lesen, das vielmehr, insbesondere in *Das Einhorn* (1966), als bloßer Hintergrund für die Selbstabrechnung mit dem eigenen Beruf und der eigenen Existenz erscheint.

Wird allerdings im Roman *Das Einhorn* trotz eines durchgängig polemischen Zuges noch das Schreiben als Aufgabe, als ein Fixieren von Erlebnis und Erfindung in der Sprache ernst genommen, so wird eben dies in dem vier Jahre später veröffentlichten Büchlein *Fiction* generell und radikal in Frage gestellt. In die Zwischenzeit fallen die Studentenunruhen, auf die der politisch stets wache Walser weniger verschreckt reagierte als eine große Anzahl seiner Kollegen, die stärkere Politisierung der Literatur, sein eigenes Bekenntnis zur sozialistischen Umgestaltung der Gesellschaft und damit eng verbunden seine Konversion von einer ambitionierten intellektuellen Kunstprosa zum Kommentieren und Edieren von Dokumentarberichten. Indes war die Kehre in Walsers Autorenlaufbahn schon im *Einhorn* vorprogrammiert. Denn der Auftrag, den sein versatiler, mannigfach brauchbarer Standardheld Anselm Kristlein von seiner Schweizer Verlegerin erhielt, einen »Sach-Roman« über die Liebe zu schreiben, nahm, wenn hier auch noch als Persiflage des Literaturbetriebs, das Dilemma Erfindung oder Authentizität vorweg, vor dem wenige Jahre später der Schriftsteler Walser zu kapitulieren drohte.

In *Fiction* nun sprach Walser mit rücksichtsloser Paradoxie aus, was er im Ergebnis seiner eigenen Erfahrungen und neuen Erkenntnisse von Literatur als dem Produkt eines freischwebenden Intellektuellen, eines aus der gesellschaftlichen Verantwortung entlassenen Schriftstellers hielt. Schon der Titel denunziert die Zweideutigkeit des Fremdworts: Einerseits wird es im Sinne von »literarischer Erfindung«, andererseits im Sinne einer durch nichts verifizierbaren Aussage, einer »fixen Idee«, verwendet, und beide Bedeutungen scheinen hier für Walser zusammenzufallen. Hatte er im Geleitwort zu Ursula Traubergs *Vorleben* enthusiasmiert festgestellt: »Hier wird endlich einmal berichtet, nichts als berichtet, fast nichts als berichtet«, so nimmt er, der professionelle Geschichtenerfinder, in *Fiction*, kritisch gegen sich selbst gewendet, dazu scheinbar die Gegenposition ein und spielt die Rolle, die gemäß seinen Einsichten die Gesellschaft dem Schriftsteller zudiktiert – eine von aller Wirklichkeit getrennte Scheinwelt zu errichten –, konsequent zu Ende, indem er, ohne Rücksicht auf Wahrheit und Wahrscheinlichkeit, willentlich ohne Sinn losfabelt.

Ein Ich im Habit des allwissenden Erzählers – er kann, wenn er will, es zum Beispiel »kalt regnen« lassen – und das handelnde Ich sind identisch, der Erzähler erfindet sich selbst als eine Art Verrückten, und er darf dies im Sinne von Walsers Fiction-Verständnis, weil sich alles nur in Wörtern und Sätzen, nicht aber in einer wie immer gearteten Realität abspielt. Als der Ich-Erzähler etwa einem begehrten Mädchen nachsteigt, heißt es: »Dann habe ich noch das Privileg, folgenden Satz mitzuteilen: In der nächstbesten Autohandlung kaufe ich mir einen Porsche Targa Florio.« In dem Zitat steckt das Programm des ganzen Textes: Der Sonderstatus des Schriftstellers erlaubt es ihm, die Wirklichkeit zu verbiegen oder ihr ins Gesicht zu schlagen, was allerdings ohne Bedeutung ist, weil es nur mit Wörtern geschieht, die eben als literarisch gewordene, der Wirklichkeit überhobene Wörter folgenlos bleiben.

Einmal losgelassen, kann die Phantasie dann munter, mittels kurzer, häufig abgebrochener Sätze (»Mir wurde. Ich weiß auch nicht. Aber das war auf jeden Fall eine Veranstaltung, der ich«) über Stock und Stein gehen; die Handlung kann beliebig zurück- oder nachgedreht und noch einmal unter günstigerem Vorzeichen begonnen werden; die Figur ist bald dieses, bald jenes, simpler Heimleiter und kaltblütiger Mörder, aber das eben auch nur, weil es sich, wie der Autor versichert, um eine »Nacherzählung« handelt, deren Klischees durch die Horrornachrichten einer Regenbogenzeitung angeregt wurden.

Den Leser, der »Wirklichkeit« erwartet, durch solches Verwirrspiel ratlos zu machen ist die erklärte Absicht des Buches. Er soll der unverantwortlichen Beliebigkeit des Erzählens innewerden, aber nicht durch eine parodierende, sich selbst überschlagende Einbildungskraft des Autors, sondern dadurch, daß dieser die Voraussetzungen des Erzählens als formale Tricks ad absurdum führt. Wie sehr Walser an der Krise des Erzählens teilhat, sie erkennt und zugleich willentlich verschärft, vergegenwärtigt ein vergleichender Seitenblick auf Hubert Fichtes *Palette*. Dort hatte der Autor eine multivalente Figur geschaffen, die sich bald als Erzähler, bald als dessen Erfindung zu erkennen gab. Walser nun setzt die Fiction absolut; seine Figur ist, ohne Bezug zu Realitäten, Exponent und Medium der Erfindung in einem.

Etwa zu gleicher Zeit, da» Fiction« erschien, veröffentlichte Walser im »Kursbuch« den Aufsatz *Über die Neueste Stimmung im Westen*, in dem er im Zusammenhang mit einer allgemeinen Neubestimmung der Literatur durch die Linke über die gesellschaftliche Stellung des Schriftstellers nachdachte: »Zu welcher Klasse gehören Schriftsteller in unserer Gesellschaft? Die herrschende Klasse macht eine Ausnahme mit dem Schriftsteller. Er ist immer noch nicht ganz von dieser Welt. Er kann es laut und deutlich sagen, daß er keine Stimmen höre und Phantasie für einen Schwindel halte, er kann auf seine Methode pochen; man ist von seinem Widerspruch entzückt.« Der privilegierte Status des Autors, seine Stellung jenseits des allgemeinen Produktionsprozesses bringe es mit sich, daß er »ohne Bewußtsein seiner gesellschaftlichen Bedingungen arbeitet und die Reflexion dieser Bedingungen als etwas seiner Arbeit Unwesentliches ablehnt«. Solche Sätze bilden auf ihre Art eine Interpretationshilfe für *Fiction*, für ein Buch nämlich, das nicht auf die gesellschaftlichen Bedingungen reflektiert, sondern auf deren Ergebnisse im Literaturprozeß. Die Künstlichkeit und Folgenlosigkeit des Literarischen, die Abgeschirmtheit von aller Praxis als Arbeitsergebnis eines aus aller gesellschaftlichen Verantwortung entlassenen Schriftstellers wurde hier zum Thema gemacht. Gegenüber der landläufigen innerliterarischen Literatur zeichnete sich Walsers Hervorbringung nur dadurch aus, daß sie sich selbst nicht mehr ernst nahm.

Es muß unausgemacht bleiben, ob Walser das folgende Aperçu aus dem genannten Aufsatz auf sich selbst bezogen wissen wollte: »Ich glaube, daß die gegenwärtigen Bedingungen den am meisten verwildern lassen, der am besten ausgerüstet ist, sie erfolgreich zu bestehen.« Am besten ausgerüstet in diesem Sinne ist doch derjenige, der die »Neueste Stimmung« vermöge seiner sensibilisierten Intelligenz am entschiedensten auszudrücken vermag, und eben dies hatte der Autor von *Fiction* getan, als er das Erzählen mit seinen eigenen Mitteln verhöhnte.

Walsers Diskrepanz, die in *Fiction* besonders kraß hervortritt (die aber nicht nur seine eigene ist), besteht nicht zuletzt darin, daß er durch die vielfache Reflexion des spätbürgerlichen Literaturprozesses, seiner Apparate und Medien, durch das Bedenken der Abhängigkeiten und verinnerlichten Zwänge sein Erzählsubjekt zermürbte. Je mehr er gewisse Gesetzmäßigkeiten der Literaturverwertung durchschaute, um so mehr beschlichen ihn Zweifel an seinem eigenen Tun, und je mehr er in einer Art intellektuellen Masochismus sich selbst nur noch als Rollenträger des Literaturbetriebs sah, um so perfekter und glaubhafter spielte er die Rolle, und zwar gerade deswegen, weil er sie problematisierte. Da er aber dies mit höchster Bewußtheit registrierte, verloren seine Wörter und Sätze die Selbstverständlichkeit, mit welcher der Schriftsteller sie aussprechen muß, verlor er selbst jenes Minimum an schöpferischer Naivität, ohne das es kein Erzählen gibt.

Nicht zufällig hat er mit viel Verständnis über den Schreibimpuls des Peter Handke, den man doch eher als seinen Antipoden zu betrachten gewohnt ist, folgendes notiert: »Er bildet nicht Welt ab, sondern den Schmerz, den auch schon die geringste Identifikationsbewegung ihm bereitet: die Identifikation mit vorhandenen Wörtern und mit dem vorhandenen Gebrauch von Wörtern.«

Das trifft eine wichtige Seite des erfolgreichen Österreichers, aber es ist mutatis mutandis auch eine Selbstcharakteristik Walsers, der schon im *Einhorn* seinen schreibenden Helden angesichts des Unvermögens, Erinnerungen festzuhalten, hatte ausrufen lassen: »Antiwörter brauche ich.« Was als Untauglichkeit der Sprache erscheint, individuelle Erfahrung festzuhalten, ist in Wahrheit, wie es schon bei Autoren wie Gabriele Wohmann oder Thomas Bernhard begegnete, die Unmöglichkeit, individuellen Selbstausdruck in seiner reinen Form sozusagen ohne gesellschaftliche Beimischung in Wörter zu fassen. Die Konsequenzen, welche die sich autonom setzenden Autorensubjekte daraus zogen, wurden zuvor in ihren verschiedenen Varianten behandelt. – Was nun die – freilich weitläufige – Verwandtschaft Walsers mit Handke, dessen Erzählwerk an anderer Stelle behandelt wird, angeht, so beruht auch sie auf jener allgemeinen Sprachskepsis, die die spätbürgerliche deutschsprachige Literatur insgesamt befallen hat. Aber sie betrifft wenigstens in einem Punkt auch das Wesen der künstlerischen Subjektivität. Denn beide zeigen sich außerstande, eines Gegenstands erzählerisch habhaft zu werden, wenn sie ihn nicht gleichzeitig nochmals literarisch reflektieren und ausdrücklich wissen lassen, daß es sich um Literatur handelt. – Das Ergebnis hieß bei Walser *Fiction*. Aber die Herstellung eines solchen »Kunstaggregats« aus Wörtern geschieht nicht umsonst; es weist zurück auf die Gedanken und Vorstellungen, auf die Innerlichkeit seines Schöpfers, der hier die Künstlichkeit seiner Existenz einbekennt und dem das Wort, sobald er es ausspricht, zu »Literatur«, zur puren Fiktion erstarrt.

Mit dem Prosaversuch aus dem Jahr 1970, der kennzeichnenderweise ohne Genrebezeichnung erschien, hatte Walser das Erzählen an eine Grenze geführt, deren Überschreitung nur noch die subjektlose Deskription, sei es nun Dokumentarcollage oder Sprachdestruktion, zuzulassen schien. Aber die Widersprüche dieses Schriftstellers, die Brüche in seiner Entwicklung sind von einer Art, daß sie ihm stets aufs neue literarisches Material bereitstellen. Walsers Wendung zum Sozialismus, seine Sympathiebekundung für die DKP erlaubte es ihm, von solchem neugewonnenen Standpunkt aus, seinen eigenen Fall als exemplarisch für die Krise des Intellektuellen darzustellen. Das Grundthema der *Gallistl'schen Krankheit* ist so neu nicht, neu ist für Walser die Erzählsicht. Im *Einhorn* wie noch in *Fiction* war die Krise des Erzählers oder des Erzählens Thema und Schreibanlaß in einem, während nun ein Ich – in einem allerdings allgemeineren Sinn – von der Überwindung der Krise spricht. Der Roman im durchaus traditionellen Sinn scheint wieder denkbar zu werden (gar ein »Entwicklungsroman«, wie der vermutlich vom Autor inspirierte Begleittext annonciert), weil Handlung, wenn auch vorerst bloß als intellektuelle Bewegung, als Erkenntnisprozeß, ins Spiel kommt.

Geschildert werden von dem Ich-Erzähler drei nach Kapiteln gegliederte Verfallsstufen und schließlich die Umkehr. Was bei Gallistl als Krankheit hervorbricht und von ihm selbst beschrieben wird, ist genau das, was weiland Kristlein verdrängte oder akzeptierte: Einsamkeit, Leistungsdruck, Rollenzwang – gesellschaftlich verursachte Deformierungen des Individuums, denen sich Gallistl nicht mehr gewachsen zeigt oder zeigen will. Nimmt er im ersten Kapitel die Selbstentfremdung nur an sich selbst wahr (»Ich arbeite, um das Geld zu verdienen, das ich brauche, um Josef Georg Gallistl zu sein. Aber dadurch, daß ich soviel arbeiten muß, komme ich nie dazu, Josef Georg Gallistl zu sein«), so findet er im zweiten Kapitel ähnliche Symptome, ausgeprägt vor allem als Konkurrenzmentalität, bei seinen Freunden (»Das ist ja die Grundlage unserer Freundschaft: keiner hält was vom anderen; keiner könnte mit dem anderen befreundet sein, wenn er nicht den anderen für weniger hielte als sich selbst«), um dann im dritten Kapitel – eine Art Beckettscher Grundsituation – die Beziehungen zur Umwelt abzubrechen und parasitär dahinzuvegetieren. Im letzten Teil schließlich, dessen Überschrift »Es wird einmal« ein nach vorn projiziertes Märchen verheißt, erscheinen plötzlich bei Gallistl höchst aufgeweckt marxistisch argumentierende Leute, die so wundersame Namen wie Pankraz Pudenz, Qualisto Queiros oder Rudi Rossipaul tragen – Kommunisten, sehr heutig denkende und sprechende Leute von morgen, mit deren Hilfe der kranke Gallistl durch Solidarisierung Heilung finden wird.

Walsers Verzicht auf erzählerische Motivationen läßt das Geschehen tatsächlich als die Rekonstruktion der Krankengeschichte eines Intellektuellen erscheinen, als eine Anamnese, mit Walsers medizinischen Gewährsleuten gesprochen, als »einen Eigenbericht des Kranken über seine Krankheit«. Ein solcher Eigenbericht schließt die Diagnose aus und muß sich auf die Beschreibung von Symptomen beschränken, so daß Walser in den ersten drei Kapiteln kaum über das hinausgelangt, was nicht schon aus den vorangegangenen Teil behandelten Romanen Ingeborg Bachmanns und insbesondere Gabriele Wohmanns bekannt ist, aber im Unterschied zu ihnen sieht er die Krankheit nicht als ein Elementarereignis; sie ist hier nur noch eine Metapher für das Leiden des Schriftstellers an seiner Stellung in der Gesellschaft.

Daß Gallistl die Genesung wie ein Wunder widerfährt und der Kommunismus ihm in Gestalt der Leute mit den wohlklingenden Namen ins Haus kommt, ist keine ungewollte Parodie, sondern eher ein Anzeichen dafür, wie wenig Walser die Krise des Erzählens überwunden hat. Denn daß sich der Heilungsprozeß nicht in der gesellschaftlichen Praxis, sondern auf dem Wege der Indoktrination und Argumentation zuträgt, ist eben nicht nur ein Kunstfehler des Buches, ein Mangel vom Standpunkt des »traditionellen« Erzählens aus, sondern es ist auch und vor allem der Ideologie eines typischen Intellektuellen zuzuschreiben, der glaubt, sein Leben habe sich geändert, wenn sich sein Denken geändert hat. Das Erzählen aber, verräterisch wie es ist, zeigt den Mangel an gesellschaftlicher Vermitteltheit des Autors dadurch an, daß es gerade dort, wo es ins Märchenhafte hinüberschreitet, von gedanklicher Blässe befallen wird.

Obschon die Hoffnung, die Walser im letzten Kapitel kundtut, politisch prägnanter konturiert ist als diejenige Bölls, die sich am Ende von »Gruppenbild mit Dame« um Leni und die sich mit ihr verbündenden Müllfahrer auftut, ist Bölls Hoffnungsmärchen nicht nur erzählerisch farbiger, sondern auch in seinen gesellschaftlichen Determinanten letztlich konkreter. Wo nämlich Walser, bei aller Kritik am Narzißmus der Schriftsteller, von der Reflexion seiner eigenen Autorenexistenz nicht loskommt, findet Böll jenseits seiner persönlichen Lebenssphäre Identifikationsfiguren, in denen die Antriebe und Sehnsüchte der kleinen Leute, Denken und Vitalität des »einfachen Volkes« bewahrt sind.

Dieser Vergleich, fragwürdig wie derartige Vergleiche stets, macht Walsers Versuch nicht kleiner, der Krise Herr zu werden, die Isolation zu sprengen und die unter seiner maßgeblichen Beteiligung zerrissene Beziehung zwischen Dokumentieren und Erzählen dadurch wiederherzustellen, daß er seine eigene Entwicklung thematisch macht. Gleichzeitig aber sollte bedacht werden, daß jenes »Es wird einmal«, das über dem letzten Kapitel des Buches steht, auch für dessen Gattungsbezeichnung gilt. Denn was letzthin auch immer von G. F. Jonke bis Enzensberger höhnisch, gedankenlos oder programmatisch als Roman aufgelassen wurde, Walsers *Gallistl'sche Krankheit* ist so wenig wie deren Bücher ein Roman, es ist, beim Wort genommen, ein Romantraktat, ein hypothetischer Roman, vielleicht Entwurf und Hoffnung eines Romans. Und das ist in diesen Jahren nicht wenig.

Klaus Siblewski
Eine Trennung von sich selbst.

Zur *Gallistl'schen Krankheit*

Konventionen der Mittelschicht

Martin Walser gehört wie Günter Grass und Uwe Johnson zu der
Schriftstellergeneration, die zu publizieren begonnen hat, nachdem sich das gesellschaftliche Leben in der Bundesrepublik und in
der DDR stabilisiert hatte. Für Walser werden freilich spezifische
Ausformungen dieser ›Stabilität‹ im öffentlichen wie im privaten
Bereich zugleich auch Gegenstand und Problem der literarischen
Arbeit. Zu Anfang der sechziger Jahre unternimmt er den Versuch, eine eigenständige und zeitnahe Dramatik zu schaffen, mit
der er im konservativen Theaterbetrieb der Zeit zwar erfolgreich
wird, aber nicht unumstritten bleibt. Das Parabeltheater von Autoren wie Max Frisch und Friedrich Dürrenmatt liefert ihm dramaturgische Orientierung; so nimmt sich sein viertes Stück, *Überlebensgroß Herr Krott* (1962/63), streckenweise wie eine Erprobung
von Dürrenmatts Überlegungen zum ›grotesken Theater‹ aus, wonach eine Geschichte bis zu ihrer ›schlimmst-möglichen‹ Wendung
geführt werden muß. In diesem Fall: Krott, *der* Kapitalist
schlechthin, ist unfähig zu sterben, aber auch vor allen Bemühun-
gen geschützt, seinen überfälligen Tod herbeizuführen; groteske
Allegorie eines gesellschaftlichen Zustands. Auch in Walsers anderen Stücken herrscht ein alles durchdringender Immobilismus: ob
sie sich nun, explizit politisch, mit der unaufgearbeiteten Nazi-
Vergangenheit befassen (*Eiche und Angora*, 1961/62; *Der
Schwarze Schwan*, 1961/64) oder eher private Beziehungen und
Konflikte ausspielen (*Der Abstecher*, 1961; *Die Zimmerschlacht*,
1962/63).

Diesen Immobilismus hat man gelegentlich als dramaturgischen
Einwand formuliert; Marcel Reich-Ranicki etwa glaubte ein Fehlen »szenischer Vision« konstatieren zu müssen.[1] Andererseits
kann man freilich – ohne dramaturgische Schwächen ganz zu leug-
nen – die »mangelnde Bühnenlebendigkeit von Handlung und Figuren«[2] als Ausdruck einer spezifischen *Form von Stillstand* ver-

stehen, die für Walsers Personen, Konstellationen, Handlungen wesentlich ist – als Reflex einer tiefreichenden *gesellschaftlichen Bewegungslosigkeit*. Seine Bühnenfiguren stehen in einem Geflecht von Rollenerwartungen, Verhaltenszwängen und persönlichen Abhängigkeiten, das gegen ihre subjektiven Regungen, Wünsche, Bedürfnisse weitgehend resistent ist. Veränderung, so sehr sie ersehnt wird, scheitert an den versteinerten Verhältnissen.

Auch in den Romanen wird die Auseinandersetzung mit dem ›Stillstand‹ als der spezifischen Lebensform der Mittelschicht zentral. Dies und Walsers stark deskriptive Erzählweise hat ihm wiederum Kritik eingetragen. Er versenkt sich in die Beschreibung des Alltags, reiht Detailbeschreibungen aneinander und ist offenbar nicht gewillt, Widersprüche im Verhalten seiner Figuren auktorial zu glätten. Friedrich Sieburg hat eben dies moniert: »Aber der Überladenheit der Episoden steht die völlige Starre ihres Verhältnisses zueinander gegenüber [...]; das Ganze kommt nicht vom Fleck, und warum das Buch überhaupt aufhört, habe ich immer noch nicht begriffen.«[3] Seine Kritik richtet sich gegen Walsers zweiten Roman *Halbzeit* (1960), in dem er dem Leben des arbeitslos gewordenen Handlungsreisenden Anselm Kristlein nachspürt, der sich nach einem Krankenhausaufenthalt eine neue, lukrative Existenz als Werbefachmann aufbauen möchte. Doch anders als Sieburg meint, wird der Roman, dem noch zwei weitere mit derselben Titelfigur folgen (*Das Einhorn*, 1966, und *Der Sturz*, 1973), durchaus zu einem sinnvollen Ende geführt. Anselm ist in ein System von beruflichen, gesellschaftlichen und privaten Anforderungen eingespannt, dem er sich nur entziehen könnte, wenn er auf Karriere, soziale Anerkennung und intimes Glück verzichten würde. Er fügt sich aber in die Rolle des gut funktionierenden Angestellten, des charmanten und um Ausgleich besorgten Gesellschafters, des Ehemanns und Liebhabers. Allerdings: der Versuch, sich gesellschaftlich zu integrieren, hat ihn über die Grenzen seines Leistungsvermögens hinaus belastet. Der Roman endet mit der erneuten Erkrankung Anselms, ein Indiz dafür, daß sich auf die Dauer an diesem Zustand der *Überforderung* nichts ändern wird.

Diesem immerwährenden Zustand haben auch die anderen ›Helden‹ Walsers wenig entgegenzusetzen. Die fast automatisch sich ausbildende Erfahrung eigener Leistungsunfähigkeit provoziert bei ihnen die Überzeugung, etwas versäumt zu haben. Hans Beumann, der Protagonist in Walsers Erstlingsroman *Ehen in Phi-*

lippsburg (1957), versucht sich als Journalist zwar recht erfolgreich in das gesellschaftliche Leben zu integrieren, muß sich am Ende aber eingestehen, daß er seine Identität verloren hat. Ähnlich ergeht es Anselm im *Einhorn*: Nicht so sehr die Gefahr, seine materielle Existenz zu verlieren, bewirkt seinen weitgehenden Rückzug aus allen sozialen Beziehungen, vielmehr vermittelt ihm seine unglückliche Liebe zu der jugendlichen Holländerin Orli die Gewißheit, es sei ihm nicht gelungen, seine Individualität zu realisieren. Aus diesem Bewußtsein des Scheiterns heraus beginnen Walsers Figuren ihre Auseinandersetzung mit der Lebenswirklichkeit der Mittelschicht, die sie deshalb als starr erfahren, weil es ihnen – trotz mancherlei Versuchen – nicht gelingt, ihre individuellen Wünsche und Vorstellungen durchzusetzen.

Bis auf *Ehen in Philippsburg* – Beumann besitzt noch keine Erfahrung im Umgang mit den Normen und Verhaltensweisen der Mittelschicht – beginnen alle Romane mit der Schilderung eines Einzelschicksals, das an der Resistenz der Lebenswirklichkeit in der Mittelschicht gescheitert ist. Zögernd beginnen diese Figuren sich ihrer eigenen Anpassungsbereitschaft, ihrer Desorientierung und des von den etablierten Normen ausgehenden Konformitätsdruckes bewußt zu werden; zunächst mündet das in den Versuch, ihre Handlungsfähigkeit zu erneuern.

Walser demonstriert diese hindernisreichen Bewußtwerdungsprozesse an zwei gesellschaftlichen Typen. Einmal beschäftigt er sich mit der Existenzweise des abhängig Beschäftigten, zum anderen läßt er Figuren in intellektuellen Berufen auftreten. Anselm geht verschiedenen Tätigkeiten nach: Zunächst verkauft er von Bettwäsche bis zu Heizungen alles, wovon er sich einen einträglichen Verdienst verspricht, – dann wechselt er in die Werbebranche über; im *Einhorn* versucht er als Schriftsteller für seine Familie und sich den notwendigen Lebensunterhalt zu verdienen, bis er sich im *Sturz* als Heimleiter mit dem Wunsch verdingt, in Zukunft selbständig eine Pension zu führen. Franz Horn, Protagonist in dem Roman *Jenseits der Liebe* (1976), hat es aufgegeben, seine Position als leitender Angestellter zu verteidigen; Helmut Halm in der Novelle *Ein fliehendes Pferd* (1978) hat als verbeamteter Studienrat eine Nische gefunden, um an zwei seit langem geplanten Publikationen zu arbeiten, und Xaver Zürn in dem jüngsten Roman *Seelenarbeit* (1979) erarbeitet sich seinen Verdienst als Chauffeur, bis er zum Gabelstaplerfahrer degradiert wird. Mit Hilfe der *Ange-*

stelltenexistenz gelingt es Walser, eine Vorstellung von der Wirkweise der sozialen Abhängigkeit auf die Versuche individueller Bewußtwerdung seiner epischen Helden zu entwickeln. Bei der Darstellung der *Intellektuellenexistenz* kommen ebenfalls individualitätsfeindliche Abhängigkeiten zur Geltung, allerdings verlagert sich dabei der Akzent. Die Intellektuellen leiden nicht nur unter dem Orientierungsverlust in der Mittelschicht, sie produzieren auch das kulturelle Wissen, das die Rechtfertigung bestehender Normen absichert oder ihnen ihre Plausibilität versagt. An ihrem Schicksal kann Walser deshalb die generellen Schwierigkeiten verdeutlichen, vor denen der steht, der zu einer den individuell-gesellschaftlichen Stillstand überwindenden Neuorientierung kommen will.

Die Gallistl'sche Krankheit

Dieser kurze Roman aus dem Jahr 1972 ist in Walsers Werkzusammenhang nicht untypisch. Josef Georg Gallistl, von Beruf (vermutlich!) Schriftsteller, ist wie seine Vorgänger an den Grenzen seines Leistungsvermögens angekommen: er hat sich fast aus allen sozialen Bezügen zurückgezogen, horcht gespannt in sich hinein, jede psychische oder körperliche Regung wird genauestens registriert und versuchsweise zu einem Krankenbericht zusammengefaßt. Seine Lage charakterisiert, daß er nicht nur davon überzeugt ist, an Symptomen zu leiden, die sich den bekannten Krankheitsbildern nicht fügen, sondern auch grundsätzlich bezweifelt, ob er noch ausreichend Energie mobilisieren kann, um seinen Leidensbericht zu vollenden.

Zunächst zeichnet er ein intensives Bild seiner Erschöpfung. Er glaubt, seit jeher einen zähen Kampf geführt zu haben, damit die von ihm angenommene geringere Leistungsfähigkeit unentdeckt bleibt. »Ich bin überfordert, das ist klar. Ich war immer überfordert. In der Schule mußte ich mit ungeheurer Kaltblütigkeit operieren, um weder meine Mitschüler noch die Lehrer anmerken zu lassen, daß ich nicht das leistete, was ich zu leisten vorgab.« (S. 9) Von hier gelangt er zur Beschreibung seines Freundeskreises. Ihn hält eine Hierarchie von Abhängigkeiten zusammen, die nur deshalb ausbalanciert bleibt, weil der eine dem anderen nicht mitteilt, was er im Grunde über ihn denkt. Seine Freunde sind hinreichend mit Buchstaben aus dem Alphabet gekennzeichnet (A, B, C usw.), die identisch sind mit den von den einzelnen ausgeübten Berufen. Gallistls Krankheit ist ein Produkt seiner Isolation: das Mißtrauen in seine Leistungsfähigkeit hemmt ihn, sich zu öffnen, und wird noch durch die Struktur seines Freundeskreises verstärkt, die das Ausleben von Rivalität fördert, aber keine kommunikativ erfüllten Erwartungen ermöglicht. Wie alle Figuren Walsers beginnt auch Gallistl, die Erfahrung gescheiterter Identitätssuche durch intensive *Auseinandersetzung mit seiner persönlichen Biographie* zu verarbeiten. Den dadurch nochmals verschärften Rückzug aus seinen sozialen Beziehungen nimmt er gerne in Kauf, weil er sich von der Beschäftigung mit den eigenen lebensgeschichtlichen Erfahrungen neue Impulse erhofft, um wieder handlungsfähig zu werden. Allerdings verhindert eben seine Isolation, daß er dies wirklich erreicht: er kann den »Hoffnungslosigkeitsrausch«, der »durch Alleinsein und Vereinzelung erzeugt wird«[4], nicht überwinden.

Gallistls Schicksal zeigt exemplarisch das Mittelschichtindividuum in einer kaum lösbaren Situation, eingespannt in ein überforderndes System der Konkurrenz, isoliert und auf sich selbst fixiert. Die Schilderung von Gallistls Krankheit reflektiert jedoch die Lebensbedingungen der Mittelschicht aus der besonderen Perspektive des Intellektuellen. Dabei rückt ein Moment stärker in den Vordergrund: Die Vorstellungen, mit denen die gesellschaftlich gültigen Normen gerechtfertigt werden, haben für den einzelnen an Erklärungswert verloren. Er selbst kann in seiner Isolation diesen Orientierungsverlust nur schwer kompensieren. Und auch die traditionellen Produzenten von kulturellem Wissen, Wissenschaftler, Schriftsteller oder Filmemacher beispielsweise, tragen kaum zu einer Interpretation seiner sozialen Lebenswelt bei, die ihm die Ausbildung einer stabileren Identität ermöglichen könnte. Sie sehen zum großen Teil, so Walser, ihre Aufgabe nicht darin, alternative gesellschaftliche Vorstellungen auszubilden, um zu einer Überwindung des kollektiven Orientierungsverlustes in der Mittelschicht beizutragen.

Gallistl gelingt es aber trotz allem, den Zustand seiner desolaten Selbstbezogenheit zu überwinden und stückweise seine Handlungsfähigkeit zurückzugewinnen. Walser schildert diesen Vorgang als den glückenden, wenn auch nicht frei von Rückschlägen verlaufenden Versuch einer »Trennung von sich selbst« (S. 86): Gallistl gewinnt langsam Distanz zu Verhaltensweisen, die seiner

Selbsterkenntnis bislang entzogen waren, die ihn aber deshalb um so stärker an die unbefriedigende Lebenssituation gebunden hatten. Eingeleitet wird Gallistls ›Emanzipation‹ von sich selber durch die Kritik des kulturellen Klimas, in dem sich die Intellektuellen mit der ›Sinnkrise‹ auseinandersetzen, der sie nichts als aggressive Selbstbespiegelung und eine gereizte Untergangsstimmung entgegenzusetzen haben. Gallistls Trennung von sich selbst beginnt also mit der kritischen Abkehr von einem intellektuellen Selbstverständnis, das sich zynisch zur desorientierenden Realität verhält und damit *faktisch* den mittelständischen Immobilismus zu stabilisieren hilft.

Gallistl gelingt es, seine Isolation zu überwinden: er schließt sich einer Gruppe von Kommunisten an. Walser schildert allerdings nicht, *wodurch* Gallistl fähig wurde, seine Abwehr gegen gemeinschaftliches Handeln und sein Mißtrauen gegen seine Umgebung abzubauen. In der Gemeinschaft lernt er seine lähmenden Selbstfixierungen zu überwinden und langsam die Überzeugung zurückzugewinnen, daß er sich für ein sinnvolles Ziel einsetzen kann. Diese Gruppe wird von keinem Netz von Abhängigkeiten zusammengehalten, ihr Umgang untereinander ist frei von Zwängen, das eigene soziale Prestige auf Kosten anderer zu vergrößern. Mit einer Ausnahme treten sie nicht als Repräsentanten von sozialen Rollen auf – ihre Namen werden ausgeschrieben –, und sie vermögen ihre sozialen Interessen zwanglos mit ihren persönlichen Ansprüchen zu verbinden. Entscheidend für Gallistls Entwicklung aber ist, daß sie ihn in eine neue Interpretation der gesellschaftlichen Verhältnisse einführen: den *historischen Materialismus.*

Auf dem Hintergrund dieses gesellschaftskritischen Geschichtsverständnisses und gemeinsam mit seinen neuen Freunden gelingt Gallistl eine für äußere Impulse offenere Selbstorganisation. In seiner Geltungssucht und ausgeprägten Konkurrenzmentalität erkennt er die sozialisations- und damit gesellschaftsgeschichtlich bedingten Ursachen seines sozialen Rückzuges. Daß er überhaupt einen intellektuellen Beruf ergriffen und sich an die üblichen Verhaltensweisen von Intellektuellen angepaßt hat, erscheint ihm nun ebenfalls als ein Produkt seiner bürgerlichen Erziehung: »Wer mit zuviel Belohnungsaufwand zum Geben bzw. Nehmen gereizt wurde, wird Kulturschaffender.« (S. 103)

Gallistl findet insgesamt zu einem neuen, die Immobilität der mittelständischen Lebensweise nicht länger festigenden intellektuellen

Selbstverständnis. Er bekennt: »Ich habe das Glück, der Zukunft zu dienen.« (S. 95) Seine bisherigen Arbeiten erscheinen ihm jetzt als Ästhetisierung dieses unbeweglichen Zustandes: »Seht mich an, meinesgleichen, mehr oder weniger tote Feinheiten, so liegen wir herum in dieser gestoppten Geschichte, im Kopf entstehen uns Sauereien, Bestialitäten, vor Feinheit berstende Nichtigkeiten.« (S. 122) Und er faßt seine Überlegungen zu der Einsicht zusammen: »Daß das von der gestoppten Geschichte kommen könnte, fällt uns nicht ein« (S. 122). Er entwickelt ein historisches Bewußtsein, daß ihn in seiner Hoffnung bestärkt, die Zukunft werde sich zu etwas anderem als zur eintönigen Wiederholung der gegenwärtigen Lebensverhältnisse entwickeln. Dieses Geschichtsbewußtsein soll ein intellektuelles Selbstverständnis garantieren, das den bestehenden Orientierungsverlust ausgleicht. Am gegenwärtigen Zustand gesellschaftlicher Wirklichkeit hat sich zwar noch nichts geändert – das Abschlußkapitel ist nicht ohne Grund überschrieben: *Es wird einmal –,* die Intellektuellen können jedoch handlungsmotivierend wirken: Indem sie die gegenwärtigen Lebensverhältnisse als veränderungsfähig darstellen, entwickeln sie ein kulturelles Wissen, das dem einzelnen die Zuversicht vermittelt, sein Handeln als Beitrag zu diesem langwierigen Veränderungsprozeß organisieren zu können. Allerdings: Gallistls Öffnung ist nicht unproblematisch, und er stimmt auch mit seinem kommunistischen Freundeskreis, dessen Affinität zur DKP mit Grund vermutet werden kann, nicht in allen Punkten überein. In der Rolle des ›freiwilligen Linken‹ (S. 102) fällt es ihm schwer, den Dissens zwischen Marxisten/Leninisten und Maoisten angesichts der ihn subjektiv belastenden Probleme nachzuvollziehen: »Für diese theologenhaften Streitigkeiten fehlt mir der Sinn.« (S. 101) Der ideologische Führungsanspruch der Partei erscheint ihm anmaßend: »Auch die Partei weiß nichts aus sich selbst. Ist nichts durch sich selbst. Ist auch nichts durch Tradition und Bücher. Sonst mußt Du den hl. Geist einführen.« (S. 101) Die Vorbehalte gehen jedoch nicht soweit, die geschilderten positiven Folgen von Gallistls Assoziation mit einer solchen Parteigruppe in Zweifel zu ziehen. Abgesehen vom realpolitischen Zustand der DKP stellt sich für den Leser jedoch die grundsätzliche Frage, ob sich Gallistls Identitätsprobleme im Rahmen eines Organisationsmodells lösen lassen, wie es traditionelle Parteien besitzen.

Selbstreflexion als Überlebensstrategie

Die *Gallistl'sche Krankheit* wurde zwischen dem *Einhorn* und dem *Sturz* geschrieben und war zu Anfang als eine Fortsetzung der Kristlein-Geschichte geplant. Walser arbeitete diesen Stoff zu einem selbständigen Roman aus, weil er Anselm für zu befangen in den mittelständischen Verhaltensweisen hielt. Im *Einhorn* erfährt sich Anselm als gescheitert und unfähig, seine Interessen durchzusetzen. Er zieht sich auf die Erinnerung seiner jüngsten Lebensgeschichte zurück und gelangt zu einem schwerwiegenden Verdacht: Die Konventionalität des alltäglichen Lebens verstrickt den einzelnen in einen existentiellen Konflikt, dem er auch dann nicht entweichen kann, wenn er sich, wie Anselms Verlegerin Melanie Klein mit der Proklamation einer ›Neuen Sittlichkeit‹, bewußt *dagegen* definiert. Er erfährt möglicherweise nur auf anderer Ebene sein Versagen: so etwa, als Anselms Erinnerungsvermögen, von dem er die Verarbeitung seines Scheiterns erhofft, sich als unfähig erweist, wenigstens alle Erlebnisse in ihrer Intensität zu speichern. Die Grenzen seiner Erinnerung signalisieren ihm seine *existentielle Unterlegenheit* gegenüber dem alltäglichen Leben.

Walser gewinnt in der Folge ein anderes Verhältnis zu der konventionalen Verfestigung des mittelständischen Lebens. Sein existentiell begründeter Nonkonformismus wird durch ein wachsendes politisches Bewußtsein abgeschwächt. Walser protestiert gegen das amerikanische Engagement in Vietnam und gegen diejenigen, die es direkt oder durch neutrales Verhalten unterstützen. Er wendet sich gegen die mangelnden Alternativen in der bundesdeutschen Politik, recht ironisch befürwortet er das Zustandekommen der Großen Koalition mit dem Hinweis, er schätze all das, was zu einem angemessenen Ausdruck gefunden habe. Den studentischen Protest begleitet er nicht ohne Sympathie, er verwendet sich für die Grundung einer IG Kultur und rückt in die Nähe der DKP. Diese *Politisierung* ist von der Hoffnung begleitet, die Versuche zur Demokratisierung einiger Lebensbereiche könnten sich in Richtung auf eine umfassende Veränderung der festgefahrenen Lebensverhältnisse zusammenschließen.

In der *Gallistl'schen Krankheit* schlagen sich diese politischen Hoffnungen in der glückenden Trennung Gallistls von seinen gewohnten Verhaltensweisen nieder. Für ihn verlieren die existentiellen Konflikte an Schärfe, weil sie in gesellschaftlichen Strukturen begründet sind, deren Veränderung als erreichbar erscheint. Gallistl ist allerdings Walsers einziger epischer ›Held‹, bei dem die Auseinandersetzung mit seinen lebensgeschichtlichen Erfahrungen weiterführt als zum puren Überleben. Im *Sturz* geht nicht, wie Hans Christoph Buch vermutet, die Kristleinwelt aus erzähltechnischen Gründen unter. In einem Interview führt Walser dazu aus: »Kristlein hat alle möglichen Versuche gemacht und findet sich nicht mehr fähig, mit anderen zusammen für etwas Gemeinsames zu sorgen, er ist zur Solidarität nicht mehr fähig, weil er zu lange unter Konkurrenzbedingungen gebildet wurde.«[5] In Anselms unbewußt geplantem Suizid stellt Walser den existenzbedrohenden Widerspruch zwischen dem individuellen Wunsch nach Selbstverwirklichung und seiner Blockierung im mittelständischen Milieu am konsequentesten dar. Diesen Widerspruch bekommt am schärfsten der zu spüren, der wie Anselm sich einzig der konkurrenzbetonten Verhaltensweisen zu bedienen gelernt hat. Zu keiner Zeit gibt er den fürs westdeutsche Wirtschaftswunderland charakteristischen Wunsch auf, eine ökonomisch selbständige ›Existenz‹ zu gründen: er bleibt der »neuen Weltanschauung des identitätsstiftenden Besitzes«[6] verfallen bis zum Ende. Diese Weltanschauung, sozusagen die verinnerlichte Restauration des Kapitalismus, und die ihr entsprechenden Verhaltensmuster werden, nach fast zwei Jahrzehnten unerschütterter Geltung, gegen Ende der sechziger Jahre in der gesellschaftlichen Realität brüchig. Das wiederum spiegelt in der erzählerischen Fiktion Anselm Kristleins Untergang. Allerdings: die aus solchen Umbrüchen erwachsenen politischen Hoffnungen, wie sie in der *Gallistl'schen Krankheit* formuliert sind, werden ihrerseits bald durch eine restaurative Gegenbewegung enttäuscht. Im *Sauspiel* (1976) spricht Walser diese Thematik in historischer Parallelisierung an. Das Nürnberger Patriziat des frühen 16. Jahrhunderts versucht, nachdem die aufständischen Bauernhaufen endgültig geschlagen sind, auf Dauer seine Macht zu befestigen. Auch den Intellektuellen fällt dabei die entsprechende Aufgabe zu: Dürer plant eine Festung, in der das Patriziat auf längere Zeit überleben kann, selbst bei heftigsten Angriffen seiner Gegner. Aber auch dieses Bauernkriegsdrama teilt noch die Überzeugung, für die Verwirklichung von alternativen Lebensformen bestünde berechtigte Aussicht auf Erfolg. Es wird von der aufklärerischen Intention durchzogen, in dem fortschrittsfeindlichen Wunsch des Nürnberger Patriziats Parallelen zu der von Walser Mitte der siebziger Jahre beobachteten restaurativen Tendenz zu erkennen. Die Auseinandersetzung mit dem um seine soziale Position besorgten Patriziat versteht sich als ein Beitrag, kritisch über die Zurücknahme der Demokratisierungsansätze zu informieren.[7]

In den jüngsten Publikationen Walsers, vor allem in der *Seelenarbeit*, kehrt er, trotz einiger motivischer und thematischer Anklänge, nicht zu seinen früheren Erzählungen zurück, die politischen Hoffnungen aber haben sich jetzt als eine Illusion erwiesen. Franz Horn und Helmut Halm treibt nicht mehr Anselms Ehrgeiz, eine lukrative soziale Position zu erobern, vielmehr haben sie sich – auf unterschiedliche Weise emotional verarmend – in einem viel umfassenderen Sinne als ihre epischen Vorgänger auf sich selbst zurückgezogen. Anselm war trotz aller Passivitätswünsche noch darum bemüht, seine Handlungsfähigkeit zurückzugewinnen. Die neuen ›Helden‹ Walsers aber hegen weder die Hoffnung, durch Anpassung an die mittelständische Lebenswirklichkeit gute Ausgangsbedingungen für die eigene Identitätsfindung zu gewinnen, noch kann ihnen, wie Gallistl, der Dienst an der Zukunft eine identitätsstiftende Einstellung zu ihren gegenwärtigen Lebensverhältnissen ermöglichen. Helmut Halm wehrt alle von außen an ihn herangetragenen Ansprüche ab, sein Ziel ist es, sich selbst zu schützen, indem er unerreichbar für andere wird. Xaver Zürn ist damit beschäftigt, alle Erlebnisse so lange umzuinterpretieren, bis sie erträglich werden. Beide können sich nicht mehr zu aktivem Handeln entschließen, sondern befinden sich in einer letzten Verteidigungsstellung. Wo aber die Hoffnung auf absehbare Veränderung der Lebensverhältnisse fehlt, führen auch die Versuche, mit der eigenen Person bekannt zu werden, keine individuellen Lernprozesse mehr ein. Die Beschäftigung mit dem eigenen Schicksal dient jetzt nur noch dem Ziel, das Überleben zu sichern.

Anmerkungen

1 Marcel Reich-Ranicki, *War es ein Mord?*, in: Thomas Beckermann (Hg.), *Über Martin Walser*, S. 144.

2 Heinz Geiger, *Widerstand und Mitschuld. Zum deutschen Drama von*

Brecht bis Weiss, Düsseldorf 1973, S. 15.

3 Friedrich Sieburg, *Toter Elefant auf einem Handkarren*, in: Beckermann, a. a. O., S. 33.

4 Martin Walser, *Bausteine beim Bau der Chinesischen Mauer. Über Tagebücher*, in: M. W.: *Wer ist ein Schriftsteller? Aufsätze und Reden*, Frankfurt (Main) 1979, S. 20.

5 Martin Walser: *Die Überanstrengung, die das pure Existieren ist*, in: *Die Zeit*, 18. Mai 1973.

6 Vgl. Klaus Horn, *Formierung der Innerlichkeit*, in: Gert Schäfer/Claus Nedelmann (Hg.), *Der CDU-Staat. Analysen zur Verfassungswirklichkeit der Bundesrepublik*, Frankfurt (Main) 1972, S. 342.

7 Vgl. Klaus Siblewski, *Historische Dramatik und literarische Aktualität. Zur Konservativismuskritik in Walsers ›Sauspiel‹*, in: Martin Walser, *Das Sauspiel. Szenen aus dem 16. Jahrhundert*, mit Materialien hg. von Werner Brändle, Frankfurt (Mainz) 1978, S. 443ff.

Volker Bohn
Ein genau geschlagener Zirkel
Über *Ein fliehendes Pferd*

»Wieviel Wein muß man trinken, bis man sich am Nachmittag auf einem Großstadtplatz zwischen Passanten stellen und aus einem Büchlein vorlesen kann, in dem erzählt wird, daß einer lieber flieht als noch da ist?«[1]

Kaiser und Reich waren keineswegs einig, als im Jahre 1978 Martin Walsers Novelle *Ein fliehendes Pferd* erschien. Marcel Reich-Ranicki, der zwei Jahre zuvor noch, angesichts des Romans *Jenseits der Liebe,* vor einer Art Müll-Wüste zu stehen meinte und den Leser davor warnte, auch nur eine Seite dieses Walser-Buches zu lesen, begrüßte *Ein fliehendes Pferd* als »Martin Walsers Rückkehr zu sich selbst«, als seine zugleich »bescheidenste und überzeugendste epische Arbeit«: »man kann ihr jene verführerische oder auch bezwingende Kraft nachrühmen, die wir bei Walser seit den *Ehen in Philippsburg* vermissen mußten«.[2] Joachim Kaiser hingegen, der *Jenseits der Liebe* für einen »relativ schwachen« Text hielt, freilich aber, professionellerweise, verstehen konnte, daß er »zur Veröffentlichung durchaus in Frage« gekommen war, sah dann in der Novelle nur ein »blindes Glanzstück«, ein »schlaues Virtuosenstück« von »cleverer Klassizität«. Was »Walsers Bücher sonst reizvoll machte und so selbstmörderisch gefährdete: das Risiko der eindringenden, wüsten Erkenntnis- und Bekenntnisseligkeit eines passionierten großen Schriftstellers – das fehlt hier«.[3]

Beide Kritiker stehen übrigens mit ihrem Urteil in einem gewissen Sinne allein: Kaiser mit seiner *Ablehnung,* Reich-Ranicki mit der *Begründung* seiner Zustimmung.[4] Denn das Buch, so kann man verallgemeinernd sagen, wurde ja von der Kritik durchweg begrüßt, und zwar gerade *wegen* der Eigenschaften, auf die Kaisers Einwände zielen (und zwar auch, wie diese, in Bezug zu Walsers Entwicklung gesehen). Man vergleiche Reinhard Baumgart: Walser sei so etwas wie die »Quadratur des Kreises« gelungen; er, »von dem so unermüdlich behauptet wurde, ihm müßten alle Erzählun-

ernehmen ausschweifen, entgleisen, hoch- oder abstürzen«, habe »nun ein wahres Kunststück an Durchgeplantheit und Ökonomie« fertiggebracht.[5]

Man wird für die Beurteilung der Struktur eines Buches kaum rechtfertigende Äußerungen seines Autors heranziehen dürfen; das gilt aber nicht in derselben Ausschließlichkeit für seine Äußerungen über das Vorliegen einer Struktur; und in diesem Punkt gibt Walser zunächst einmal denen recht, deren Interpretation sich auf die *Dramaturgie* der Novellenhandlung, auf die *Konfiguration* der Gestalten bezieht und nicht auf die Momente satirischer/karikaturistischer Übertreibung oder mimetischer Einfühlung in zeitgenössisch-typische – wie auch immer: verständliche oder verräterische – Lebens- und Denkweisen.

Martin Walser: »[...] wenn man zwei solche Figuren so diskutiert und immer dabei voraussetzt, daß das zwei seien, die möglicherweise hier so oder so vertreten seien, also auch in der Wirklichkeit so herumliefen, dann, glaube ich, greift man immer vorbei, vertut man sich immer. Denn das sind ja keine Romanfiguren, [von] Romanfiguren könnte man allenfalls noch solche Wirklichkeitsbeziehungen fordern oder erwarten. Aber hier handelt es sich um eine Novelle, um etwas eher Dramatisches, um ein Schachbrett; auf diesem Schachbrett werden zwei Existenzarten gegeneinander gehetzt in einer bewußten Konfrontation [...]«. »[...] Jede naturalistische Vergleichsfrage in die Wirklichkeit hinein ist ein unfreiwilliger Witz für mich, weil es sich hier nicht um etwas [dreht], was [...] in der Realität so abfragbar vonstatten gehen kann; [...] wenn Sie so wollen, [...] dann hat das so viel mit Realität zu tun, wie zwei, die in einem Fecht-Club fechten.«[6]

Jeder Versuch einer – sei es paraphrasierenden, sei es rekonstruktiven – Darstellung der Handlung (des Schachspiels) und der Handelnden (der Spieler, der Kämpfer) wird zunächst einmal die Plausibilität der These Walsers erweisen.

In einem Urlaubsort am Bodensee treffen sich zwei Männer, beide bald fünfzig, ehemals Schul- und Studienkollegen, jeder begleitet von seiner Ehefrau, nach über zwanzig Jahren wieder: Helmut Halm und Klaus Buch. Helmut (»Wenn er keine Jacke anhatte, sah man von ihm wahrscheinlich nichts als seinen Bauch« [10])[7], Oberstudienrat an einem Renommiergymnasium, der seit elf Jahren mit seiner Frau regelmäßig diesen Ferienort aufsucht (»die jährlich wachsende, aber völlig annäherungslose Vertrautheit« [16]), wird dem Leser schon auf den ersten Seiten des Buches vorgestellt als einer, der pausenlos sein Verhältnis zur Umwelt reflektiert, sei es zu seiner Frau Sabine, zu seinen Schülern und Kollegen oder gar nur zu den anonymen Spaziergängern auf der Uferpromenade.

Das Grundmuster seines Denkens bildet ein Streben nach Endgültigkeit; man gewinnt den Eindruck, daß Helmut, nach einer verwickelten persönlichen Geschichte auf dem Felde der Kommunikation und Interaktion, nur noch von einem Motiv getrieben wird: seine Ruhe haben zu wollen. Psychologisch verbindet sich das freilich mit einer speziellen Form von Paranoia: der Angst vor dem »Erkannt- und Durchschautsein« (12). Es ist also nicht so, daß Helmut alles hinter sich hat, daß er entsagt und Distanz gewonnen hat; sondern er spielt die Rolle des Distanzierten, die ihm noch längst nicht Habitus geworden ist, die ihm vielmehr ständig Beherrschung nach außen und Rechtfertigung nach innen abverlangt. Der Urlaub z. B. gibt ihm immer wieder Gelegenheit, sein Repertoire zu erweitern, ohne sich auch zugleich im Ernst bewähren zu müssen; ein Training also. »Im Urlaub probierte er Gesichter und Benehmensweisen aus, die ihm geeignet zu sein schienen, seine wirkliche Person in Sicherheit zu bringen vor den Augen der Welt.«(13) Das gilt natürlich nicht für die Beziehung zu Sabine; auf diesem Felde gibt es auch im Urlaub keine Entlastung. Und in dieser Situation trifft Helmut nun den Jugendgenossen Klaus, der das Urlaubsprogramm in vielfacher Hinsicht bedroht: er stellt die affirmative Selbstreflexion Helmuts auf die Probe, er offenbart und kompliziert die verschwiegenen Probleme von Helmuts und Sabines Ehe, stiftet überhaupt Unruhe im Refugium und bringt vor allem eine halbwegs verdrängte, deshalb besonders gefährliche Dimension der Identität Helmuts ins Spiel, die Erinnerung (d. h. die Entwicklung, die Vorgeschichte; die *Zeit* also, die Helmuts Endgültigkeitswahn kategorial zuwider ist).

Klaus Buch (»ein zierlicher junger Mann« [19]) und seine Frau Helene (»eine Frau wie eine Trophäe« [21]) unterscheiden sich von den Halms in jeder Hinsicht; salopp in ihren Jeans, sportlich-dynamisch in ihrer Bräune, erotisch vereinnahmend und einschüchternd zugleich, so daß Helmut den beiden zuerst unwillkürlich auf die Zehenspitzen schaut, wie er das auch bei seinen Schülerinnen mit den »rücksichtslosen Blusen« (20) tut. (An dieser Stelle übersieht der Leser vielleicht, ebenso wie jedenfalls Helmut, einen ersten Hinweis, dessen Kenntnisnahme dem nun anhebenden strategischen und taktischen Geschehen eine ganz andere Bedeutung verleihen könnte: unmittelbar nachdem der Spaniel Otto die Hand von Klaus berührt hat, worauf dieser reagiert, als sei er schwer verwundet worden, heißt es über die Buchs: »Ja, also, seit drei Jahren kommen die auch schon hierher in Urlaub« [22].)

Bleiben wir beim »Schachspiel«, zunächst bei den Konzepten der Beteiligten, ihrem bevorzugten Stil und dem schließlichen Verlauf der Auseinandersetzung. Die Spieler und ihre sekundierenden Ehefrauen bilden wahrhafte Teams: Halms sind Raucher und trinken schweren Spätburgunder – Buchs rauchen nicht und trinken Mineralwasser; Halms haben zwei Kinder und einen Hund – Buchs brauchen ihre Unabhängigkeit, wollen sich morgens entschließen können, den Abend auf Teneriffa zu verbringen. Bei jeder Gelegenheit demonstrieren die Buchs den Halms ihre Lebenstüchtigkeit: ob durch rücksichtlos ausgelassene Heiterkeit im Restaurant (Helmut: »Kinder, benehmt euch« [84]) oder durch eingespielte Manöver auf dem Segelboot (die Halms, auf Kissen sitzend, versuchen, »den sportlichen Bewegungen der Buchs auszuweichen« [40]). Und so fort.

Doch gibt es auch Spannungen innerhalb der Teams.

Helmut hat Angst, er könne seine Gewohnheiten nicht gegen dieses Paar verteidigen; Sabine hingegen findet die beiden »erfrischend« und spricht verdächtig oft von Klaus. Helmut muß daraufhin ein wenig von seiner Reserve aufgeben, lügt ein bißchen, um Sabine mit ihren Empfindungen nicht ganz alleine zu lassen, denkt sogar ernsthaft daran, mit ihr ein Gespräch zu führen. Sabine ist die Stelle, an der er verletzbar ist; denn sie ist noch nicht so weit wie er. Und jedesmal, wenn er diese Differenz bedenkt, sagt er: »Ach du. Einziger Mensch. Sabine.«

Klaus und Helen gehören zusammen: das wußte man, »wenn man die braunen Arme und Hände der beiden [...] auf dem Tisch liegen sah«. »Trotzdem glaubte Helmut zu bemerken, daß Hel sich gern ein bißchen lustig gemacht hätte über den Körpergesundheitsdienst ihres Mannes. – Und jedes Mal, wenn sie mit ein bißchen weniger als Schmacht zu ihm hinschaute, sagte er sofort mit mutloser Stimme: Du magst mich nicht mehr, gell.« (61)

Zum letzten Mal die Schachspiel-Metapher: Klaus bevorzugt die Offensive und das Tempo und ist immer in Spiellaune; Helmut ist ein Verteidigungsspezialist, genauer gesagt ein Verteidigungs-

Schwärmer, ein Grübler ohne Freude am Spiel.

Klaus zahlt für alle und gibt die Pläne für morgen bekannt (Laufen, Tennis, Segeln, Essen, Kommunizieren); Helmut liebt das Alleinsein und freut sich auf die Enttäuschungen der Lektüre (11). Klaus redet gerne, vor allem über sich, und liebt die Klischees des Überschwangs (»das find ich echt brutal« [105], »laß es uns groß spielen« [112]); Helmut redet nicht gerne, vor allem nicht über sich, und liebt die Stimmung der unzufriedenen Weltabgewandtheit (»blutige Trägheit«, »Ekel« [70]). In beiden Fällen handelt es sich offenbar nicht nur um Dispositionen, Reaktionsbereitschaften, sondern auch um kalkulierbare Psychotechniken. Klaus gebraucht Stimuli: er sitzt »morgens oft von vier bis sieben nackt auf der Terrasse«, um anschließend mit einer »placierten« Verführung seine Frau zu wecken (113f.); Helmut gebraucht die Autosuggestion: er muß sich in seine »Lieblingsstimmung« hineinsteigern, muß »hineinkommen« in seine »Position hinter der Position« (70f.), in der Hoffnung, z. B. seine Unfähigkeit, auf eine Zärtlichkeit seiner Frau zu reagieren, sicherer handhaben zu können.

Die Auseinandersetzung zwischen den beiden Konzepten – wie es sich für Konzepte gehört, vor allem ausgetragen in Gesprächen, beim Wandern, beim Segeln, beim Essen, und natürlich in Selbstgesprächen, von denen der Leser ja nur die Helmuts kennenlernt – kulminiert schließlich doch in Handlung, novellengemäß mit dem Charakter unerhörter Begebenheit.

Erste Handlung: Klaus Buch bändigt ein fliehendes Pferd, und zwar fachmännisch, indem er sich dem verschreckten Tier nicht frontal, sondern von der Seite nähert. »Einem fliehenden Pferd kannst du dich nicht in den Weg stellen. Es muß das Gefühl haben, sein Weg bleibt frei. Und: ein fliehendes Pferd läßt nicht mit sich reden.« (90) Helmut stimmt dem zu. Der Leser erinnert sich des Briefs, mit dem Helmut zu Anfang des Zusammentreffens mit Buchs die sich anbahnende Urlaubsbeziehung abzuwenden gedachte; der Brief wurde nicht vollendet, weil er »in einen Ton geraten [war], der das Wegschicken unmöglich machte«; unter anderem enthielt er die Sätze: »Ja ich fliehe. Weiß ich. Wer sich mir in den Weg stellt, wird ...« (37).

Zweite Handlung: Klaus und Helmut machen eine Segelpartie. Während des zunächst noch ruhigen Wetters entwickelt Klaus seinen Zukunfts-Plan: »die Brücken abbrechen und in eine neue Welt aufbrechen« (107); Helmut solle mitkommen auf die Bahamas:

»Ich finde einfach, wir sollten, bevor wir fünfzig sind, noch einmal vom Stapel laufen. Und ohne dich bin ich in Gefahr zu verblöden.« (110) »Wenn ein einziges Mal zwei Männer zusammenhülfen, würden sie einen ungeheuren Sieg erringen. Wenn jeder allein bleibe, müsse sich eben jeder auf seine eigene miese Art durchschwindeln [...].« (112)

Dann kommt ein schwerer Sturm auf. Klaus Buch ist in seinem Element (er benimmt sich »wie ein Rodeoreiter« [117]), kämpft mit riskanten, jedenfalls aber dem unerfahrenen Helmut Angst machenden Manövern gegen das Wetter, voller Lust dabei schreiend, lachend und singend, zwischendurch Helmut als feige und zimperlich scheltend. Und dann handelt Helmut, ein einziges Mal, unvermittelt, nach außen wie nach innen *wortlos*: »Als Helmut sah, daß die über Bord laufenden Wellen jetzt gleich ins Cockpit schlagen würden, stieß er mit einem Fuß Klaus Buch die Pinne aus der Hand. Jetzt passierte alles gleichzeitig. Das Boot schoß wieder in den Wind. Klaus Buch stürzte rückwärts ins Wasser.« (120)

Damit ist die Konfrontation, jedenfalls die regelgeleitete, zu Ende. Helmut, der Verteidigungs- und Flucht-Experte, dem es zuerst nicht gelang, der Konfrontation aus dem Wege zu gehen, und der dann gezwungen war, all seine entwickelten Verinnerlichungs- und Vermeidungs-Techniken, seine Reflexions- und Interpretationsgaben anzuwenden, um sich Klaus und Helene einigermaßen vom Leibe zu halten, dieser Helmut schlägt Klaus nun auf dessen eigenem Felde, im Augenblick von dessen größter Überlegenheit. Und zwar durch eine *unbedachte* Tat: »eine Sekunde [...] den Schein nicht geschafft« (129).

Das ist noch nicht die ganze Geschichte; sondern nur der Teil, auf den sich Walsers Schachspiel-(oder Fechtkampf-)Metapher sinnvoll beziehen läßt. Zweifellos ist es aber an dieser Stelle zunächst einmal eine Überlegung wert, ob der so gekennzeichnete (von Walser so emphatisch behauptete) Charakter der Novelle etwa dafür verantwortlich war, daß sie nicht nur Walsers bis dahin (und seither) größter künstlerischer Erfolg wurde, sondern auch sein größter Erfolg beim Publikum. Auch ohne empirische Überprüfung wird doch kaum jemand in Zweifel ziehen können, daß im Jahre 1978 die wichtigsten *Motive* der Novelle auf ausgesprochen fruchtbaren Boden fallen mußten (was dann aber nicht geeignet sein konnte, das Hauptaugenmerk auf die Schachspiel-*Struktur* zu richten). Eine ausgebreitete Diskussion über ›midlife crisis‹ beschäftigte damals alle Medien (und etwa nicht auch Menschen?) »Beziehungsprobleme« standen auf der Tagesordnung, und nicht nur in der Apo-Generation. Der Soziologie-Boom war längst durch einen Psychologie-Boom abgelöst; Identität/Subjektivität/Spontaneität/Kommunikation/Interaktion stand auf den neu umlaufenden Münzen; nicht mehr so gerne in Zahlung genommen wurden Gesamtgesellschaft/objektive Entwicklungstendenz/Organisation/Agitation/Klassenkampf.

In diesem Zusammenhang ein kurios-bezeichnendes Beispiel. Walser wurde in dem oben zitierten Gespräch von dem Moderator gefragt, was denn wohl diesen Helmut Halm, »der früher mal progressiv«, sogar klassenkämpferisch war, »zurückgetrieben hat« in seine Position hinter der Position. Walser antwortete: »Jetzt fragen Sie, im Buch steht nicht drin, warum ist er das nicht mehr. Ja fragen Sie sich doch – – warum Sie's nicht mehr sind!«[8] Man darf wohl unterstellen: ein klassischer Versprecher; der aber akzeptiert wird, weil er eine Wahrheit an den Tag bringt. Walser wollte offenbar sagen: da es im Buch nicht drinsteht, warum Halm nicht mehr progressiv ist, so fragen Sie sich doch, warum *er's* nicht mehr ist! Walser sagt aber: »fragen Sie sich doch, warum *Sie's* nicht mehr sind!«, worauf der Moderator reagiert: »Herr Walser, warum sind Sie's nicht mehr? Die Frage können wir uns immer gegenseitig zuspielen.« (Nur ein Reflex. Das Thema wird nicht aufgegriffen. Es soll uns auch hier nicht weiter beschäftigen. Aber:) Dieser kleine Dialog und die Art seines Zustandekommens belegen auf anschauliche Weise, daß *Ein fliehendes Pferd* mit dem, was das Werk thematisiert, und mit dem, was es ausspart (auf nichts anderes ist ja jener kleine Dialog samt Versprecher bezogen[9]), keineswegs zwingend »Vergleichsfragen« ausschließt. Nicht einmal »naturalistische«; denn unter Gesichtspunkten von ›public relations‹ und ›impression management‹ ist der unbedacht sekundäre Geschmack von Freiheit und Abenteuer, den Klaus Buch zu verkörpern sucht, nicht von vornherein anders zu veranschlagen als die bewußt sekundäre Attitüde der Gelassenheit, um die sich Helmut Halm quälend bemüht. Unmittelbarkeit ist weder durch Striktheit noch durch Verrenkungen zu haben. Und dies gilt eben auch für das Verhältnis zum eigenen Wandel; insofern ist Walsers Versprecher eine augenblicklich-unbewußte, aber ganz konsequente Radikalisierung dessen, was er sagen wollte. Zugleich freilich wendet dies sich gegen seine These von den ausgeschlossenen »Vergleichsfragen«. »Ja, fragen Sie sich doch, warum Sie's nicht mehr sind!« – *naturalistischer* kann man nicht fragen.

Ein letzter Hinweis: auch auf das Thema »Flucht«, »Aussteigen« war das Publikum 1978 sehr gut vorbereitet. Und wenn in der Diskussion, in der ein professioneller Auswerter aktueller psychischer Trends, Horst Eberhard Richter, die beiden Hauptfiguren der Novelle als zwei Grundtypen von Flucht-Reaktionen klassifiziert, Walser seinerseits darauf besteht, es könne »auch in jedem Menschen beides vorhanden« sein, es könne dies »in einer Person stattfinden«, ja, dies sei wohl sogar »das Normale«, dann trägt er damit zwar ein plausibles Argument gegen den Widerspiegelungscharakter, die 1:1-Abbildrelation je einer der Figuren vor, zugleich aber legt er doch eine realistische Interpretationsmöglichkeit von allgemeinstem Anspruch nahe (weil *jeder* das nachvollziehen können sollte: »das Normale«): zweifellos auch nicht gerade eine willkürliche »Vergleichsfrage«. Was der Leser in sich an Vergleichbarem aufspüren mag, sind eben nicht *dunkel* entsprechende Motive und Tendenzen oder *komplizierte* Brechungen und Vermittlungen der in der Novelle exponierten Grundtypen, sondern *richtige Abziehbilder*: sie wären die Realität und »das Normale«.

Dieser Folgerung kommt erst recht Bedeutung zu, wenn man ernst nimmt, daß Walser, wie er sagt, an die Möglichkeit, daß »auch in jedem Menschen beides vorhanden ist«, beim Schreiben *nicht* gedacht hat; das sei vielmehr Lesern und Kritikern »eingefallen«. Baumgart war sogar noch einen Schritt weiter gegangen, wenn er vermutete, »daß Walser mit Halm kontra Buch ein Spiel gegen sich selbst spielt. Indem er sich auf das scheinbar Allerprivateste einläßt, auf zwei ihm gleich naheliegende Fluchtmöglichkeiten aus dieser Gesellschaft, kommt etwas ganz und gar Politisches zum Vorschein [...]«.

Halten wir fest: ein Kritiker nimmt an, der Autor habe sich auf »zwei ihm gleich naheliegende« Konzepte eingelassen, woraufhin der Autor sagt, er habe beim Schreiben nicht einmal daran gedacht, daß beides in einem Menschen vorhanden sein könne; jedenfalls aber stütze dies seine These, daß die Figuren der Novelle nicht jeweils eine realistische Entsprechung haben, zumal er sie ja bloß auf einer Art Schachbrett »gegeneinander gehetzt« habe; während andererseits diese Konfrontation doch wohl in jedem Menschen das Normale sei. – Auf der so in den Blick kommenden Ebene der *logisch-psychologischen* Entfaltung des Widerspruchs wird eine Bedingung der *literarischen* Rezeption der Novelle deutlich: daß der Leser sich bereitfindet, Helmut und Klaus nicht *unvermittelt* als *die anderen* aufzufassen (sie im Vergleich mit *anderen* stillzustellen), aber auch nicht *in sich selbst indirekte und vermittelte* Ähnlichkeiten aufzuspüren (sie als fiktionale Individuen etwa nur karikaturistisch aufzufassen), sondern *tatsächlich* Klaus und Helmut in sich aufzusuchen. Dann erst hat es psychologisch *und* literarisch seine Richtigkeit.

Joachim Kaiser bezweifelt das in mehreren Hinsichten. Zum einen stellt er eine Asymmetrie fest, die sich im Verhältnis zwischen Helmut und Klaus ergebe und die gerade das Novellistisch-Dramatische störe: »Walser erzählt, indem er entweder die Perspektive seines Helden [Helmut Halm] einnimmt und mitteilt, was Halm sieht. Oder, indem er Halm direkt sprechen läßt. Wenn etwas Ungesagtes, nur Gedachtes oder Kommentierendes erwähnt wird, dann sind es Halms Gedanken, Beobachtungen, Kommentare, Empfindungen.«

Zum anderen sagt Kaiser, er könne nicht sehen, »was diese Mitteilungen über die Hauptfigur, deren Fluchtversuch, deren totalen Rückzug ins Private wir voller Sympathie [beobachten], eigentlich bedeuten«. Der letzte Punkt dürfte durch Walsers »Fragen Sie sich!« erledigt sein. Und seine spitze Replik erscheint hier um so mehr am Platze, als ja nicht etwa Unverständnis, sondern Sympathie des Lesers gegenüber Helmut vorausgesetzt ist.

Jedenfalls bestätigt sich gerade an der kontroversen Einschätzung des Identifikationsangebots ein Konstruktionsmerkmal der Novelle: der außerordentlich präzisen inneren Struktur entspricht eine unerwartete Offenheit der Interpretationsmöglichkeiten.[10] Diese Feststellung erhielte gewiß noch mehr Gewicht, wenn Kaiser mit seinem ersten Kritikpunkt, der Behauptung einer Asymmetrie, Unrecht hätte. Versuchen wir deshalb, diese zu widerlegen.

Die Novelle endet ja nicht mit jenem Höhepunkt der (Kurzschluß-)Handlung, die das Interaktionsnetz zerreißt. Es folgen drei Erzähl-Sequenzen, deren erste ganz der Psychologie Helmuts, deren zweite ganz der Psychologie Klaus' (und Helenes) gewidmet ist und deren dritte eine reflexive Bewegung auf die Gesamtkonstruktion einleitet.

– Zunächst unterliegt Helmut nach seiner »Tat« – und solange Klaus noch vermißt wird – einer euphorischen Fluchtreaktion in die ihm ungewohnte Richtung: »Er mußte sich rühren.« – »gib zu, du wirst nicht fertig damit, dein Gedächtnis bedient dich wie noch nie« – »Laß uns auch einmal opportunistisch sein, Mensch.« (129/130) Helmut und Sabine kaufen Trainingsanzüge und Fahrräder: »Das ist der richtige Anfang. Wie das läuft.« (131) Und Helmut entschlüpft gelegentlich eine typische Klaus-Buch-Redewendung.

– Dann kommt Helene zu einem Gespräch. Spiegelverkehrung: Helene raucht, trinkt einen Calvados nach dem anderen und erzählt die Wahrheit über Klaus Buch: »Er hat nicht viel gehabt von seinem Leben, sagte sie. Es war nichts als eine Schinderei. Jeden Tag zehn, zwölf Stunden an der Maschine. [...] Ihm ist alles, was er getan hat, furchtbar schwergefallen. Deshalb hat er ja rundum den Eindruck verbreitet, er arbeite überhaupt nicht; was er mache, mache er nur aus Freude an der Sache, mühelos. Ja, mühelos, er wollte mühelos erscheinen. Und dann immer das Gefühl, daß alles, was er tue, Schwindel sei.« (136) »Wir hätten natürlich nicht die geringste Aussicht gehabt, auf die Bahamas zu ziehen. Wir konnten uns ja kaum so einen Urlaub hier leisten. Er hat auch im Hotelzimmer jeden Tag noch gearbeitet.« (137) »Er war eben fertig. Fix und fertig. Deshalb hat er sich doch so gefreut, daß wir euch getroffen haben.« (139) »Helmut, du weißt nicht, wie glücklich Klaus war, weil er dich getroffen hat. [...] An dir, das hat er gespürt, an deiner ruhigen, festen Art, hätte er gesund werden können. Das hat ihm gefehlt, deine Vernunft, deine Ausgeglichenheit, die innere Ruhe.« (143)

– Schließlich erscheint Klaus doch wieder. Helene und er verlassen die Halms, ohne daß ein weiteres Wort gewechselt wird, ja ohne daß sich die Blicke von Helmut und Klaus noch einmal treffen. Sabine und Helmut ziehen die Trainingsanzüge wieder aus. Helmut drängt auf Abreise und verspricht, Sabine im Zug »alles« zu erzählen. Sabine protestiert. Helmut benutzt ein letztes Mal seine Formel: »Ach du. Einziger Mensch. Sabine. Sagte er. – Hör auf, sagte sie. – Richtig, sagte er, im Zug, Sabine, im Zug.« (149) Das heißt also: im Zug wird er »aufhören«, denn im Zug wird er anfangen zu »erzählen«.

Die Novelle endet, im Zug: »Jetzt fange ich an, sagte er. Es tut mir leid, sagte er, aber es kann sein, daß ich dir alles erzähle von diesem Helmut, von dieser Sabine. – Nur zu, sagte sie, ich glaube nicht, daß ich dir alles glaube. – Das wäre die Lösung, sagte er.

Also bitte, sagte er. Es war so: Plötzlich drängte Sabine aus dem Strom der Promenierenden hinaus und ging auf ein Tischchen zu an dem noch niemand saß.« (151) Das ist die buchstabengetreue Wiederholung des Satzes, mit dem die Novelle beginnt.

Nun zu Kaisers Haupteinwand. Ist denn nicht der *nachgetragene* Blick hinter die Kulissen des Klaus Buch samt der *nachgetragenen* Feststellung, daß Helmut bis zuletzt für Klaus und Helene als ein Mann der »inneren Ruhe« gilt, von viel zwingenderer strukturbildender Wirkung, als es ein gleichzeitiger (parallelgeführter) Einblick je hätte sein können? Jedenfalls geht von dieser Nachträglichkeit ein Zwang zum Rückblick, zur Umdeutung aus, der es wagen kann, in einer (für Novellen, Erzählungen) beispielloser Weise dem Leser die Verantwortung für die Rekonstruktion des Zusammenhangs bis ins einzelne Detail zu übertragen. Dabei handelt es sich um mehr als das Lösen eines Rätsels oder die Anwendung eines Schlüssels. Der strukturbildende Rückblick des Lesers beseitigt die Asymmetrie des Handlungsaufbaus und der Erzählperspektive und vertieft damit zugleich die Kluft zwischen der Präzision des Dargestellten und der Offenheit des Ausgesparten. Dieser Rückblick sollte auch in der Lage sein, »Asymmetrien« zu beseitigen, wie z. B. Kaisers Annahme, Helmut entspreche auf sympathische Weise den Fluchtphantasien der Leser, während Klaus nur als Trottel dargestellt sei.[11]

Dies ergibt sich vor allem daraus, daß – im Rückblick – sich die Gemeinsamkeiten von Helmut und Klaus aufsummieren, bis sie den so sorgfältig wie vielfältig entwickelten Unterschieden völlig gleichwertig sind.

Jedenfalls sind am Ende beide durchsichtige Repräsentanten der gesellschaftlichen Produktion von Schein im doppelten Sinne: als solche, die etablierte Standards, Normen, Verhaltensweisen nach außen zur Geltung bringen und zugleich den daraus resultierenden persönlichen Konflikt im Innern begraben. Beide verarbeiten die Diskrepanz auf achsensymmetrisch entsprechende Weise; so daß sie zusammengenommen geradezu ein Rorschach-Testbild des Kleinbürgers ergeben.

Schließlich bewirkt die nachträgliche Aufklärung über Klaus eine Gleichgewichtung durch die doppelte Zirkelbewegung, mit der dem Leser einerseits nahegelegt wird, das bis dahin aus der Perspektive Helmuts Erzählte im neuen Licht zu sehen, und andererseits, sich die Geschichte aus der Perspektive von Klaus auszudenken (z. B. das *ausgesparte Selbstgespräch* dessen, der von Helmut fälschlich für einen ungebrochenen Erfolgsmenschen gehalten wird und der seinerseits Helmut fälschlich wegen dessen innerer Ausgeglichenheit bewundert).

Das ist auch erzähltheoretisch ein bedeutsamer Fall: Erzählt wird aus der Perspektive einer Figur; die Korrektur dieser Perspektive aber wird weder durch die Perspektive einer anderen Figur noch durch die eines überlegenen Erzählers bewirkt, sondern dadurch, daß dem Leser schließlich Informationen gegeben werden, die sich wie die Anleitung zur Konstruktion eines anderen Erzählstandpunkts lesen lassen, von dem aus der Leser das in der erzählten Geschichte Ausgesparte selbst folgerichtig entwickeln kann; nicht beliebig also – aber das so präzise wie komplexe System interner und externer Verweisungen ist nachträglich noch einmal in Bewegung zu bringen.

Eine Zirkelbewegung ist gekennzeichnet durch Wiederholung und Unabgeschlossenheit zugleich. Das ist der Grund, weshalb die Figuren der Novelle ebensowohl individuell wie anonym sind, weshalb sie in der Erzählwelt so genau funktionieren wie in der Vorstellungswelt des Lesers. Helmut und Klaus leben ja selbst buchstäblich von der Zirkelbewegung: *sie wiederholen sich ohne Ende.* Helmut sagt sich im Grunde immer wieder dasselbe, Klaus tut im Grunde immer nur dasselbe; sie treten auf der Stelle, als wollten sie sich dadurch des festen Stands versichern. Sie insistieren auf ihrer je spezifischen *einen* Erfahrung (und der je trainierten Art ihrer Verarbeitung), deren Perpetuierung, deren gepflegte Penetranz an die Stelle aller anderen möglichen Erfahrungen tritt.

Auch als *Prototypen* stehen sie für das typengleiche, das stereotype, massenhafte, serienmäßige Vorkommen: endlose Wiederholung. Und schließlich ist auch in ihrer Beziehung zueinander, der unendlichen Spiegelung, keine andere Struktur bestimmend – ein perpetuum mobile der Variationslosigkeit. Diese Homologie ist es, die *in der Form* Baumgarts inhaltlichen Befund beglaubigt, hier sei das Allerprivateste zum ganz und gar Politischen geworden.

Dies führt zurück zu den poetologischen Fragen, die Walser in jenem Gespräch über *Ein fliehendes Pferd* aufwarf. Erfahrung, Zeitbewußtsein und Präzision sind schon immer programmatische Voraussetzungen Walsers gewesen (darin liegt ein Grund dafür, daß er stets von seiner eigenen »kleinbürgerlichen Erfahrung« ausgeht: ein von Hemingway verfaßter Dialog neapolitanischer Hafenarbeiter ist für Walser grundsätzlich »Hemingway in Neapel«[12]). Bereits aus diesen Voraussetzungen ergibt sich für Walser per se (d. h. unabhängig von der »Tendenz« der Darstellung) eine kritische Wirkung: nämlich erstens über die Vergewisserung hinaus auf jeden Fall eine Distanzierung, im besten Falle sogar eine Selbst-Behauptung oder Veränderung. Verstärkt wird Walsers Hoffnung auf diesen »Automatismus« der kritischen Wirkung durch die Überzeugung, daß Kleinbürger-Erfahrung immer Mangel-Erfahrung ist. Diese Überlegung hat Walser auch zur Rechtfertigung seiner Novelle ins Feld geführt – auf die Frage nämlich, ob er, was die Genese des Verhaltens seiner Figuren oder auch dessen Bedeutung oder Bewertung angeht, so *zurückhaltend* habe sein müssen: »Nach meiner Meinung genügt es, wenn ein Buch einen Mangel lebhaft macht; dann wird der Leser seine ganze Positivität einsetzen, um diesen in der Literatur ausgebreiteten Mangel zu beantworten, in seinem Leben aufzuheben. Es wäre natürlich lächerlich, wenn ein Autor [...] glaubte, in das Leben eines Lesers in dieser Weise hineinpfuschen zu dürfen, daß er ihm auch nur im geringsten positiv kommt.«[13]

Von daher versteht sich nicht nur die formale Anlage des Buchs, wie sie im Motto ausdrücklich mit dem »Entweder/Oder« Kierkegaards angekündigt wird: »Ich sehe es für ein Glück an, daß in solcher Hinsicht diese Papiere eine Aufklärung nicht gewähren.« Auch für das Inhaltliche wird plausibel, weshalb es bei der verschränkten Alternative Helmut/Klaus bleibt. Die »Papiere« über Helmut und Klaus gewähren gewiß keine Auskunft darüber, ob »der eine den andern überzeugt«; mehr noch: soweit sie »die Anschauung für sich sprechen« lassen, mag sich der Leser von keinem der beiden Konzepte überzeugen lassen. Es gibt aber auch *kein Drittes* (kein dargestelltes und kein ausgespartes). Wie denn sollte das mögliche »Positive« aussehen? Bruchlose Übereinstimmung von Sein und Schein? (Natürlich nicht mit anderen Figuren durchgeführt, Heiligen etwa oder Ignoranten, sondern mit Helmut und Klaus.) Klaus, aber mit Kopf und Körper Helmuts, infolgedessen verbittert und verängstigt, vor Selbsthaß krank und offensichtlich heruntergekommen? Helmut, umgekehrt, mit sinnenfrohem Blick die Brüste seiner Schülerinnen fixierend und mit großer Ausgeglichenheit das Gegenteil dessen unterrichtend, was er denkt? Wäre das realistischer, aufklärerischer? Führte das weiter?

Es brächte in letzter Konsequenz zwei literarisch-epochal charakeristische Typen kleinbürgerlicher Weltbewältigung hervor, die Walser seit langem im Visier hat und erst kürzlich, in seinen Frankfurter Vorlesungen, als fatal traditionsbildende Muster untersucht hat: den Kleinbürger mit der präpotenten Ironie des immer schon Überlegenen (Ironiker) und den Kleinbürger mit der perversen Utopie einer allerletzten Überhebung durch vollständige Preisgabe ironische Existenz).[14] Dem entsprechen Helmut und Klaus gerade *nicht*. Klaus hat z. B. noch Hoffnung auf das, was ihm am wenigsten gelingt: einverstanden zu sein mit sich selbst; und er hält Helmut wirklich für ein Korrektiv. Helmut hat z. B. noch Hoffnung auf die Verhinderung dessen, was ihn am tiefsten trifft, die Verletzung seiner Frau; und er kann noch Neid empfinden.

Beide sind, trotz ihrer je eigenen Ausprägung als fast perfekte Produkte und Produzenten des Scheins, *zugleich* Ironiker und ironische Existenzen. Also unglücklich. Aber so tragen sie, anders als der reine Ironiker in seiner kranken Gerettetheit und anders als die ironische Existenz in ihrer heilverbürgenden Untergangssucht, wenigstes noch einen Keim möglichen Glücks in sich. Das hat natürlich auch darin seinen Grund, daß ihnen zugleich die tradierten Techniken der Ironie *und* ein Begriff dessen, was sie, als Kleinbürger, sind, zu Gebote stehen. Insofern ist ihr unglückliches Bewußtsein ein gebrochenes – und *dessen* sind sie sich immerhin bewußt: wie anders soll man verstehen, daß der eine sich dauernd einredet, er sei ein Kleinbürger, jawohl, und er sei »stolz darauf« (96), und der andere dauernd beteuert, nichts fürchte er mehr, als ein Kleinbürger zu werden.

Angesichts der in der literarischen Tradition breit angelegten und gut markierten Auswege – und angesichts der von Walser ebenfalls seit langem kritisch ins Auge gefaßten neueren Alternative der »Operette, ob in Rosa oder Schwarz«[15], blieb in der Novelle allenfalls noch der allerneuesten literarischen Stimmung Rechnung zu tragen: dem (selbst-)therapeutischen Wahn, der das Glück der gelingenden Kommunikation unter allen Umständen, gegen alle Umstände, zwingen will: gleichgültig, ob er sich damit ins Ensemble einer Operette einfügt, oder ob er sich damit eben im Zwischenbereich kleinbürgerlicher Identitätsreflexion, jener Ausstattungsorgie der Selbstvergewisserung, einen Dialogpart sichert.

Gewiß sind die Hauptfiguren von vornherein so angelegt, daß diese Möglichkeit nirgendwo als tragfähig erscheinen kann: Helmut möchte am liebsten überhaupt nicht reden, schon gar nicht über sich; Klaus spricht pausenlos, und zwar ausschließlich über sich. Doch gewittert die Möglichkeit der therapeutischen Aussprache hie und da am Horizont: z. B. in dem Gespräch zwischen Helmut und Sabine, in dem Helmut doch einmal etwas preisgibt, in dem er sich doch einmal der Möglichkeit, verstanden zu werden, öffnet. »Laß uns beim Falschen bleiben. Warum, fragte sie. Ich weiß es nicht, sagte er. Aber, sagte er, es sei noch nie so notwendig gewesen, beim Falschen zu bleiben, wie jetzt. Das Falsche ist das Richtige. Heute abend, Bine. Heute nacht. Wenn sie einander heute nahekämen, dann dächte sie an Klaus und er an Helene, und das sei für ihn eine Vorstellung, die ihn abrüste. Idiot, sagte sie. Ja, sagte er. Alleskaputtmacher, sagte sie. Ja, sagte er.« (104)

Die Struktur dieses Gesprächs dominiert jeglichen inhaltlichen Aspekt (etwa den, daß Helmut durch das Aussprechen eines Gedankens, der ihn »abrüstet«, das »kaputtmacht«, wozu sich Sabine gerade durch den unausgesprochenen Gedanken angeregt fühlte). Helmut, der theoretisch das Falsche favorisiert, sagt hier das Richtige, und es wird ohne sein Zutun falsch. Dieses Gespräch, mit dem Helmut sich am weitesten von seiner Wunschvorstellung, mißverstanden zu werden, fortwagt, bringt ein um so tieferes Mißverständnis hervor. Die Erfahrung mit der unfaßbaren Beliebigkeit, dem Vexierbild-Charakter solcher Kommunikationsstrukturen mag man sogar als einen der Gründe für Helmuts Programm der Reglosigkeit auffassen, nach deren genetisch-psychologischer Plausibilität Kaiser so dringlich fragt. Daß dies aber gerade *nicht* »hergeleitet«, etwa biographisch untermauert wird, sondern im Sinne der Novellentechnik »gesetzt« (und nur durch die Binnenstruktur gestützt und gehalten) wird, drängt folgerichtig den Gesichtspunkt individueller Entwicklung, lebensgeschichtlicher Logik zurück – zugunsten des Aspekts der Allgegenwart jener Unsicherheit, die niemand von sich tun kann, mit der sich Helmut und Klaus nur auf verschiedene Weise einrichten. Sie wirkt sich gleichwohl – da es keine andere Einrichtung als eine *behelfsmäßige* geben kann – psychologisch in beiden als objektive Beliebigkeit aus. Dabei ist sie keineswegs nur eine Folge der nicht fixierbaren wechselseitigen Unterstellung von Intentionen oder des Umdeutungsspielraums in der Kommunikation: vgl. die Szene, in der Helmut Sabine vorschlagen möchte, sich auszuziehen und im See zu schwimmen, dies aber nicht tut, weil er »fürchtete, Sabine werde diesen Vorschlag für eine Wirkung dieses Klaus Buch halten« (35)

Die Beliebigkeit dringt tief ins persönliche Urteil, in den Motivhorizont des Handelns ein. Helmut hat das Rauchen in Anwesenheit der abstinenten Buchs »nicht mehr so geschmeckt, wie sonst«; aber er kann völlig plausibel behaupten, »seine Zigarren hätten ihm noch nie so gut geschmeckt« wie in dieser Situation (35). Es ist ganz gleichgültig, was er empfindet – und was er dazu, den Sachverhalt verkehrend, ausführt –: *das Umgekehrte* ist jedenfalls immer genauso »richtig«. (Und, zugleich eine Zwischenfrage an die fachlich Zuständigen: Kann man wirklich entscheiden, ob es plausibler ist, wenn Klaus, dem alles schwerfällt, es *auch* schwerfällt, eben dies zu verbergen, oder wenn er sich die auf den Plakaten gut greifbaren Klischees derer borgt, denen alles leichtfällt?)

Trotz des also auch im Hinblick auf die Chancen der Kommunikation glatt verweigerten »Positiven«, trotz dieser wohl erwogenen Ausweglosigkeit endet die Novelle nicht trostlos. Allerdings bietet sie keine interne, ausgeführte »Lösung«, auch nicht, nachdem Helmut und Klaus einander durchschaut haben. Man erfährt immerhin von Helenes Entschluß, sich freizumachen von den Ansprüchen, die Klaus an ihre Mitwirkung bei der Image-Pflege stellte; aber man erfährt nicht mehr als eben den (beim Calvados gefaßten) Entschluß. Klaus ist nach dem Erlebnis auf dem Boot erschüttert; aber man kann nicht sagen, ob nachhaltig (seine Kulisse kann schon im Nachbar-Badeort nach außen hin wieder Geltung haben – und das Ertragen des inneren Widerspruchs gehört ja zum erprobten Konzept).

Anders bei Helmut, notwendigerweise: ihm haben sich die Kulissen im Äußeren wie im Inneren verschoben (er hatte, nach der spontanen »Tat«, die Attitüden Klaus' übernommen und mußte sie nach kurzer Zeit wieder aufgeben).

Die Novellenhandlung endet für Klaus und Helene mit einem Doppelpunkt; für Helmut und Sabine endet sie am Anfang. Helmut gibt die *endlose* Wiederholung auf – zugunsten einer *einmaligen*. Er gibt das *Selbstgespräch* auf – und fängt an, *davon zu erzählen*. Das selbsttherapeutische Gemurmel weicht (keiner analytischen Durchdringung oder gar Lösung, aber:) einer faßbaren Struktur; an die Stelle des vergangenheitslosen, hermetisch-immunen Endgültigkeitswahns tritt die riskante Offenheit der Erinnerung und des Erzählens (Helmut: »es kann sein, ich erzähle dir alles«, Sabine: »ich glaube nicht, daß ich dir alles glaube« [151]). So wird die Konstruktion der Novelle zum Projekt einer persönlichen Haltung.[16]

Auch dieser letzte Zirkel ist genau geschlagen. Mit ihm wird die Identifikationsproblematik aufgehoben; die Fragen, wieviel vom Autor mit Helmut identisch sei, inwiefern sich der Leser mit Helmut identifiziere, sind buchstäblich überholt.

Darin liegt wohl das größte Raffinement des Textes; Helmut wird nämlich – umgekehrt – *mit dem Autor und dem Leser identisch gemacht:* Helmut beginnt die Geschichte zu erzählen, die der Autor geschrieben und die der Leser gerade zu Ende gelesen hat.

Anmerkungen

1 Martin Walser, *Mein Weg zur Rose* (Über eine Lese-Reise), in: *Börsenblatt des deutschen Buchhandels,* Nr. 91, 14. November 1978, S. 2321 bis 2329; S. 2327.

2 Marcel Reich-Ranicki, *Martin Walsers Rückkehr zu sich selbst,* in *FAZ,* 4. März 1978.

3 Joachim Kaiser, *Martin Walsers blindes Glanzstück. Funktion und Funktionieren der Novelle »Ein fliehendes Pferd«,* in: *Merkur* 1978 H. 8, S. 828–838.

4 Auch Reich-Ranicki nennt den ökonomisch-konstruktiven Aspekt (»mag an ein naturwissenschaftliches Experiment erinnern«); seine Zustimmung freilich gründet deutlich auf dem zugehörigen »aber«: »Aber diese Prosa ist niemals kalt [...]«; »zwei Hauptfiguren von großer Überzeugungskraft, beide übrigens mit Humor und Mitleid gezeichnet« (a. a. O.).

5 Reinhard Baumgart, *Überlebensspiel mit zwei Opfern,* in: *Der Spiegel,* 27. 2. 1978.

6 Diskussionsbeitrag von Martin Walser in der Sendung »Literatrubel« (Aufzeichnung einer literarischen Talkshow in der Hamburger Markthalle) am 2. 7. 1978; Moderator: Dieter Zilligen. (Transkription des Verfassers.)

7 Einfache Zahlen bedeuten im folgenden Seitenangaben zu *Das fliehende Pferd,* Frankfurt (Main) 1978.

8 Vgl. Diskussionsbeitrag.

9 Es liegt übrigens nichts daran, ob es sich, was wir natürlich nur vermuten können, um einen Versprecher handelte oder um eine blitzschnelle rhetorische Wende. Es kann in jedem Falle bei den Folgerungen bleiben.

10 Vgl. Reinhard Baumgart: »die geschlossene und entschlossene Dramaturgie der Novelle und die Offenheit, Rätselhaftigkeit ihrer Resultate

hängen unmittelbar voneinander ab«.

Die Komplexität der internen Verweisungsmöglichkeiten (die ja auch Kaiser nicht bestreitet; vgl. »Determinationsuhrwerk«, »Erzählkosmos«) führt übrigens dazu, daß in dem vorliegenden Beitrag nicht im entferntesten alle relevanten Beziehungen thematisiert werden können. Es gibt wenige Prosaarbeiten vergleichbaren Umfangs, in denen es so genau möglich und notwendig ist, fast jeden einzelnen Satz auf die Gesamtkonzeption zu beziehen. Man mag das »virtuos« nennen. (Dilemma der literarischen Kritik, wie es gelegentlich von Marcel Reich-Ranicki gekennzeichnet wurde: sagt einer, das funktioniere bewundernswert präzise wie ein Uhrwerk, so wird wohl ein anderer entgegenhalten: eben, das funktioniere doch bloß wie ein Uhrwerk. – Stehe da jeder für seine Maßstäbe ein. Aber, in diesem Falle, sehe er sich auch in der deutschen Gegenwartsliteratur um und entscheide, wie oft er in die Lage kommt, einem Werk Virtuosität vorzuwerfen.)

11 Vgl. im Gegensatz dazu Reinhard Baumgart: »Sympathisch mag [Halms] kühle Schneckenhaus-Philosophie nicht sein, aber sie wird einfühlbar. Während die von seiner Optik bestimmte Erzählweise auch den Leser immer tiefer in Ungeduld, ja in eine Aggression gegen den schwadronierenden Lebenssportler Buch hineindreht. Macht es sich Walser mit dieser fühllosen Einseitigkeit nicht doch zu leicht? Am Ende gibt er diese Frage an uns und unseren Kronzeugen Halm zurück.«

12 Klaus Konjetzky, *Gespräch mit Martin Walser*, in: *Weimarer Beiträge* 21 (1975), H. 7, S. 83. Vgl. ebd., S. 81/82: »Man kann eben das, wozu man kommt, nicht mit Hilfe von besitzbarer Parteilichkeit erringen, sondern indem man eine unermüdliche Tendenz zur Genauigkeit oder zur Radikalisierung von Erfahrungen entwickelt. [...] Ich werde nicht fertig werden im Gebrauchmachen meiner Erfahrungen, nämlich meiner kleinbürgerlichen Erfahrung.«

13 Vgl. Diskussionsbeitrag.

14 Dazu jetzt ausführlich: Martin Walser, *Selbstbewußtsein und Ironie. Frankfurter Vorlesungen,* Frankfurt (Main) 1981. – Eine Reihe der in den Vorlesungen entfalteten Thesen hat Walser schon früher gelegentlich angedeutet; so auch die hier herangezogene: »bei den einen Ausbildung der Ironie zum beherrschten Mittel gefälliger Darstellung und Verklärung des eigenen Ich; bei den anderen Ironie als Mittel zur immer genaueren Vernichtung des eigenen Anspruchs« (Martin Walser, *Rascher Überblick über unser Vermögen,* in: *Basis 5,* Frankfurt/Main), 1975, S. 133).

15 Martin Walser, *Rascher Überblick...,* S. 133.

16 Es sei wenigstens angedeutet, wie sich dies auf Walsers schriftstellerisches Selbstverständnis rückbeziehen läßt. Helmut wird die Novelle (noch einmal) erzählen. Er wird den »Mangel lebhaft machen«. Er ist in Analogie zum Schriftsteller gesetzt und wird demnach Erfahrungen

machen, die Walser so beschrieben hat: »Ich halte es immer noch für möglich, daß einer schreibt, weil es ihm sonst zu viel wird, weil er die Schnauze voll hat, weil es ihm jetzt allmählich reicht, weil er sich nicht mehr anders helfen kann, weil er sonst nicht mehr weiter weiß. [...] Aber diese anfängliche Spontaneität geht rasch über in einen Arbeitsprozeß. Die sich vom Schreibenden entfernenden Sätze stehen ihm gegenüber. Je mehr von ihm selber da steht, desto mehr muß er sich in der Folge danach richten. Es gibt ein Hin und Her zwischen ihm und dem Geschriebenen. Er erfährt durch das Schreiben mehr von sich, als er wußte.« (Martin Walser, *Wie und wovon handelt Literatur?*, in: *Kürbiskern* 1972, H. 3, S. 398)

Klaus Siblewski
Die Selbstanklage als Versteck

Zu Xaver und Gottlieb Zürn

I.

Seit sich Anselm Kristlein auf seiner wilden Flucht aus München an den Bodensee gerettet hat, verlassen Walsers Romanfiguren diese Region nur noch, wenn es sich aus beruflichen Gründen nicht vermeiden läßt. Freiwillig, aus eigenem Entschluß, entfernt sich niemand aus dieser Gegend. Xaver Zürn, der Chauffeur von Dr. Gleitze, ist zwar viel auf Reisen, er gehört aber nicht zu denen, die gerne aufbrechen. Sobald er hinter sich gelassen hat, was ihn an seine gewohnte Lebenswelt erinnert, seine Frau, seine Kinder, die ganze vertraute Umgebung, beginnt er sich nach seiner Wrigatsweiler Welt zu sehnen. Darin ist ihm Gottlieb Zürn verwandt. Er ist froh, wenn er sich auf der Heimreise befindet, wenn schon die Landschaft ihm signalisiert, daß er sich Überlingen, seinem Haus am Bodensee nähert.

Mit so viel Verbundenheitsgefühlen, mit so viel Anhänglichkeit an einen Ort hat Martin Walser noch keinen seiner Romanhelden ausgestattet. Anselm Kristlein beispielsweise konnte es sich nicht leisten, eine ausgeprägte Zugehörigkeit etwa zu Stuttgart oder zu München zu entwickeln, zu pflegen. Er stand unter dem Zwang, pausenlos aktiv sein zu müssen, der Eindruck, nicht beteiligt zu sein, etwas zu verpassen, stellte sich bei ihm leicht ein. Daran litt er.

Von dieser Beweglichkeit hat Martin Walser seinen neuen Figuren, den beiden Zürns, nichts mehr mit auf den Weg gegeben. Sie halten es zwar aus, vor dem Fernsehapparat zu sitzen und mit anzusehen, wie andere, Westernhelden, kämpfen, sich planvoll und unerschrocken durchsetzen. Sie nehmen sich mehr zurück, bescheiden sich eher, und nicht nur, weil die einstigen Aufstiegssymbole ihren Glanz verloren haben. Trotzdem sind sie nicht konservativer, provinzieller geworden. Walser und mit ihm die Zürns haben nicht damit begonnen, ihre Ansprüche an sich und an die, mit denen sie zusammenleben, herabzusetzen: ihre Empfindlichkeit für Situationen, in denen sie übergangen werden, ist ungebrochen.

Das macht Walser gleich zu Anfang mit einem Bild deutlich, das er seit der *Halbzeit* immer wieder variiert. Xaver und Gottlieb Zürn finden nur mühsam in ihren Alltag: »Xaver griff nach dem leisen, unerträglichen Weckergeräusch und stellte es ab. [...] Xaver spürte, wie es ihn zusammenzog.«[1] »Als Gottlieb Zürn aufwachte, hatte er das Gefühl, er stehe auf dem Kopf.«[2] Mit solchen Schwierigkeiten wacht nur eine Romanfigur auf, die in Uneinigkeit mit sich und der Außenwelt lebt, die weiß, daß sich über Nacht, also automatisch, die Kluft zwischen den eigenen Wünschen und den Chancen, sie zu verwirklichen, nicht verringert haben wird. An den Gedanken aufzustehen, nun wieder den üblichen Verrichtungen nachzugehen, müssen sich die Zürns erst gewöhnen, Widerstände sind zu überwinden.

Reale Anlässe, sich an der Wirklichkeit zu stoßen, ihr auszuweichen, gibt es in Martin Walsers letzten beiden Romanen, in der *Seelenarbeit* (1979) und im *Schwanenhaus* (1980), genügend. Stärker als je zuvor ist es immer wieder eine Erfahrung, an der Martin Walser seine Zürn-Figuren sich unaufhörlich reiben, die sie nicht zur Ruhe kommen läßt: die Erfahrung der Abhängigkeit. Stets von neuem bringt Martin Walser seine Hauptfiguren in Situationen, in denen sie erleben, daß nicht das, was sie sich vorstellen, daß nicht ihre Bedürfnisse zählen. Eindeutig gehören sie zu den Unterlegenen, ihnen bleibt nichts übrig, als sich nach dem Willen anderer zu richten.

II.

Viele formale Gestaltungsmöglichkeiten bleiben Walser nicht, die Unterlegenheit der Zürns darzustellen und zu beschreiben, wie sie mit ihrer Abhängigkeit umgehen. Das soziale Milieu, dem sie entstammen, beschränkt ihn in der Wahl seiner Mittel. Von ihnen ist nicht zu erwarten, daß sie offen rebellieren, dazu sind sie zu zurückhaltend. Sie sind Kleinbürger, die es nicht gelernt haben, viel zu wagen. Sie suchen nach Sicherheiten, nach beruflichen und gefühlsmäßigen. Was sich an Auseinandersetzungen ereignet, spielt sich in ihrem Inneren ab. Von ihrem Unbehagen dringt nur wenig nach außen, schamvoll, sorgsam wird es verborgen.

Um von dieser abgekapselten Erlebniswelt genügend mitzube-

kommen, folgt Walser seinen Figuren, rückt nahe an sie heran, notiert einfühlsam jede Regung, jeden Gedankenfetzen. Innerer Monolog, Rückblenden, indirekte Rede – diese Stilmittel helfen ihm,
die Erinnerungsbruchstücke, die Assoziationen, die Phantasien
der Zürns zu registrieren, sie zu sammeln. Ganz gefahrlos ist es
aber nicht, sich mit diesem Nachdruck in den Mittelpunkt dieser
Figuren hineinzuschreiben. Über die Auswirkungen der Abhängigkeit läßt sich auf diese Weise leicht schreiben, schwerer aber
schon ist es, von ihren Ursachen zu sprechen.

Die Vereinzelung der Zürns kann sich für den Erzähler leicht in
einen Sog verwandeln. Sie öffnen sich nur unwillig. Setzt dem der
Erzähler nichts entgegen, dann kann ihm etwas Ähnliches geschehen: er verfängt sich in den Erlebnisstil, auf den sich die Zürns festgelegt haben. Über andere Erfahrungen als die, die in ihre Erlebniswelt passen, kann er nicht mehr schreiben. Was sie verzerrt
wahrnehmen, sieht er mit der gleichen Verzerrung. Vor allem aber
– und das ist für Walser weitaus wichtiger – ließe es sich kaum vermeiden, daß die Hauptfiguren das ganze Geschehen dominieren.
Keine andere Figur könnte neben ihnen auch nur einigermaßen
gleichberechtigt auftreten. Sie würde unversehens an den Rand gedrängt werden. Um dem entgegenzuwirken, um einen Ausgleich
zu schaffen, rückt Walser den Erzähler von den Zürns ab und führt
einen Er-Erzähler ein. Dieser Außenstandpunkt wirkt ausbalan-
cierend, von ihm aus ist es möglich, die Aufmerksamkeit stärker zu
verteilen, die übrigen Figuren müssen sich nicht mehr durchsetzen, um neben den Zürns noch zu Wort zu kommen.

In dieser einfühlsamen Schreibweise liegt aber noch eine andere
Gefahr. Die Akribie, mit der Walser die Lebensverhältnisse der
Zürns nachzeichnet, macht deutlich, wie sympathisch sie ihm sind.
Trotzdem spielt er seine Nähe zu ihnen herunter, nimmt er seinem
Mitgefühl die intime Spitze. Das erreicht er nicht nur durch den
Er-Erzähler, zusätzlich verwendet er noch verstecktere Mittel,
sich zu distanzieren. Bei Xaver Zürn beispielsweise – dieser Figur
muß er sich stärker annähern, sie entzieht sich leichter als Gottlieb
Zürn – riskiert er es nur selten, ihn mit seinem Vornamen anzure-
den. Meist bleibt es bei der förmlicher klingenden vollen Namens-
nennung. Walser hält sich die Zürns deshalb auf Distanz, damit die
Schilderungen ihrer Leidenserfahrungen auf keinen Fall so klingen, als handele es sich dabei um private Tagebuchnotizen, um ver-
trauliche Bekenntnisse.

Das schafft insgesamt ein Erzählklima, durch das der Eindruck vermieden wird, als könnten sich die Zürns nur so verhalten, wie sie sich verhalten, weil ihr seelischer Haushalt nichts anderes zuläßt. Die Zürns sind leicht dazu bereit, den Erwartungen, mit denen sie konfrontiert werden, einen Vorschuß zu geben. Sie nehmen erst einmal an, das, was von ihnen gefordert wird, würde von ihnen berechtigterweise verlangt werden. Auf Druck von außen reagieren sie mit Selbstbefragung. Werden sie gezwungen, gegen ihre eigenen Interessen zu handeln, dann beginnen sie regelmäßig damit, sich selbst zu verhören. Daß sich hinter der Neigung, so zu erscheinen, als würde man sich zu Recht in der Defensive befinden, mehr als ein melancholischer Charakterzug verbirgt – dies zu vermitteln braucht Walser Distanz, Distanz für Ironie.

III.

Walser stellt seine neuen Helden in eine Situation, in der sie mit ihren Fähigkeiten nichts anfangen können, die sich abweisend gegenüber ihren Vorstellungen und Wünschen verhält. Er baut zwischen ihnen und der Welt einen unüberwindlichen, feindseligen Gegensatz auf: im Kontrast, in der Gegenüberstellung wird besonders deutlich, wozu die Zürns gezwungen werden, was sie sich selber abnötigen.

Faßt man die Personen, ihre Vorlieben und Abneigungen ins Auge, so brauchte es in der *Seelenarbeit* zwischen Xaver Zürn und Dr. Gleitze zu keinen großen Spannungen zu kommen. Xaver Zürn ist das Gegenteil eines Anpassungsspezialisten auf Kosten anderer, seiner Kollegen; sich zu profilieren, sich anzudienern und unentbehrlich zu machen, dieser Ehrgeiz geht ihm ab. Er wünscht sich nichts so sehr wie Einverständnis und Harmonie, Gemeinsamkeit und Partnerschaft. Gerade weil er so wenig davon verspürt, ist er süchtig nach Sinn. Am liebsten wäre es ihm, die Welt ließe sich noch so umfassend und trostspendend interpretieren, wie dies von seiten der christlichen Religion geschehen ist.

In gewisser Weise ist ihm Dr. Gleitze darin verwandt. Auch er geht nicht in seinem Beruf auf, kennt mehr, als für seine Firma zu arbeiten. Sobald er seine Geschäfte abgewickelt hat, hört er wie ein Besessener Musik, versinkt in Mozart-Opern. Schon seit Jahren kommt er von einer Idee nicht mehr los, mit Hartnäckigkeit plant er, ein Buch über sämtliche Mozartaufführungen zu schreiben, und mit allen Konsequenzen ist er damit beschäftigt, diesen Plan auch zu verwirklichen.

Auf dieser Ebene könnten sich Xaver Zürn und Dr. Gleitze schon treffen. Beide sind enttäuscht, ihre Hoffnungen aber haben sie noch nicht restlos aufgegeben. An der Wirklichkeit, so wie sie eingerichtet ist, finden sie keinen großen Gefallen, trotzdem kommt es zu keinem Einverständnis zwischen Gleichgesinnten. Obwohl sich Xaver Zürn unermüdlich bemüht, mit Dr. Gleitze ins Gespräch zu kommen, prallt er mit diesem Wunsch an ihm ab.

Xaver Zürns Gesprächsangebote müssen auch ins Leere gehen, denn Walser läßt beide Figuren nicht als Personen handeln, als Personen, die sich vielleicht sympathisch sind oder abstoßen. Xaver Zürn und Dr. Gleitze sind Träger von Rollen. Xaver Zürn ist angestellt, und dabei zählt nicht, was in ihm vorgeht, was ihm mißfällt oder ihn bewegt. Seine Aufgabe besteht einzig darin, nützlich zu sein, sich als ein zuverlässiger Fahrer zu erweisen. Alles weitere hat er Dr. Gleitze, seinem Chef, zu überlassen. Der bestimmt, in welche Richtung gefahren wird, seine Anweisungen sind zu befolgen.

Xaver Zürn müßte sich nun in dieser dienenden Rolle einrichten, doch ihm fällt es schwer, nur darauf zu achten, was Dr. Gleitze von ihm verlangt. Der Eindruck, Dr. Gleitze nähme ihn nicht ernst, irritiert ihn immer wieder. Besonders wenn sich Dr. Gleitze, für seine Verhältnisse, großzügiger zeigt, erfährt das Xaver Zürn lediglich als eine gönnerhafte Geste. Durch dieses verkappte herablassende Verhalten fühlt er sich noch mehr getroffen als dadurch, daß Dr. Gleitze, wie üblich, sich schweigend zurückzieht und unerreichbar für ihn ist.

Auch in kleinen, scheinbar nebensächlichen Aktionen sieht sich Xaver Zürn in seiner menschlichen Würde verletzt, wird es ihm immer unerträglicher, sich unterzuordnen. Dr. Gleitze hat es sich angewöhnt, Xaver Zürn Eis zu bestellen, wenn er, über den verabredeten Termin hinaus, noch beschäftigt ist. Dr. Gleitze kann für Xaver Zürn auch nichts anderes bestellen, denn er verlangt von seinem Fahrer, daß er abstinent lebt, niemals Alkohol trinkt. Darin sieht er den entscheidenden Tauglichkeitsnachweis für einen Fahrer. Wie sehr er Xaver Zürn damit aber kompromittiert, ihn, den Erwachsenen, in eine kinderähnliche Position drängt, dafür besitzt Dr. Gleitze kein Gespür. Ihm entgeht, welche Wirkung sein Handeln hat, mit den Zurücksetzungen muß sich Xaver Zürn allein auseinandersetzen.

Was ihn hemmt und blockiert, seinem Chef offensiver entgegenzutreten, sind die Verpflichtungen, denen er meint nachkommen zu müssen. Er weiß, er wurde ausgewählt, seinen Kollegen, mit denen er in der Werkstatt zusammengearbeitet hat, vorgezogen. Meister Köberle hat ihn als einen tüchtigen und korrekten Mitarbeiter empfohlen. Das erlebt er als eine Hypothek, die er unmöglich zurückzahlen kann; genauso wie die Annahme seines Chefs – von der sich Dr. Gleitze nicht abbringen läßt –, er sei Deutscher Meister mit dem Kleinkalibergewehr.

Der Spielraum für Xaver Zürn, sich zu wehren, ist aber tatsächlich gering. Dr. Gleitze verlangt von ihm nichts Außergewöhnliches. Vergleicht Xaver ihn mit dem, was seine Berufskollegen von ihren Chefs erzählen, ergeht es ihm nicht besser, aber auch nicht schlechter. Und er ist sich darüber im klaren, daß er dem Bild eines Fahrers, auf das sich sein Chef festgelegt hat, unbedingt entsprechen muß. Andernfalls kann ihm dasselbe passieren wie seinem Vorgänger Georg: er wurde entlassen. Das Bewußtsein, nicht auf Dauer angestellt zu sein, macht ihn unsicher, die Ungewißheit und die Angst, vielleicht bereits nicht mehr akzeptiert zu sein, läßt ihn noch vorsichtiger werden.

Walser zeigt nun, daß Xaver Zürn, in der gespannten Lage, in der er sich befindet, pausenlos damit beschäftigt ist, sein inneres Gleichgewicht zu finden, Seelenarbeit zu leisten. Das Unbehagen, das er spürt, muß er versuchen, so gut es geht, vor sich zu verbergen. Ab und zu kann er sich nicht länger zügeln, seine Enttäuschung bricht durch. Dann plant er, allerdings nur in der Phantasie, Racheaktionen, vor lauter Wut würde er am liebsten mit 200 km Geschwindigkeit gegen die nächste Hauswand rasen. Auf der letzten größeren Fahrt geht Xaver Zürn sogar so weit, sich auszumalen, seinen Chef zu ermorden, ihn mit einem Messer von hinten zu erstechen und ihm sein Ohr auf seinen Mund zu legen. Insgesamt aber bleibt ihm nichts anderes übrig als mitzuspielen, sich einzufügen, sich gegen seine eigenen Interessen zu verbünden. Er kommt nicht umhin, sich zu vertrösten und seinem Chef zuzustimmen, egal, was er von ihm will.

An diesem Übermaß an erzwungenem Einverständnis erkrankt Xaver Zürn. Wenn er nur an seinen Chef denkt, zieht sich sein Magen zu einem einzigen schmerzenden Punkt zusammen. Der Werksarzt und auch die Spezialisten reden ihm gut zu, eine zutreffende Diagnose können sie ihm aber nicht erstellen. Ihre Untersuchungen müssen auch ohne Befund bleiben, denn nicht sein Körper hat sich gegen ihn verschworen; vielmehr reagiert dieser auf etwas, was mit ihm nichts zu tun hat: auf Xaver Zürns Lebensverhältnisse.

Nur für einen kurzen Augenblick und in der Abgeschiedenheit des Wrigatsweiler Hofes erfährt Xaver Zürn, daß sich sein Bedürfnis nach Harmonie und seine Vorstellungen von Liebe verwirklichen lassen. Seine beiden Töchter sind zwar ebenso wie er in die alltäglichen Betriebsamkeiten verstrickt, in die Jagd um Noten und Versetzungen. Davon bleibt die Familie nicht unberührt. Seine Frau Agnes aber hält sich für ihn offen. Zu ihr kann er zurückkehren, sie geht auf ihn ein, *am Ende* findet er bei ihr, wonach er sich sonst so vergeblich sehnt: ein wortloses, wie von selbst sich herstellendes Einverständnis.

IV.

Walser stellt Gottlieb Zürn in einen ähnlichen Zwiespalt wie Xaver Zürn. Auch diesem gelingt es nicht, das, was er sich vorstellt, erhofft, mit dem zu verbinden, wozu er verpflichtet ist. Er lebt mit dem Bewußtsein, zwei Leben zu führen, ein offizielles als promovierter Häuser- und Grundstücksmakler und ein anderes, das er nach außen hin abschirmt.

Sich am nächsten ist Gottlieb Zürn, wenn er von sich die Vorstellung pflegen kann, er sei ein Dichter. Seit Jahren schon schreibt er Gedichte, füllt, wann immer ihm Zeit dazu bleibt, ein Notizheft nach dem anderen. Dabei ist es für ihn weniger bedeutungsvoll, ob er ein guter oder schlechter Schriftsteller ist; ihn reizt auch, daß es beim Umgang mit Formen und Sprache spielerischer zugeht. Um diesen Freiraum zu schützen, denkt er an die Möglichkeit, seine Gedichte zu verwerten, sie zu verkaufen; das aber nur, um dann diese Überlegung abzulehnen. Wüßte seine Umgebung, was er da in aller Stille treibt, würde er aus dieser Anonymität heraustreten, sich an ein Publikum richten, dann lieferte er sich genau den Zwängen aus, mit denen er sonst zu kämpfen hat. Über ihn würde geurteilt werden, und er müßte etwas leisten.

Im Grunde ist Gottfried Zürn überhaupt nicht fähig, einen Beruf auszuüben. Nach seiner Zeitrechnung hat er mit seinem vierzigsten Lebensjahr sein eigentliches Alter erreicht. Aber seinem Gefühl nach ist er noch keine fünfzehn Jahre alt. Entsprechend muß er sich darum bemühen, sich geschäftsmäßig zu verhalten. Er ist ein Lebenspazifist, dem es recht wäre, einfach bevorzugt zu werden, und dem es nicht einleuchtet, weswegen er seine Gegner hassen, beneiden soll. Ginge es nach ihm, könnte er ungebrochen reagieren, würde er sie lieben.

Wie tief der Widerspruch ist, der Gottlieb Zürn spaltet, zeigt Walser in dessen Verhältnis zum Geld. Häuserverkäufe zu vermitteln ist für ihn der denkbar ungünstigste Beruf, denn Gottlieb Zürn spürt, welche zerstörerische Wirkung vom Geld ausgeht. Häufig versetzt ihn der Gedanke an eine größere Summe Geldes in einen Rausch, trägt ihn kurzfristig über seine Existenzängste hinweg. Hat er aber Geld von einem seiner Klienten erhalten, dann ist seine Beziehung zu ihm beendet, das Zahlungsmittel löst sie automatisch auf.

Trotzdem muß sich Gottlieb Zürn den Gepflogenheiten des Maklerberufes anpassen, und dies um so mehr, als er mitten in einem Konkurrenzkampf steht. An ihm beteiligt sich Gottlieb Zürn nicht halbherzig, für ihn geht es immerhin um den »schönsten, wichtigsten Auftrag« seines Lebens, um den Verkauf des Jugendstiljuwels, des Schwanenhauses.

Allerdings sind seine Aussichten, den Auftrag tatsächlich zu erhalten, nicht die besten. Gottlieb Zürn ist zwar der Nachfolger eines angesehenen Vertreters seines Berufes, von Dr. Enderle, aber er hat sich in der Zwischenzeit daran gewöhnen müssen, nicht zu den Spitzenverdienern zu gehören. Ihnen gegenüber befindet er sich im Nachteil, ihnen ist er unterlegen. Der Unterschied zu den beiden erfolgreichen Maklern ist aber nicht so groß, daß es sich für Gottlieb Zürn von vornherein nicht lohnen würde, sich um das Verkaufsrecht des Schwanenhauses zu bemühen: er muß sich eben nur mit größerem Nachdruck für seine Sache einsetzen. Dies liefert ihn um so mehr aus.

Um sich darüber Klarheit zu verschaffen, was er zu leisten hat, braucht er nur die Zeitung aufzuschlagen. Wöchentlich kann er im Anzeigenteil lesen, wie das Geschäft seiner beiden Mitkonkurrenten, Paul Schatz und Jarl F. Kaltammer, floriert. In der Art, wie sie für sich werben, zeigen sie auch, welche Einstellung nötig ist, damit jemand zu einem erfolgreichen Makler wird. Eine bestimmte Form von gediegener Hochstapelei zählt in diesem Beruf. Je besser es gelingt, sich selbst zu verleugnen, um so größer sind die Aussichten, Geschäfte abzuschließen. Sich selbst zu stilisieren, sich als ein aktiver und informierter Geschäftsmann darzustellen, erbringt den nötigen Vorschuß an Vertrauen. Überhaupt darf es nicht so aussehen, als sei der Verdienst das Wichtigste.

Zu den erfolglosen Kollegen, zu Rudi W. Eitel und Schadenmaier, fühlt sich Gottlieb Zürn stärker hingezogen, mit ihnen umzugehen belastet ihn aber mehr, als es ihn erleichtert. Sie stehen unter einem noch größeren Druck als er; ohne es zu merken, können sie ihre Selbstachtung nur noch aufrechterhalten, indem sie ihre Gegner abwerten. Wortreich reden sie von ihren in Amerika laufenden Projekten und beschimpfen die anderen als Opportunismusgenies.

Auf diese Weise kann Gottlieb Zürn den Widerspruch zwischen dem Bild, das er von sich zu verbreiten hätte, und der Art, wie er sich selber wahrnimmt, nicht lösen. Er muß zusehen, wie er sich beinahe instinktiv dagegen sperrt, sich um den Auftrag zu bemühen. Nicht er, etwas in ihm verweigert sich. Alles ist für das Treffen mit Frau Dr. Leistle vorbereitet, doch im entscheidenden Moment nimmt er den Termin nicht wahr. Ihr gegenüber – sie ist ihm fremd und erscheint ihm unnahbar – fühlt er sich unsicher, mehr noch als gewöhnlich hätte er sich anzupreisen, müßte er von sich das genaue Gegenteil von dem behaupten, was er von sich denkt. Dieser Situation entzieht er sich. Dafür kauft er sich einen kostbaren Teppich, sein Bedürfnis, seine Sehnsucht nach Schönheit überwältigt ihn. Es setzt sich in ihm durch, gegen alle rationalen Überlegungen.

Schon während des ganzen Geschehens muß Gottfried Zürn seinen Willen, diesen Auftrag zu erhalten, gegen den Zweifel verteidigen, ob er als Geschäftspartner überhaupt akzeptiert wird. Zu jedem Telefongespräch mit einem seiner Klienten muß er sich überwinden, jede Verabredung mit einem Kunden ist ihm eine Last. Die Furcht, er könne für die stetig steigenden Bedürfnisse seiner Familie und zu seiner eigenen Beruhigung nicht mehr das nötige Geld heranschaffen, treibt ihn voran. Trotzdem kann er die Frage, ob es sich lohne, sich durchsetzen zu wollen, nicht vollkommen unterdrücken. Ihm bleibt nichts anderes übrig, als sich an der Konkurrenz um Marktanteile zu beteiligen; allerdings merkt er auch, daß er damit an seiner eigenen Vergewaltigung mitwirkt.

Gottlieb Zürn spürt, daß er sich ununterbrochen überfordert, und er sieht, daß es in seinem Geschäft zum Normalfall gehört, sich zu überfordern. Dazu ist er aber immer weniger bereit. Unter der Decke der täglich zunehmenden Auseinandersetzungen – unter diesen Umständen gelingt ihm die Vorstellung, er sei ein Dichter, seltener – verschieben sich für ihn die Maßstäbe: in ihm setzt sich eine Zurückhaltung, eine gewisse Form von Genügsamkeit durch. Das, worauf er bislang nicht so sehr geachtet hat, seine Person, wird ihm wichtiger, wesentlicher als der äußere, berufliche Erfolg.

V.

Martin Walsers Ironie, seine ironische Figurenzeichnung der Zürns, ist dadurch bestimmt, daß sich seine Schilderungen zielstrebig auf einen Punkt zuspitzen: in dem Verhältnis zu ihrem Chef und in der Auseinandersetzung mit ihren Konkurrenten bleibt den Zürn-Figuren nichts anderes übrig, als sich ständig anzuklagen. Ihre Unterlegenheit läßt ihnen keine andere Wahl, als ihren Niederlagen zuzustimmen, sich abzufinden, sie können nicht selbständig und unbefangen genug werden, ihr Schicksal jemandem anderen als sich selber anzulasten. Ihre Abhängigkeit zwingt sie, nur aggressiv zu handeln, wenn sie das Ziel ihrer Feindseligkeit sind. Walsers ironischer Blickwinkel verdeutlicht aber ebenso, wie für diese Figuren der Zwang, sich selbst zu bezichtigen, zu einer Strategie wird, wie sie diese scheinbare Lust, sich selber der beste Gegner zu sein, auch nutzen, um sich versteckt zu wehren.

Indem sich die Zürn-Figuren selbst anklagen, Ablehnungen meist schon vorwegnehmen, wiederholen sie nicht nur die Einschüchterungen, die sie täglich erfahren, sie verschaffen sich auch einen kleinen und verborgenen Handlungsspielraum. Ihre Selbstangriffe machen sie in gewisser Weise unangreifbar. Mit der Behauptung, ihnen fehle es an Mut, an Antrieb, ihre Energie reiche nicht aus, verschanzen sie sich, soweit das möglich ist, hinter ihrer Unzulänglichkeit. Sie bauen sich einen Schutzschild auf, an dem die von außen an sie herangetragenen Anforderungen abprallen. Denn wer erklärt, vor anderen, oder, was den Zürns mehr liegt, vor sich selber, unentschlossen und unbeweglich zu sein, kann nur schlecht aufgefordert werden, Höchstleistungen zu erbringen. Er wird als jemand wahrgenommen, der für den täglichen Wettkampf nicht gut genug gerüstet ist, der einfach ausfällt.

Mit ihren Selbstverurteilungen trainieren sich die Zürns aber zugleich die Vorstellung ab, es sei möglich, sicherer und sorgenfreier zu leben. Auf diese Weise mit der eigenen Unterlegenheit umzugehen, das hat in der Familie Xaver Zürns eine lange Tradition. Sein Großvater nahm sich das Leben, als er *dachte,* er könne seine Familie nicht mehr ernähren. Und seine Mutter – sie arbeitete unermüdlich – war ohnehin davon überzeugt, die immer drohende Katastrophe nur für den Augenblick abgewendet zu haben. An Erfolg denkt niemand von den Zürns, Mißerfolge, ob sie eintreten oder nicht, werden für wahrscheinlicher, beinahe für die Regel gehalten und entsprechend vorausgeahnt.

Xaver Zürn ist zwar auch damit ausgelastet, lautlos sein persönliches Krisenmanagement zu betreiben, die Untergangsvisionen, von denen er viele übrig behalten hat, nehmen bei ihm aber einen anderen Charakter an. Nachdem er zum Gabelstaplerfahrer degradiert wurde, fragt er sich, warum er überhaupt so weit gegangen ist, etwas zu erwarten: »Sein schlimmster Fehler war doch immer gewesen, daß er zuviel für möglich gehalten hatte.«[3] *Er* ist mittlerweile damit beschäftigt, sich die Vorstellung abzugewöhnen, daß sich das, was er sich vorstellt, auch verwirklichen lasse.

Diese eingeübte Erwartungslosigkeit ist allerdings nicht ungefährlich. Sie unterstützt Xaver Zürn in einer Entwicklung, die bei ihnen schon seit längerem eingesetzt hat. Sie haben begonnen, von ihrem Ehrgeiz abzurücken, sind zurückhaltender geworden, wollen nicht mehr mit aller Macht vorwärtskommen. Was sie erreicht haben, genügt ihnen nicht, aber sie haben es als eine Fiktion durchschaut, daß der, der arriviert sei, besser für sein Wohlergehen sorgen könne. Sie merken, daß sie sich mit ihren Ambitionen, mit ihrem Willen aufzusteigen, mehr als nötig ausgeliefert haben, daß sie benutzbar waren und mißbraucht werden konnten, weil sie sich jederzeit verfügbar hielten.

An dieser Stelle zeigt Walser anschaulich, wie der Zwang, sich selber für wenig wertvoll zu halten, in eine unversöhnte Anspruchslosigkeit umschlägt. Xaver Zürn ist nicht nur enttäuscht, zurückversetzt zu werden, ihn erleichtert es auch, nicht mehr andauernd nachweisen zu müssen, als Fahrer tauglich zu sein. Auf der Hinfahrt zu Frau Dr. Leistle benutzt Gottlieb Zürn die 1. Klasse, dazu fühlt er sich gedrängt, weil er denkt, nur so dem Bild eines tatkräftigen Geschäftsmannes zu entsprechen. Auf der Rückfahrt steigt er aber unwillkürlich in die 2. Klasse ein. Beide tauchen unter dem Selbstverständnis, das sie als Kleinbürger prägt, hinweg. Der verschwiegene, ihnen selber kaum bewußte Plan, die Fronten zu wechseln, ihr kleinbürgerliches Milieu zu verlassen und zu Großbürgern zu werden, hat für sie einiges von seiner Anziehung verloren. Sie lassen sich nicht mehr so leicht provozieren, mehr zu leisten, als sie zu leisten bereit sind. Sie beginnen mit etwas, das sich eigentlich ausschließt: sie nehmen ihre Durchschnittlichkeit, ihre Zweitklassigkeit an und richten sich in ihr ein.

Unter dem Zwang, sich zu verkleinern, bestätigen die Zürn-Figuren ihre Unterlegenheit, sie stimmen aber auf eine Weise zu, die in der Konsequenz zerstörerisch und nicht nur selbstzerstörerisch ist. Was Xaver Zürn nicht mehr formulieren kann, spricht seine Tochter Magdalena aus. Sie meint, ihr Leben könne günstiger verlaufen, sollte es ihr gelingen, bei Schiesser »als die Kleinste einzutreten und die Kleinste zu bleiben. Den geringsten Aufstieg würde sie für ihre Niederlage beziehungsweise für ihre Vernichtung halten«.[4] Diese biblisch anmutende Haltung, die Geringste von allen sein zu wollen, dieser Antiehrgeiz ist gefährlich. In ihm liegt der Wille, sich nicht verbrauchen zu lassen, erst gar nicht in die Gefahr zu kommen, das eigene Überleben daran zu binden, daß man sich als der Bessere beweise. Mit dieser geradezu militanten Bescheidenheit unterläuft Magdalena den Grundsatz, daß nur der etwas erreicht, der sich ein hohes, möglichst unerreichbares Ziel setzt – der konkurriert.

So direkt und unmittelbar wie Magdalena können Xaver und Gottlieb Zürn nicht auf ihre Herausforderungen reagieren. Dazu sind sie zu realistisch. Ihnen entspricht es weitaus stärker, sich zurückzuziehen. Ist Gottlieb Zürn mit sich allein und spürt er, unter welcher Last von unbewältigten Aufgaben er steht, dann erleichtert es ihn nicht nur kurzfristig, wenn er sich fragt: »Gab es etwas Künstlicheres, Verletzenderes als Tätigkeit?«[5] Er ist davon überzeugt, er könne zufriedener leben, wenn er nicht mehr zu handeln brauche. Aktiv sein bedeutet für ihn von vornherein genausoviel, wie sein persönliches Glück zu verlieren. Deshalb schränkt er die Verbindung mit seiner Umgebung auf das nötigste Maß ein. Er will sich nicht vereinzeln, isolieren, nur die Anlässe, handeln zu müssen, sollen umgangen werden.

Trotzdem haben sie nicht resigniert. Ohne den Traum von einem besseren Leben, ohne Zukunftshoffnungen wären sie vollends gelähmt. Am deutlichsten wird das, wenn Walser Xaver Zürn die Geschichte entdecken läßt. Zwar gibt es für Xaver Zürn auch da von nichts Positivem zu berichten, aber immerhin lassen sich einzelne Ereignisse so erzählen, als hätten sie einen günstigeren Verlauf genommen. Der Bauernkrieg, Xaver Zürns Lieblingsgeschichte, mußte nicht unbedingt so ausgehen, wie er geendet hat. Ausgerechnet an Karfreitag hatten die Bauern rund um den Bodensee ihr Schicksal in die eigenen Hände genommen, sie waren dem Adel überlegen, konnten ihn schlagen. Mutlosigkeit ist also nicht angebracht.

Mit den beiden Zürns hat Martin Walser zwei Figuren geschaffen, die mit ihrer Selbstlosigkeit hoffen, überwintern zu können. Auch diese Haltung haben sie schon früh gelernt. Xaver Zürns Mutter gab ihm Märtyrergeschichten zu lesen, und dies nicht nur, weil sie ihr schlechtes Gewissen beruhigen wollte. Aus ihnen konnte er lernen, daß anspruchslos zu sein mehr ist als sich unterzuordnen. Nur wer ausdrücklich nicht nach Macht strebe und zu dienen bereit sei, könne den Wunsch nach einem ›erfüllteren‹, nicht in der Widersprüchlichkeit der alltäglichen Zwecke aufgehenden Leben bewahren. Dies ist keine Überzeugung, die den Zürns unzugänglich wäre.

VI.

In seinem Essay *Alpen-Laokoon oder Über die Grenze zwischen Literatur und Gebirge*[6] spielt Martin Walser mit dem Wunsch, nun endlich doch damit zu beginnen, einen Bergbauernroman zu schreiben. Indirekt hat er sich schon früher dazu bekannt, welche Anziehungskraft für ihn davon ausgeht, einen Heimatroman zu schreiben. Doch dazu ist es bis jetzt noch nicht gekommen. Auch die *Seelenarbeit* ist nicht, wie viele behaupten[7], ein Heimatroman. Zuviel von dem, was an der Heimat auf den ersten Blick anheimelnd wirkt (aufwärtsstrebende Gemsen, hinabstürzende Bäche), was Geborgenheit und Vertrautheit ausstrahlt, hat sich abgenutzt und ist Walser verdächtig, blockiert ihn, das Genre zu wechseln.

So reizvoll es für Walser auch ist, sein Zögern immer wieder zu betonen, politisch reflektiert, wird der Begriff Heimat für ihn sofort eindeutig. Dann steht er für etwas, was es nicht mehr geben dürfte, den zähen Kampf gegen menschlichen Fortschritt: »Heimat, das ist sicher der schönste Name für Zurückgebliebenheit.«[8] Oder er verweist im Sinne Blochs darauf, was es noch nicht gibt: »Sozialismus und Demokratie sind zwei Wörter für diesen denkbaren Heimatzustand.«[9]

Damit, daß Martin Walser Xaver Zürn mit einem ausgeprägten Heimatgefühl ausstattet, bezweckt er etwas anderes. Xaver Zürn bemitleidet zwar jeden, der nicht dort leben kann, wo er geboren wurde, die Gastarbeiter, weil sie auswandern mußten, die Böhmen und Dr. Gleitze, weil sie vertrieben wurden. Er glaubt, derjenige, der nicht in seiner Heimat lebe, habe etwas verloren. Dieser Verlust kann jeden treffen, der keine Heimat mehr hat, er ist aber nur zufällig mit dem verbunden, was Heimat ist oder sein könnte.

Nicht zu ihrer vertrauten Umgebung, zur bloßen Natur fühlen sich die beiden Zürns immer wieder hingezogen. Am liebsten hält sich Xaver Zürn zwischen seinen Johannisbeersträuchern auf. Sie sprechen zu ihm, und, umgeben von ihnen, kann er das Schweigen, das er sich selber gegenüber auferlegt hat, brechen. Hier braucht er sich nicht mehr zu rechtfertigen, in der Gesellschaft mit unbelebten Pflanzen kann er sich endlich das eingestehen, was er sich sonst nicht gestanden hätte. Für einen kurzen Augenblick ist der krankmachende Kreislauf, in dem er lebt, unterbrochen.

Ähnlich ergeht es Gottlieb Zürn: »Der Wind zählte die Blätter ohne Hast. Der See, ein Feld aus gleißenden Furchen. Alles grün und grüngold und gleißend und blendend. Und alles rauscht. Und es scheint auf nichts anzukommen. Unwillkürlich betätigte er die Fahrradklingel.«[10] Gottlieb Zürn genießt es, daß die Bäume, der See grundlos so sind, wie sie sind, daß sie nichts von ihm fordern und ihn an nichts, an keine Versäumnisse und an keine Fehlschläge erinnern. Die Natur, die Elemente, Wasser, Luft sind einfach da, ohne Vorbedingungen, mit ihr und nur mit ihr kann er rückhaltlos einverstanden sein, spüren, was es hieße, glücklich zu sein.

In diesen Szenen beschwört Walser keinen Naturmystizismus, er zeichnet auch keine Idyllen, mit diesen Passagen beabsichtigt er das genaue Gegenteil. Xaver und Gottlieb Zürn fliehen erst dann zur Natur, wenn das Gespräch mit ihrer Umgebung abgebrochen ist, wenn sie sich restlos abgeschnitten fühlen. Diese Fluchten sprechen unmißverständlich gegen die Lebensverhältnisse, die Xaver und Gottlieb Zürn nicht mehr zu Wort kommen lassen. Daß Bäume und Sträucher Asyl gewähren, verurteilt die Welt, in der so etwas möglich ist, klagt die Lebensstrategien an, auf die Xaver und Gottlieb Zürn angewiesen sind; diese Strategien halten nicht, was sie versprechen, sie fördern nicht, sie zerstören die Identität derer, die sie brauchen.

Anmerkungen

1 Martin Walser, *Seelenarbeit*, Frankfurt (Main) 1979, S. 9.

2 Martin Walser, *Das Schwanenhaus*, Frankfurt (Main) 1980, S. 7.

3 *Seelenarbeit*, S. 271.

4 *Seelenarbeit*, S. 290

5 *Das Schwanenhaus*, S. 38.

6 Martin Walser, *Alpen-Laokoon oder Über die Grenze zwischen Natur und Gebirge*, in: M. W., *Wer ist ein Schriftsteller?*, Frankfurt (Main) 1979.

7 Stellvertretend sei hier auf Peter Hamms Rezension verwiesen. Peter Hamm, *Das Prinzip Heimat*, in: *Die Zeit*, 16. März 1979.

8 Martin Walser, *Heimatkunde*, in: Martin Walser, *Heimatkunde*, Frankfurt (Main) 1972, S. 40.

9 Martin Walser, *Heimatbedingungen*, in: M. W., *Wie und wovon handelt Literatur?*, Frankfurt (Main) 1973, S. 98.

10 *Das Schwanenhaus*, S. 19.

IV.

Werner Brändle
Das Theater als Falle

Zur Rezeption
der dramatischen Stücke Martin Walsers

Anita und Josef,
den Saerbecker Freunden

Seit in unserem alltäglichen Leben Persönlichkeiten, eindrucks-
volle Handlungen und moralische Sinnbilder immer mehr unter-
gehen und eingeebnet werden, hat man die Pflege dieser Ideale
nicht zuletzt auch dem Theater als Aufgabe zugewiesen. Sollen die
Bühnen dafür entschädigen, was die Realität uns verweigert, und
sind die Kritiker die Wächter dieser traditionellen Ansprüche und
Erwartungen? An die Theaterautoren der sechziger Jahre jedenfalls wurden von den einflußreichen Kritikern diese Maßstäbe angelegt, nämlich »einprägsame Figuren«, »mitreißende Dramatik«,
»szenische Visionen« und »Sinnbilder des wahrhaftigen Lebens«
auf die Bühne zu stellen.[1]

I.

Gelang es Bertolt Brecht noch mit seinen Parabelstücken, diesen
Erwartungen auf der Bühne weitgehend zu entsprechen und dem
Zuschauer wie dem Kritiker »Erkenntnis und Genuß« zu vermitteln, so kommt Walser diesen Wünschen und Bedürfnissen bewußt
nicht nach. Konsequent erklären deshalb die Kritiker schon zu
Walsers erstem Bühnenstück *Der Abstecher:* das Stück ist gescheitert, »es fehlt das geistige Band, der dramaturgische Kausalnexus.
Gewissermaßen der moralische Hosenboden, der die Blöße verdeckt«.[2] Wenn schon ein Stück aus dem Stoff unseres kleinbürgerlichen Alltagslebens, dann hat es eindeutig zu sein: absurd oder
eben erbaulich. Und M. Reich-Ranicki stellt ein paar Jahre später
anläßlich der Besprechung der *Zimmerschlacht* apodiktisch fest:
»Dreimal hat Walser versucht Fabeln und Handlungen zu erfin-

den, mit denen der Gegenwart und der jüngsten Vergangenhei
beizukommen wäre, dreimal ist er gescheitert.« Und warum? Wei
Walser eben keine großen Figuren, keine ethisch wertvollen Mo-
dellsituationen, keine bühnenwirksamen Aktionen vorgeführt hat
Kurz gesagt, was Walser dramatisiert hat, ist zwar oft »anregend
und interessant, es vermag zu verwundern und zu irritieren, ja
mitunter zu entzücken. Aber es überwältigt nie«.[3]

Klarer kann man die geforderten positiven Bedürfnisse der Kritiker und Theaterbesucher wohl kaum formulieren. Und deutlicher
als im Gegenüber zu solcher Kritik läßt sich die ästhetische Konzeption und immanente Weiterentwicklung von Walsers Stücker
gar nicht aufzeigen. Oder anders gesagt: Walsers Stücke kommer
erst im Schatten ihrer Kritiker zum Leuchten; ja, die Pointe seiner
dramatischen Schaffens ist die: er hat von seinen Kritikern lau-
fen(d) gelernt. Freilich nicht in deren Sinne, sondern so, daß er die
Punkte ihrer Kritik in die ästhetische Reflexion und Konstruktion
seiner Stücke in ironisch affirmativem Sinne aufnahm.

Walsers Stücke werden deshalb zur Falle für alle traditionell aus-
gerichtete Kritik bzw. sie stellen die schonungslose Inszenierung
der Dialektik von erwartetem Theater und dessen möglichen Wir-
kungen und Rezeptionen innerhalb der gesellschaftlichen Situation
dar. Die Stücke Walsers sind nicht nur als ironisch distanzierte
»Variationen über das Elend des bürgerlichen Subjekts«[4] zu verstehen. Die jeweilige Pointe dieser Variationen ist eben, daß ihre
mögliche Rezeption teilweise schon durch die Figurationen in iro-
nisch-komischer Verfremdung vorgespielt werden. Das Spiel is
die Falle, nicht um Bewußtsein zu überwältigen und in den ge-
wünschten oder gewohnten Bann eines Theatererlebnisses zu stellen, sondern um dem Bewußtsein der Beteiligten seine Motive
seine Ketten und seine Flügel, sein ›Eigenleben‹ vorzuführen.

II.

Wenn das Theater eine Falle für Bewußtseinsmuster sein will, so
sind die naheliegenden Fragen: Wessen Bewußtsein soll gefanger
und zur Schau gestellt werden? Wie sind die Rollen verteilt bzw. is
schon vor dem Spiel ausgemacht, wer wen an den Pranger steller
darf? – Daß es sich Walser mit solchen ›Theaterproblemen‹ und
damit der Rollenverteilung von Kritik und Kritisiertem, von Pro-

duzent und Rezensent nicht leicht gemacht hat, kann zunächst anhand seiner – vordergründig so leichtfertigen – Theaterstudie von 1967 *Wir werden schon noch handeln. Dialoge über das Theater*[5] erläutert werden.

Der Stoff, um den es dabei geht – wie auch in allen andern Stücken Walsers –, ist die Darstellung von gegenwärtigem gesellschaftlichen Bewußtsein als Ergebnis bestimmter geschichtlicher Prozesse. Die geschichtlich überlieferten Zwänge und Probleme, sowie die daraus resultierenden Wünsche und Veränderungsvorschläge bzw. die psychologischen und sozialethischen Ratschläge für eine mögliche Welt(verbesserung), werden in ihren dialektischen Vermittlungen und komplizierten Spiegelungen vorgeführt. Dabei werden die verdeckten Klassengegensätze und die dadurch bedingten und notwendigen ideologischen Legitimationsversuche des Handelns durch eine wohldurchdachte Konstellation von Sprachfiguren bloßgelegt – als Theater wohlgemerkt. Das heißt, Walser verwendet dazu alle herkömmlich bekannten dramaturgischen Techniken, allerdings nicht ungebrochen. Er parodiert und travestiert sie, indem er den Stoff und seine Vermittlungsform ständig gegeneinander ausspielt. Das gerade in den Jahren 1967/68 von vielen geforderte Engagement des Theaters für Veränderung wird dabei seiner Illusionen beraubt, indem sie vorgespielt werden. Walser zeigt, daß sowohl im herkömmlichen klassischen Theater von Shakespeare, Schiller und Brecht wie im zeitgenössischen Dokumentartheater das Engagement auf der Bühne für die gute Sache, die heldenhafte Entschlußfreudigkeit für die Revolution und die Unmittelbarkeit solchen Geschehens ein von der Wirklichkeit abgeschottetes Ereignis bleiben. »Da tun wir doch so, als sei es uns ernst. Als meinten wir was. Als wollten wir was. [...] Und das Publikum meint das auch. Das geht auch heim und sagt: Heute waren wir aber wieder mal wieder für etwas. [...] Spielen wir, auf daß das Theater ganz erkennbar wird als das, was es zu Mordzeiten in gesellschaftlichem Auftrag zu sein hat: eine Ablenkungsbude I. Klasse« (*Stücke*, S. 288).

Geschont wird bei dieser Zerstörung von Mustern, in diesem *Dialog über das Theater* niemand. Die wertvollen Ratschläge des Kritikers werden im »Spiel im Spiel«, d. h. als Requisit des Theaterbetriebs kenntlich gemacht. »(1. Schauspieler zu Bindestrich [so der Name des Kritikers, W. B.]): Ei, Vater, sieh den Hut dort auf der Stange« (*Stücke*, S. 289). Und auch der Autor bringt sich selbstkritisch und ironisch ins Spiel, indem er sich als Erfüller aller Theaterträume ausgibt: »Vielen Dank, liebe Freunde. Genau das Stück, das Sie verlangen, habe ich, als hätt ich's geahnt, mitgebracht« (*Stücke*, S. 302).

Die Kritik hat diese Theaterstudie als »eine Clownerie der Resignation, artifiziellen Überdruß an Kunst und Leben«[6] bezeichnet, in der die Ohnmacht des Theaters manifest und festgeschrieben werde. »Die Handlung ist abgeschafft, nicht nur auf der Bühne. In der totalen Negation jedoch schlägt die Kritik der Verhältnisse in ihre Rechtfertigung um, gewiß gegen die Absicht des Autors.«[7] Nun ist dieser Angriff nicht schon einfach damit abgetan, daß man dem Kritiker leider Mangel an Sensibilität für Ironie attestieren muß; merkwürdig ist es freilich schon. Entscheidender ist, daß die Kritik nicht nur die Absicht des Autors, sondern auch übersehen hat, welche ästhetische Funktion die dargestellte ›Spielerei‹ im allgemeinen und die Rollenspiele im besonderen haben. Der Hinweis von K. Stein[8], die Bemerkung eines Schauspielers, er habe keine Rolle, sei auch eine Rolle, ist der erste Schritt zum Verständnis der von Walser vorgeführten vordergründig kabarettistischen Gags. So dürfte die Szene, in der sich die Schauspieler um das Spiel eines Kindes bemühen (*Stücke*, S. 300), nicht nur als Kritik der Anpassung der Weltverbesserer an ein kindisches Niveau, sondern eher als spielerische Erkenntnis des Notwendigen zu begreifen sein. Auch der Kommentar des 2. Schauspielers: »Die Handlung! Mein Gott. Wir tun gerade so, als dürften wir hier spielen« (*Stücke*, S. 300), unterstützt die die Szene tragende Funktion des Rollenspiels und macht es zu dem ästhetischen Mittel, von dem aus die *Dialoge über das Theater* zu verstehen sind. Das heißt, das »Spiel im Spiel«, als das hier das Rollenspiel überhaupt fungiert, soll nicht mehr in erster Linie Appell an das Publikum sein, sondern zuerst ›Therapie‹ für das Bewußtsein der am Spiel Beteiligten selbst. Theater soll – so darf man weiterfolgern – im Sinne Walsers nicht mehr vorrangig Appellationsinstanz in Sachen Gesellschaftskritik und Weltveränderung sein, sondern muß sich seiner immanenten Möglichkeiten, des Spiels als autonomen Bereichs besinnen.

Diese Reduzierung des Theaters auf sein Wesentliches wird *dann* nicht als solche im idealistischen Sinne mißverstanden oder als reine Banalität hingestellt, wenn die klassische Trennung von Kunst und Leben, von Spiel und Arbeit als durch das Stück durchbrochen oder zumindest zur Diskussion gestellt gesehen wird.

Weil Autor, Schauspieler, Kritiker und Publikum gleichermaßen ins Spiel verstrickt sind, ist die gängige Rollenverteilung zerstört; eben auch diejenige, die festlegte, welche Rolle das Theater für und in dieser Gesellschaft bzw. für die Menschen zu übernehmen habe. Das Theater kann dann allzu leicht als Ablenkungsbude, als Wiederholungsanstalt scheinbarer Realität, als Veranstaltung zur Ausbeutung von Sehnsüchten und Emotionen etc. gebraucht und verwertet werden, wenn es eben nur unter der Kategorie verstanden wird: ein heiteres Spiel fürs ernste Leben. [9]

Hat Walser mit diesem Stück einerseits die Rezeptionspraktiken der verschiedenen Dramaturgien aufgedeckt, so hat er andererseits mit der Akzentuierung des Rollenspiels als »Stoff und Formel des Stoffs« [10] in grundsätzlicher Weise die Chancen und Gefahren des Theaters in unserer Gesellschaft inszeniert. Das aber heißt, die vorgeführten Dialoge sind nicht nur eine unterhaltende Reflexionsübung mit Blick auf das Verhältnis von Politik und Theater, sondern zugleich und primär ein ästhetischer Konstruktionsversuch, um – in ironisch komischer Dramaturgie – die Dialektik von Schein und Wirklichkeit innerhalb der gegenwärtigen gesellschaftlichen und kulturellen Bedingungen durchzuspielen.

Was als »Clownerie der Resignation« betitelt wurde, ist nur ein Moment des Spiels, das als ganzes vielmehr die Suche ist, dem Theater innerhalb der herrschenden Rezeptionsverhältnisse bzw. Bewußtseinsmuster durch eine bewußt dramatisch strukturierte Form doch noch Widerstand und Wirkung über den Bannkreis des Theatergebäudes und seiner Feuilletonisten hinaus zu geben. Widerstand nämlich gegen das herkömmliche und gern geförderte (Staats-)Theater als moralische Bildungsanstalt für bürgerliches Bewußtsein.

Kann aber denn eine solchermaßen ironisch-komisch angelegte Theaterkonzeption noch Wirkung nach außen haben? Walser sieht die Falle, die ein solches Spiel für jede Intention impliziert, und deshalb läßt er am Schluß des Stücks die Textbücher von neuem austeilen: ›wir werden schon noch handeln‹ – das Spiel wird anstrengend. Ein perpetuum mobile? Sicher – aber wer treibt hier wen und warum? Jedenfalls das vielbeklagte »Nichthandeln der Figuren« auf Walsers Bühne und die »Theatralisierung« [11] dieses Themas ist nicht der Unfähigkeit des Autors oder seiner albernen Laune zuzuschreiben, sondern bewußtes und ästhetisches Mittel, um das Theater als Falle für alle sichtbar zu machen. Es müssen und dürfen gar nicht heldenhafte Aktionen auf der Bühne vorgeführt werden, wenn es darum geht, selbstkritisch zu zeigen, welche Funktion das Theater immanent und im gesamtgesellschaftlichen Konzert spielt. Wer die Rollen, Legitimations- und Rezeptionsmechanismen von Bewußtsein vorspielt, zeigt auch die Absturzmöglichkeiten. Daß Walsers Stück tatsächlich solches Verhalten mit allen Risiken in Gang setzen kann, bestätigt die Kritik der Uraufführung und der anschließenden Diskussion. »Schließlich schwang sich Herr... zu einem Schlußwort aufs Podium: Herr Walser, Sie haben etwas Großartiges geschafft. Ihr Stück und die Diskussion sind vollkommen identisch: viel gelehrtes Palaver, jeder redet an dem andern vorbei, und am Ende weiß niemand, was er eigentlich will.«[12] Wer dieses Resultat auch ironisch zu verstehen vermag, wird sich nicht zu überlegen haben, wer daran wohl schuldig ist.

III.

Was an einem sehr konstruierten bzw. kabarettistisch verfremdeten Metaspiel als Kommentar zu gleichsam allen gespielten und ungespielten Stücken Walsers erläutert wurde, soll nun an zwei Stücken Walsers im Zusammenhang ihrer Rezeption ausführlich dargelegt werden.

Das Theater als Falle hat Walser schon mit seinem Stück *Der Schwarze Schwan*, das am 16. 10. 1964 im Württembergischen Staatstheater uraufgeführt wurde, in gelungener Weise inszeniert. Clara Menck schrieb zu der Uraufführung, der »einhellige, lange Schlußapplaus« habe gezeigt, daß hier ein Stück vorgestellt worden sei, welches »in der Anlage das erste Bühnenstück Walsers ist, das mehr ist als eine interessante Talentprobe. Es ist ein unausweichliches Thema in einem neuen Griff«.[13] Und Joachim Kaiser sprach davon, daß Walser sowohl die »Reue-Fiktionen der Figuren klug gezeigt und klug kritisiert« als auch »bedeutende, ernste und weise«[14] Dialoge verfaßt habe. Kaisers negative Kritik freilich – am traditionellen Maßstab der Dramen Shakespeares ausgerichtet und nicht bereit, sie unter den zeitgenössischen Bedingungen zu verstehen – führt zum dramaturgischen Zentrum und dem ästhetischen Konzept des Stücks: dem »Spiel im Spiel« bzw. zu »Hamlet als Autor«.[15] Das heißt, Walser nimmt für sein Stück Hamlets Einfall, mittels eines »Spiels im Spiel« die Gewissen der Schuldigen zu treffen, auf. In der 6. Szene bringt Rudi, der junge Mann, der wissen will, was sein Vater zwischen 1933 und 1945 getan hat, seine Mitspieler in der Nervenheilanstalt Karwang in eine treffliche Versuchsanordnung, um so mit der Parabel von der »Domestizierung bzw. Zähmung der Erinnyen durch Doktor F.« (*Stücke*, S. 252) nicht die Täter oder die vollbrachte Tat zu entlarven, sondern die Geschichte ihrer Verdrängung und deren Folgen bis heute. Walser parodiert damit freilich Shakespeares' Dramentechnik bzw. »er greift Einzeldinge davon heraus, verzerrt und verschärft sie«.[16] Von Walsers ästhetischer Konstruktion her muß man jedoch noch pointierter sagen: Walsers Kunstgriff zeigt, auf welche Weise in einer Gegenwart, die die Schuld verdrängt, diese Gegenwart selbst wie ihr Verhältnis zur Vergangenheit verzerrt und entstellt ist und zunehmend unkenntlicher wird. Die ästhetische Idee offenbart, daß in unserer Gesellschaft und in ihrem Bewußtsein von ihrer eigenen Geschichte auch die Rezeption von Kunst mißlingt. Rudis Spiel wird konsequent auch zu seiner eigenen Falle.

Das Spiel von der Domestizierung der Schuld schildert den Weg des deutschen Doktors Faust vom Kriegsende bis in die Gegenwart. Freilich wird dieser Weg nicht einer zur Erlösung per aspera ad astra, sondern die faustische Logik der Buße entpuppt sich als schlitzohriger Pragmatismus, der es versteht, aus schlechter Erfahrung Kapital zu schlagen. »Doktor F.: Die Kenntnis widerwillig erworben, jetzt soll sie zum Heil gereichen. Alekto, wir produzieren. Mittel, Medikamente« (*Stücke*, S. 256). Die gekonnte Vermischung von religiösem und literaturgeschichtlichem Bewußtsein wird als Motor der Betriebsamkeit des deutschen Wirtschaftwunders und als Fortsetzung der nationalsozialistisch religiös verbrämten Heilslehre entlarvt. Jedoch – gilt hier nicht wiederum, was Walser in seinen folgenden Stücken bis zum *Sauspiel* meisterhaft darstellt: daß durch die ästhetische Selbstreflexion der verwendeten Zitate auf der Bühne eben auch die ›teuflische‹ Art und Weise gezeigt wird, wie klassische Kunstformen rezipiert und verwertet werden?!

Genau dies ist denn auch die Falle, in die der Kritiker tappt. J. Kaisers Kritik an Walsers ästhetischer Konstruktion des Stücks lautet: »Schon die Verdoppelung [das von Rudi inszenierte »Spiel im Spiel«, W. B.] – irrwitziges Verhalten im Irrenhaus – mindert doch eher, als daß sie bestätigt. Es ist, als hätte Shakespeare den sich verstellenden Hamlet unter lauter Schauspielern auftreten lassen und nicht auf Schloß Elsinore. [...] Hätte Walser sich beim *Schwarzen Schwan* weder von der eigenen Geschicklichkeit noch von dramaturgischen Ratschlägen bestechen lassen, sondern eine Folge von Schuldszenen geschrieben, dann [...] hätte er ungestört seiner Wahrheit nachgehen können.«[17] Sicherlich – aber ein so gewichtiger Kritiker hätte dann sich nicht offenbaren müssen, sein Bewußtsein von dem, was seiner Meinung nach das Theater zu tun und zu lassen hat, wäre gar nicht so direkt ins Spiel gekommen. Das heißt weiter, man könnte dann nach wie vor der Meinung sein, die Klassiker des Schulbuchs und der Bühne würden immer noch – als wäre es selbstverständlich – klassisch verstanden; Schuld und Sühne sei auf der einen, die Kunst und ihre Kritiker auf der andern Seite.

Von dieser reinlichen Rollenverteilung war auch der Kritiker von »Christ und Welt« überzeugt, denn er meinte, Walsers Stück wäre zu retten gewesen, wenn er sich eben nicht an den klassischen Figuren und Dramentechniken vergriffen hätte. »Höchste Bewußtheit trieb Walser an, drei der größten europäischen Bildungsfiguren vor seinen dramatischen Karren zu spannen: Orest, Hamelt und Faust also zu benutzen, um die grausamste Maschinerie der Weltgeschichte Bühnenereignis werden zu lassen. Skeptisch sah man schon den ins Auge gefaßten Gegenstand, erschreckend jetzt die Methode des jungen, nicht unumstrittenen und überhaupt noch nicht durchgesetzten deutschen Theaterautors.«[18] Solche Kritik – rechtfertigt sie nicht in ironischer Weise die ästhetische Konstruktion Walsers?!

Walser hat Schuld nicht objektiviert, sondern Figuren im »Gehege der Schuld« (*Stücke*, S. 259) inszeniert, in das eben auch der scheinbar so gebildete Kritiker verflochten ist. Und die Rettung des bürgerlichen Theaters und seiner »archetypischen Figuren«[19] bliebe auch nur eine Attitüde wie das Verhalten, das von dem (Bühnen-)Helden »nach Auschwitz« ein engagiertes Opfer verlangte. Rudi alias der Schwarze Schwan ist mit seinem existentialistischen Engagement von Walser zugleich als der Schwanengesang auf solch ethisches Heldentum im Schillerschen Sinne dargestellt worden. Denn was traditionellerweise unter Tragik verstanden wird, greift hier nicht mehr; wie sollte und könnte die sich krampfhaft am Leben festhaltende Vätergeneration dem Opfer der Jugend einen Sinn »nachliefern« (*Stücke*, S. 271)? Die ethische Rigorosität jugendlicher Entschlossenheit für ein »eigentliches Sein« kann andererseits nur zur verzweifelten Isolation und Entfremdung führen. Konsequent siegt denn auch bei Walser das »Gras des Lebens«, das über Opfer und Geopferte wächst. Darin besteht auch die Falle für den »Helden«. Karasek schrieb deshalb zu Recht: »Es ist tatsächlich ein Tod, der nichts bewirken will, nichts zu ändern glaubt, keine Opfervokabeln, keine nachträgliche Sinnerfüllung für sich in Anspruch nehmen will. Es ist ein Tod, der die Unlösbarkeit der vom Stück gestellten Fragen grell verdeutlicht. [...] So gehört der Schluß des *Schwarzen Schwans* Irm, der Jugendgefährtin Rudis. Nicht weil sie bessere Argumente als Rudi hätte, wenn sie das Gras sein will, das über alles wächst, sondern weil eben eher Gras über alles wächst, als daß eine Zeit für ihre Taten in Sack und Asche ginge.«[20] So wird – wie ebenfalls Karasek schon gesehen hat – das Stück als ganzes für den Zuschauer zur Falle seines engagierten, resignierten oder gleichgültigen Bewußtseins. Da bleibt tatsächlich nicht einmal eine »Erschütterung durch den Tod des Helden«[21] übrig, und die Wirklichkeit ist für den Zuschauer auch nicht klarer geworden. Und wer den Vorwurf erhebt, Walser habe durch sein Stück wohl die Wahrheit geschrieben, sie aber »nicht handhabbarer«[22] gemacht, der dürfte noch immer ein Gefangener von »Karwang« sein, jener Allegorie auf den gesellschaftlich erzeugten Verblendungszusammenhang deutscher Geschichte.

  Es sollte kaum überraschen, daß Walsers *Schwarzer Schwan* in Paris weniger vorurteilsbelastete Kritiker gefunden hat. Die alte Regel bestätigt sich hier, daß die Distanz die Sehschärfe sogar steigert. In F. R. Bastides Besprechung wird freilich auch deutlich, wie genau er Walsers ästhetische Konstruktion im Hinblick auf den gewählten Stoff zu würdigen versteht, und mehr noch: die von Walser in Szene gesetzten ästhetischen Reflexionen und Anleihen bei klassischen Dramatikern sind kein Sakrileg, sondern werden von Bastide als ein »sicheres Zeichen für Walsers Qualität«[23] gewertet. Und Bastide sieht ebenfalls, daß es Walser gelungen ist, den Psychologismus des traditionellen bürgerlichen Theaters wie die Montage von »echten« Auschwitz-Dokumenten in solcher Weise aufzuheben, daß ihre dramaturgischen Konstruktionsprinzipien als vom Stoff wie seinen gegenwärtigen Rezeptionsbedingungen für überholt zu erachten sind. Nach Bastidé sagt Walser »wie alle Deutschen seiner Generation: Wir haben uns schlecht benommen, daß die Ratten im Vergleich zu uns weiß wie Schnee sind. Aber er sagt es, indem er Personen auf die Bühne stellt und ein Schauspiel bringt, das er der Wirklichkeit gegenüberstellt. Sein Stück ist das Werk eines Dichters, und es ist unendlich viel stärker als die schrecklichsten ›Montagen‹«.[24]

Wenn noch auf die von einigen Theaterkritikern und nicht zuletzt auch von Literaturwissenschaftlern geübte Kritik der »hyperpoetischen Konstruktion«[25] des Stücks hingewiesen wird, so deshalb, weil dieser Vorwurf zunächst einleuchtet. Aber er träfe nur dann zu, wenn Walser mit dem Stück vorrangig die Kritik am Nationalsozialismus oder den Prozeß der »unbewältigten Vergangenheit« vorführen und vermitteln wollte. Walser aber hat mehr gewollt und mehr erreicht, denn er hat die Erfahrung der Schuld der Väter in ihrer dramatischen bzw. ästhetischen Vermittlungsproblematik innerhalb unserer Gesellschaft vorgeführt. Und es zeigte sich: das geschichtliche Versagen der Väter wirkt sich auf die Söhne und die ästhetische Reflexion und Produktion aller aus. Deshalb ist der *Schwarze Schwan* weniger die gelungene Figuration der Unfähigkeit, über das Leid und die Opfer deutscher Geschichte zu trauern, als mehr noch die Trauer über die Ohnmacht des Theaters bzw. der Kunst, beispielsweise auch diese Problematik wirkungsvoll zu inszenieren.

IV.

Walser hat das Theater als Falle nicht nur für Bewußtseinsmuster, die von der Vergangenheit geprägt sind, konstruiert, sondern er hat dieses Verfahren auch auf die gesellschaftspolitischen wie ästhetischen Avantgardisten der Jahre 1967–1970 angewandt. *Wir werden schon noch handeln* war dazu die Vorübung, *Ein Kinderspiel* – 1971 in Stuttgart uraufgeführt – die aktuelle dramatische Durchführung. Es galt in die Falle zu locken, was in der bundesweiten Protestbewegung an revolutionärem Schein und ästhetischer Ersatzhandlung auf der Bühne wie im politischen Alltag im Schwange war, um so den »Revolutionären« wie ihren scheinbar liberalen Gegnern die Bedingungen und die Folgen ihres Tuns vorzuführen. Die Pointe des Stücks ist, daß weder die Dialektik von Theorie und Praxis der Revolution noch das psychologische Raster vom Generationskonflikt die gesellschaftliche Misere wie ihre individuellen Faktoren erklären oder überwinden helfen; Versöhnung kann nicht erpreßt, sie muß ›spielerisch‹ gefunden werden.

Die Gefahr, daß von dieser ästhetischen Konstruktion aus die Kritik und Selbstkritik des fortschrittlichen Bewußtseins zur beliebigen und witzigen Spielerei wird, ist groß. *Ein Kinderspiel,* das die realen Erfahrungen der Zeit aufnimmt, will mehr als zur zynischen Maßnahme der immergleichen Ideologiekritik anleiten. Ein möglicher Ausweg aus der gesteigerten Theatralik des Protestes, der zunehmenden Ratlosigkeit der Generationen und der Rolle der sich emanzipatorisch gebenden Sozialpsychologie als »self full-filling prophecy« mußte, wenn auch ›nur‹ spielerisch, aufgezeigt werden. Das Nichthandeln-Können der Protagonisten der Revolution und die Wirkungslosigkeit des politischen Theaters, seiner ästhetischen Mittel, durften für Walser nicht das letzte Wort bleiben, wenn die ästhetische Idee der ironisch-komischen Gestaltung des Stoffes nicht zum Zynismus werden sollte.

Das Stück ist so angelegt, daß die sozialpsychologischen Gründe des studentischen Protests, seine Rezeption und seine Bewältigung bzw. sein Scheitern in einleuchtenden satirisch überzeichneten Rollen vorgespielt werden. Daß Walser dabei den aus dem expressionistischen Drama bekannten Generationskonflikt zum Ort und Drehpunkt des Stückes macht, bezieht nicht nur jeden Rezipienten mit seinen Erfahrungen ein, sondern zeigt auch die enge Verflochtenheit von privaten und öffentlichen Verhaltensregeln und Bewußtseinsmustern auf. Die damit erreichte thematisch wie dramatisch konzipierte Dichte des Stücks stellt hohe Ansprüche an Schauspieler und Rezipienten gleichermaßen, »bis hin zu Mißverständnissen und Unverständnis gerade in Publikumsschichten, die davon betroffen, belehrt und geweckt werden sollten«.[26] Und doch wirft m. E. D.N. Schmidt zu Recht den andern Kritikern der Uraufführung vor, sie hätten übersehen, »daß sich da einer, Emotionen abklärend, weiter vorgearbeitet hat als je einer zuvor – wenn auch auf Kosten eben jener Transparenz für jedermann, die er als notwendig erste Zielsetzung für Revolutionäre zu empfehlen versuchte«.[27]

Hatten die meisten der Kritikerzunft die Entlarvung der jugendlichen Scheinrevolution und die der heuchlerischen Erwachsenenwelt als »Amüsierstück« und gelungenes »Kabarett«[28] noch in ihrer Funktion verstanden, so wurde vor allem der ›positive‹ Schluß vielfach jedoch nur mitleidig belächelt. R. Baumgart spricht von einem »steilen linken Himmelfahrtskommando nach einer

Sketch-Serie«[29], und F. Luft weiß mit dem »lyrisch(en), fast rilke-haften Schluß« nichts anzufangen; »man lehnt sich nur aneinander. Resignation? Tod bei lebendigem Leibe? Ahnung eines neuen Be-ginns? Oder nur Müdigkeit und Trauer?«[30] Und B. Henrichs spricht von einem Pathos, »das wirkt halt auch wieder wie eine Pi-rouette, wie eine flott formulierte Schlußfloskel, wie Walsers letz-tes Schnörkelchen«.[31]

Sind die Kritiker an dieser Stelle wieder einmal ihren eigenen un-reflektierten Implikationen in die Falle gegangen und damit den Fallstricken von Walsers ästhetischer Konstruktion? Was wird ge-spielt im zweiten Teil des Stücks und wie kommt es zum ›positiven‹ Schluß? Walser hat in der zweiten Fassung[32] des Stücks nicht nur den Schluß geändert, sondern auch an den Beginn des zweiten Akts einen Monolog des Vaters gesetzt, in dem dieser seine Situation an-gesichts der drohenden Pistole des Sohnes reflektiert. Das Stück schließt dann ebenso mit der Reflexion über die Situation des Va-ters wie der über die verbliebenen Chancen der jugendlichen Pro-vokateure. Ganz bewußt wird der Akzent nicht mehr wie in der er-sten Fassung auf die Dokumentation der Agitation, sondern auf die dem Rollenspiel immanente kathartische Wirkung gelegt. Das Stück endet somit nicht in der Widerspiegelung eines tödlichen und deshalb auch unreflektierten Aktionismus, sondern wird von den Spielern gleichsam als »emphatischer Begriff von Denken«[33] erlebt und dargestellt. Die praktische Konsequenz solch befreien-den Denkens setzt nicht das allgemeine Potential von Ressenti-ments gegen sich oder andere frei, sondern äußert sich in spontaner Solidarität und Hoffnung. Die »Kategorien des geschwisterlichen Umgangs«[34], die Walser damit ins Bild bringt, sind durch die Rol-lenspiele um ihre unvermittelt euphorische Wirkung gebracht und dialektisch in den Dienst von Reflexion und Produktion von Wirk-lichkeit gestellt. Hierin nur ein »rotes Schleifchen«[35] zu sehen, wird der Dramaturgie Walsers nicht gerecht. Walser sieht nicht nur in der Figur der Bille eine Chance zur Veränderung und Hoffnung, sieht vielmehr gerade auch in Asti, der dem Typus des ›drop out‹ angehört, jenes Potential von kreativer Spontaneität, das notwen-dig ist, um die Verkrustung des entfremdeten Bewußtseins ein we-nig aufzubrechen. Der damit erreichte hoffnungsvolle Schluß kor-respondiert nicht zuletzt auch mit den sozialpsychologischen Im-plikationen der vorgeführten Handlungsmuster der Figuren. Die Dialektik von Selbst- und Gesellschaftsanalyse wird durch das

Spiel ironisch aufgehoben. Die Negation der Negation privater und öffentlicher Bewußtseinsmuster mündet nicht in die Darstellung einer idealen Handlungsstrategie als »Wille zum Sozialismus«[36], sondern verbleibt im Prozeß des Spiels selbst als seiner realen Möglichkeit und ironisch vermittelten Wirklichkeit. Wirklichkeit wird damit nicht mehr nur abgebildet oder für das Leben beispielhaft vorgespielt. Sprache und Handeln, im Rollenspiel die gesellschaftlichen und psychischen Bedingungen erinnernd, gewinnen eine kreative spielimmanente Funktion. Die Sprache der Schauspieler wird so als »Wortschatz unserer Kämpfe«[37] und Niederlagen und zugleich als Wortschatz unserer möglichen Siege begriffen.

Dem Vorwurf des aufgesetzten positiven Schlusses begegnet Walser weiter dadurch, daß er die Begeisterung der Geschwister durch die auch sonst gebrauchte Zitationsformel als Selbstreflexion vermittelt. Nicht ein idealistischer Höhenflug wird inszeniert, sondern jene Hoffnung, die um ihre psychopathische Variante, die narzißtische Selbsttäuschung, weiß. Der ironisch-komisch gespielte Optimismus täuscht sich nicht über seine Herkunft aus dem beschädigten Leben. Das aber scheinen Kritiker wie Baumgart und Henrichs übersehen zu wollen – oder es ist ihnen einfach zu wenig klassisch oder zu »flott« formuliert. Es könnte freilich auch das der Fall sein, daß die Kritiker deshalb so reagieren, weil sie sich in manchen vorgespielten Bewußtseinsmodellen wiedererkennen.

In der Neufassung des Stücks bzw. vor allem des zweiten Akts aus dem Jahre 1977 – am 13. Oktober 1980 in München im theater 44 uraufgeführt – nimmt Walser den emphatisch positiven Schluß der Geschwister zurück und verschärft dagegen die Kritik an den siegreichen Eltern und den inzwischen angepaßten Rebellen um so mehr. So steht am Ende eine »gerettete« Bille, die Hoffnung verinnerlichend, allein auf der Bühne, während Asti bzw. der jetzt arrivierte Sebastian zu erfolgreichen Geschäftsabschlüssen wieder nach Rom enteilt. Wie die Scheinrevolutionäre am Anfang des Stücks den Mythos der totalen gesellschaftlichen Umwälzung vorschnell zelebrierten, so spinnen nun die Sieger am Schluß im Schein ihrer Macht melancholisch am Mythos ihrer »gelungenen« Rettungsaktionen für die Terrorismus-Gefährdeten. Es ist das ironisch bittere Spiel auf die geschichtliche Erfahrung der Jahre 1971–76, das deutlich macht, wie bestimmend die immergleiche Finesse der Tendenzwendigen jung und alt in ihren Bann zu schlagen vermag. Doch nicht den strahlend Positiven und den schon schizophren gewordenen Anpassungskünstlern gehört die Zukunft; so viel wird dem Zuschauer dieser Neufassung zumindest bewußt. Ob dies auch den Kritikern genügt, wird sich zeigen müssen.

V.

Hellmut Karasek hat anläßlich seiner Besprechung des Stücks *Ein Kinderspiel* die Überlegung gewagt, »daß einer, der das Drama als Äußerungslüge so haßt, weil es in der Aktion eine Veränderung vorgaukelt, die nicht stattfindet, Dramen schreibt, ist schon merkwürdig«.[38] Nun ist zunächst erstaunlich, warum gerade dieser Kritiker, der Walsers dramatisches und episches Schaffen von den Anfängen an und nicht ohne Sympathie begleitet hat, jetzt ratlos ist. Merkwürdiger freilich ist das sich in dieser Überlegung und auch sonst durch die Jahre hindurch artikulierende Mitleid mit Walser und seinem angeblichen »Theaterunheil« schon. Dahinter dürfte nicht nur der Drang zur Hilfestellung und zu freundlichen Ratschlägen für Walser coram publico stehen, um ihn so, trotz aller Kritik, dennoch als Partner zu achten. Hinter der so huldvollen Geste der Kritiker gegenüber dem so »vielversprechenden Autor« scheint eher die Idiosynkrasie der Kritiker selbst hinsichtlich der von Walser ausgelegten ›Fallen‹ zu liegen. »Sebstzweifel«, die »Ohnmacht und Qual der Intellektuellen«[39] innerhalb dieser Gesellschaft, die »Blindheit der Künstler« und ihrer Kritiker, die Zweifel am Veränderungsvermögen des Theaterbetriebs – das sind alles von Walser selbstkritisch und ironisch inszenierte Themen, die nicht an die Substanz des Theaters, wohl aber an die der Kritiker und ihres vom Theaterbetrieb abhängigen Selbstbewußtseins gehen.

Die Kritik an Walsers Theater dürfte deshalb einerseits so heftig und entrüstet und andererseits so voller vorgeschobener Anteilnahme sein, weil eben durch das Dargestellte und die Form der Darstellung die Kritiker in ihrem Selbstverständnis getroffen bzw. mit in das »Spiel im Spiel« einbezogen sind. Wer Walsers Theater als »kluges Formulieren« und »geistreiches Reden«[40] geringschätzt, der wird sich fragen lassen müssen, wie es denn mit seinen eigenen »geistreichen Bemerkungen« in der wöchentlichen Rubrik

für Theater-Kritiken steht. Gerade weil Walsers Figurationen all-
täglicher Bewußtseinsmuster und ihrer Rezeptionsmechanismen
ironisch und selbstkritisch konzipiert sind, müssen die Kritiker
Walsers Theater bemängeln, um eigener Selbstkritik zu entgehen.
Vielleicht mehr unbewußt als bewußt wird gewünscht, daß Walser
tatsächlich »schreibend der Sprung aus der eigenen Klasse (oder
Kaste)«[41] doch endlich gelingen möge. Denn seine ästhetischen
Reflexionen über den Kulturbetrieb: »Sicherheit in Schönheit.
Schönheit in Sicherheit«[42], erschweren nur die Arbeit.

Die Frage schließlich, ob Walsers Figurationen nicht doch ein-
allzu resignatives Bild des kritischen Bewußtseins und seiner Ver-
änderungsmöglichkeiten vorspielen, ist längst im gegenteiligen
Sinne entschieden. In der ästhetischen Konstruktion seiner Stücke
ist die Melancholie über das Elend des bürgerlichen und kleinbürgerlichen Bewußtseins durch die ironische Komik des Spiels selbst
überboten. Oder, um es in diesem Sinne mit einer Variation eines
Satzes von Nietzsche zu sagen[43]: Wir haben ja die Kritiker, wie
könnte da die Kunst zugrunde gehen.

Anmerkungen

1 Pars pro toto sei für diese Maßstäbe auf M. Reich-Ranickis Besprechung der *Zimmerschlacht* verwiesen, *War es ein Mord?*, in: *Die Zeit*,
  19. Dezember 1967.
2 W. Drews, *Martin Walsers Bühnenerstling ›Der Abstecher‹*, in: *FAZ*,
  1. Dezember 1961.
3 M. Reich-Ranicki, *War es ein Mord?*; vgl. Anm. 1.
4 Vgl. zur Thematik von Walsers dramatischen Stücken insgesamt und
  den einzelnen Nachweisen meine Arbeit: W. Brändle, *Die dramatischen Stücke M. Walsers*, Stuttgart 1978.
5 Zitiert wird nach der Ausgabe M. Walser, *Gesammelte Stücke*, Frankfurt (Main) 1971 (abgek. *Stücke*).
6 Karoll Stein, *Am schwarzen Flügel: M. Walser*, in: *Die Zeit*, 2. Februar
  1968.
7 Ebd.
8 Ebd.
9 Vgl. dazu den Vers aus dem Prolog zu Schillers *Wallenstein:* »Ernst ist
  das Leben, heiter ist die Kunst«; ebenfalls Th. W. Adorno, *Ist die Kunst
  heiter?*, in: Th. W. A., *Noten zur Literatur IV*, Frankfurt (Main) 1974,

S. 147 ff.

10 Mit dieser Wendung beschreibt Walser seine Theaterkonzeption; vgl. M. W., *Imitation oder Realismus*, in: *Erfahrungen und Leseerfahrungen*, Frankfurt (Main) 1965, S. 92.

11 Diese Vorwürfe wurden u. a. auch von H. Karasek, *Der Dramatiker M. Walser*, in: W. Schwarz, *Der Erzähler M. W.*, Bern/München 1971, S. 101 ff. erhoben.

12 Vgl. K. Stein, Anm. 6.

13 C. Menck, *Der neue Hamlet*, in: *FAZ*, 19. Oktober 1964.

14 J. Kaiser, *Da ist nichts zu begreifen*, in: *Süddeutsche Zeitung*, 19. Oktober 1964.

15 M. Walser schrieb unter diesem Titel einen das Stück begleitenden Essay; vgl. in: M. W., *Erfahrungen und Leseerfahrungen*, Frankfurt (Main) 1965, S. 51 ff.

16 Vgl. C. Menck, Anm. 13.

17 Vgl. J. Kaiser, Anm. 14.

18 *Das Furienfest, Der Schwarze Schwan M. Walsers in Stuttgart*, in: *Christ und Welt*, 25. Oktober 1964, S. 18.

19 H. Mayer, *Vater Puntila und seine Kinder*, in: *Die Zeit*, 26. März 1965.

20 H. Karasek, *Martin Walser als Dramatiker*, in: *Die Zeit*, 23. Oktober 1964.

21 A. Müller, *Das Unbewältigte bewältigt?*, in: *Theater der Zeit* 1964, H. 23, S. 24 f.

22 Ebd.

23 F. R. Bastide, *Le Cygne Noir*, in: *Nouvelles litteraires*, 12. Dezember 1968.

24 Ebd.

25 H. Geiger, *Widerstand und Mitschuld. Zum deutschen Drama von Brecht bis Weiss*, Düsseldorf 1973, S. 159.

26 D. N. Schmidt, *Schwierigkeiten mit der Revolution*, in: *Frankfurter Rundschau*, 26. April 1971.

27 Ebd.

28 So R. Baumgart, *Konfekt mit rotem Schleifchen*, in: *Süddeutsche Zeitung*, 24. April 1971.

29 Ebd.

30 F. Luft, *Sie wissen, was sie nicht wollen*, in: *Die Welt*, 24 April 1971.

31 B. Henrichs, *Ein Papi guckt ins Kinderzimmer*, in: *Süddeutsche Zeitung*, 14. Juni 1972.

32 Vgl. die genaue Besprechung in meiner Arbeit. Der Text der Neufassung wurde ebenfalls im Suhrkamp Verlag, Frankfurt (Main) 1977 veröffentlicht.

33 Th. W. Adorno, *Resignation*, in: Th. W. A., *Kritik. Kleine Schriften zur Gesellschaft*, Frankfurt (Main) 1971, S. 150.

34 J. Habermas, *Protestbewegung und Hochschulreform*, Frankfurt (Main) 1969, S. 17.

35 So R. Baumgart in seiner Besprechung; s. o. Anm. 28.

36 Ebd.

37 M. Walser, *Aus dem Wortschatz unserer Kämpfe. Szenen*, Stierstadt 1971.

38 H. Karasek, *Politik als Vaterschaftsklage*, in: *Die Zeit*, 30. April 1971.

39 Dies sind die Vorwürfe, die Walser anläßlich der Uraufführung seines Stücks *Das Sauspiel* gemacht wurden. Vgl. M. Walser, *Das Sauspiel*, hg. von W. Brändle, Frankfurt (Main) 1978, S. 417ff.

40 Mit solchen epitheta ornantia hat die Kritik an Walser trotz aller Verrisse nie gespart.

41 B. Henrichs, *Nabelschau mit viel Musik*, in: *Die Zeit*, 26. Dezember 1975. Vgl. dazu auch die Kritik von P. Hamm, *M. Walser und die Reaktion*, in: M. Walser, *Das Sauspiel*, Frankfurt (Main) 1978, S. 431 ff.

42 Vgl. M. Walser, *Das Sauspiel*, Frankfurt (Main) 1978, S. 144.

43 Vgl. F. Nietzsche, *Aus dem Nachlaß der 80-iger Jahre*, in: F. N., *Werke in 3 Bdn.*, hg. von K. Schlechta, Bd. 3, Darmstadt 1973, S. 832: »Wir haben die Kunst, damit wir nicht an der Wahrheit zugrunde gehen.«

Peter Laemmle
»Lust am Untergang«
oder radikale Gegen-Utopie?

Der Sturz und seine Aufnahme in der Kritik

Die literarischen Auguren, die bürgerlichen wie die linken, reagierten mit einer gewissen Enttäuschung auf das Ende der Kristlein-Trilogie. Die bürgerlichen Kritiker bemängelten die Widersprüche, die Walser hier hatte stehen lassen: sie vermißten eine Lösung. Bei der *Gallistl'schen Krankheit* war die Reaktion gerade umgekehrt: dort erregte der sozialistische ›deus ex machina‹ ihr Mißfallen. Ihnen wird es Walser wohl nie recht machen können. Die Linken gaben sich besorgt: war die *Gallistl'sche Krankheit* nicht doch ein besseres Buch (daß sie ein ›schöneres‹ Buch war, steht außer Zweifel), war Walser vielleicht hinter den dort erreichten Erkenntnis- und Bewußtseinsstand (auch politisch) zurückgefallen? Diejenigen, die Gallistl's Leiden und seine – möglicherweise – erfolgte Heilung für einen optimistischen Aufschwung gehalten hatten, fanden Kristleins Sturz zu pessimistisch. Aurel Schmidt in der Basler National-Zeitung: »Nach der *Gallistl'schen Krankheit* (einem optimistischen Buch) ist *Der Sturz* (pessimistisch und deshalb wohl auch verschlagen) ein Knick.«[1] Reinhard Baumgart in der Süddeutschen Zeitung: »Die *Gallistl'sche Krankheit* versuchte eine Aufwärtsbewegung zu beschreiben. Diesmal zieht alles nach unten.«[2]

Es läßt sich hier eine Gesetzmäßigkeit des Literaturbetriebs aus der Nähe beobachten: Walser ist inzwischen von bürgerlichen wie linken Kritikern durch seine politischen Stellungnahmen derart festgelegt worden, daß man direkte politische Aussagen, ja überhaupt eine gewisse Deutlichkeit auch von seinen literarischen Erzeugnissen verlangt. Das Mißverständnis ist allgemein und nicht nur auf den Fall Walser beschränkt: als politisch gilt bei uns Literatur offenbar nur dann, wenn in dem jeweiligen Werk explizit von Politik gesprochen wird. Walser hat sich immer wieder gegen eine reduzierte Ästhetik gewandt, für die Schreiben nur eine Fortsetzung der Politik mit anderen Mitteln bedeutet. Zuletzt in einem

Gespräch mit Adelbert Reif: »Wenn ich das Ergebnis eines literarischen Arbeitsprozesses auf einem anderen Weg erringen könnte als
durch Schreiben von Satz zu Satz, dann würde ich den anderen
Weg wählen, weil es wahrscheinlich ein kürzerer wäre. Schreiben
ist für mich nicht nur Leben, sondern auch Erkenntnis, und deswegen hat vorweg definierbare Parteilichkeit ihre Grenze.«[3]

Exkurs über Martin Walsers Poetik

Der Erkenntnisvorgang, der ein politisches Urteil in der Realität
möglich macht, unterscheidet sich grundlegend von dem literarischen Erkenntnisvorgang. Das eine ist ein logisch begründbarer ra-
tionaler Akt, das andere ein komplizierter, in mehreren Schichten
verlaufender, unbewußter Prozeß: »Ich schreibe ja meine Romane
auch nicht mit der sogenannten Rationalität, die überprüft ihn
nachher allenfalls« – auf diesen Punkt hat Walser selbst aufmerksam gemacht.[4] Der literarische Erkenntnisvorgang wäre demnach
das, was Adorno einmal die unbewußte Geschichtsschreibung der
Gesellschaft genannt hat: politische und individuelle Erfahrungen
treffen hier zusammen. Das muß notwendigerweise eine ambivalente, widersprüchliche Mischung ergeben (so ambivalent, so widersprüchlich wie das Leben selbst). Daß sich der politische und
der literarische Walser nicht mehr decken – ein häufig geäußerter
Vorwurf –, ist so gesehen nicht verwunderlich, sondern eine
Selbstverständlichkeit. Wenn man bereit ist, Literatur als ein Medium, als Erkenntnisinstrument anzuerkennen, muß man auch bereit sein, ihre Eigengesetzlichkeit zu akzeptieren. Andernfalls
müßte man sie konsequenterweise ganz abschaffen zugunsten von
politischer und soziologischer Reflexion. Martin Walser in seinem
Essay *Wie und wovon handelt Literatur:* »Man kann dem Litera-
turprodukt Informationen, Meinungen, Standpunkte entnehmen,
aber man kann nicht Informationen, Meinungen und Standpunkte
nehmen und daraus Literatur machen. Das heißt: man kann Literatur nicht in Dienst nehmen.«[5] Im Mittelpunkt von Walsers Poetik
steht die Überzeugung (die er auch praktiziert), daß Schreiben ein
Experiment ist, bei dem man genausowenig das Ergebnis vorher-
sehen kann wie bei einem wissenschaftlichen Experiment. Vorgegeben sind – dies ist das ideologische Minimum – Versuchsbedingungen und Methode, mit der Einschränkung allerdings: »Metho-

den und Versuchsbedingungen müssen so beschaffen sein, daß sie das Ergebnis des Experiments nicht schon vorwegbestimmen, denn sonst ist der Versuch, wie man in der Sprache der Wissenschaft sagt, nur noch eine Tautologie, ein weißer Schimmel, und man braucht das Experiment gar nicht erst durchzuführen.«[6]

Zu den für Walser wichtigsten literarischen Methoden gehört der Realismus. Sein Realismus-Begriff war freilich immer offener und weniger rigide als der, auf den er von seinen Kritikern festgelegt wurde. Ich glaube, Walser war, seit er überhaupt schreibt, fasziniert von der unabsehbaren, erschreckenden Vielfältigkeit der Realität. Das Auslandend-Überquellende des ersten Kristlein-Romans ist von daher verständlich als Versuch, die komplexen Vorgänge der Realität nachzuahmen bis in ihre Mikrostrukturen hinein. Die vielzitierte Suada, die »Worträusche« Walsers scheinen mir ein sekundäres Merkmal zu sein, ausgelöst durch die Erfahrung der Realität. Diese Erfahrung muß übrigens schmerzhaft gewesen sein: der Realität mit Worten nachzulaufen und sie doch nie einholen zu können. Das klingt bereits an in einem frühen Essay, den Walser noch vor der *Halbzeit* geschrieben hat, der aber von heute aus gesehen schon sein spezifisches literarisches Programm in nuce enthält. Ausgangspunkt ist seine Kritik an den Methoden des bürgerlichen Realismus: »Die Wirklichkeit bestand doch nicht nur aus Problemen und Ereignissen und Handlungen, sie war doch viel unübersichtlicher, viel weniger auf Strukturen zurückzuführen als es in diesen Romanen dargestellt wurde. Und die Menschen waren doch viel unerkennbarer, vielschichtiger, unbegreiflicher als daß man sie auf ein paar Seiten beschreiben und dann gewissermaßen noch handelnd darstellen konnte. Natürlich waren die Probleme, die die Personen bei Zola, Raabe, Fontane, Keller und Thomas Mann zu lösen hatten, auch wirkliche Probleme, aber sie wurden behandelt und gelöst in einer reduzierten Wirklichkeit, in einer Sphäre, in der die Wirklichkeit komprimiert und repräsentiert erscheint. Aber vielleicht ist es nicht mehr möglich, die Totalität aller Bedingungen des menschlichen Lebens darzustellen, und vielleicht ist die ausgewählte Repräsentanz der einzige Weg; aber dann sollte man – meine ich – nicht so tun, als könne man eine geschlossene Welt darstellen, dann sollte man die Unübersehbarkeit des Wirklichen nicht durch Kunst überspielen, nicht durch Komposition überhöhen, sondern sollte die Unerkennbarkeit des Menschen, seine ungeheuerlichen Züge und auch die nicht überschaubare

Wirklichkeit in die Thematik der Romane einbeziehen.«[7]

Walser spricht hier über Proust, aber viel mehr noch über sich selbst (wie häufig Autoren, wenn sie sich über andere Autoren äußern). Man wird in diesen Sätzen den Schlüssel zu sehen haben für Walsers differenzierte Beziehung zum Problem des Realismus: er war nie in Gefahr, Anhänger des sozialistischen Realismus zu werden, der ja gerade die Realität retouchiert, sie mit rosa Verzierungen versieht. Walsers Poetik basiert entscheidend auf dem Versuch, der Wirklichkeit in ihrer Totalität habhaft zu werden. Das erklärt auch seine Sympathien für die dokumentarische Methode: sie sollte bis dahin unbekannte oder verdrängte Realitätsbereiche für die Literatur erschließen. Dabei ist Walsers Realismusbegriff, was seine berühmte und gefürchtete Detailbesessenheit angeht, von der *Halbzeit* bis zum *Sturz* relativ konstant geblieben. Verändert hat sich inzwischen freilich das Erkenntnisproblem – und in diesem Punkt kommen Walsers politisch vollzogene Einsichten auch literarisch zum Tragen. Walser hat sich inzwischen vom Phänomenologen zum Marxisten gewandelt. Totalität und Fremdheit der Realität waren für ihn – bei Beginn der Kristlein-Trilogie – noch eine selbständige Größe. Inzwischen hat er gelernt: die Wirklichkeit ist uns fremd gemacht worden, sie ist die Summe aller unserer Entfremdungsprozesse. – Ziel eines ›kapitalistischen‹ Realismus – von dem Walser in jüngster Zeit oft gesprochen hat – ist, diese Entfremdungsprozesse darzustellen. Aber Darstellen heißt nicht, die sichtbare, erfahrbare Realität einfach abzubilden oder widerzuspiegeln im Maßstab 1 : 1. Der Vermittlungsprozeß ist sehr viel weniger direkt. Der eigentliche Vermittler ist die Phantasie. Die Phantasie reproduziert die Realität in Analogien, in Bildern. Sie ist jedoch nicht autonom, sondern sozusagen eine andere Instanz des kritischen Bewußtseins. Martin Walser: »Die Phantasie ist eine Produktionskammer, in der nichts geschieht, was nicht außerhalb ihrer einen Grund hat. Und an diesem Grund muß das Phantasieprodukt meßbar sein. Von dort hat es Notwendigkeit und Verständlichkeit.«

Der Sturz als Gegen-Utopie

Diese Überlegungen sind die Voraussetzung für eine Deutung des letzten Kristlein-Romans. Joachim Kaiser, der sich von Walser eine zeitkritische Analyse erwartet hatte[8], mußte zwangsläufig enttäuscht sein, im *Sturz* groteske, grelle Bilder vorzufinden (die verschiedenen seltsamen Todesarten könnte man unter den surrealistischen Begriff ›Schwarzer Humor‹ subsumieren). Walser hat hier jedoch nicht die Gegenwart ›beschrieben‹ (das empfände er als Einschränkung seiner formalen Möglichkeiten), sondern reagiert mit seiner Phantasie auf die Gegenwart. Wie wäre es, wenn Walsers Phantasie auf die Deformationen durch die Realität mit deformierten Bildern geantwortet hätte, um sie damit, wie Bloch einmal sagte, bis zur Kenntlichkeit zu entstellen? Ich halte es für oberflächlich, sich an den Ausdrucksformen dieser Phantasie zu stoßen, wie etwa Reinhard Baumgart (»Walsers Phantasie, deren Mittel schon immer die Verzerrung war, tobt durch eine Welt von Karikaturen«), anstatt nachzufragen, welche Erfahrungen diese Phantasie in Bewegung gesetzt haben. Man muß als Leser (und Kritiker) dann auch einmal zugeben, daß man diese Bilder natürlich abwehren und verdrängen möchte. Man liest eben nicht gern etwas über den eigenen miesen Zustand, das hätte man gern etwas weiter weg ins Utopische verschönt.

Ich halte allerdings auch den *Sturz* für einen utopischen Roman, wenn auch mit negativen Vorzeichen. Die endzeitliche Stimmung dieses Buches hat Joachim Kaiser genau beobachtet (ohne daraus freilich weitere Schlüsse zu ziehen): »Kristlein wandert ja nicht durch die Bundesrepublik, sondern er ist ein Molloy, ja ein Odysseus, der Westdeutschland als urgeschichtliches Pan-Dämonium erfährt ... Es wäre kein Kunststück, hinter den Vorgängen etwa die Nausikaa- und Circe-Episode aus der Odyssee zu erspüren.« Es stimmt schon, Kristlein und alle anderen Figuren bewegen sich in einer »Alptraum-Mythologie« (Joachim Kaiser). Aber die von einem, wie es im *Sturz* heißt, »apokalyptischen Föhnlicht« beleuchtete Untergangsszenerie ist in vielen Zügen nur eine Umkehrung der sehnsüchtig beschworenen utopischen Bilder in der *Gallistl'schen Krankheit*. Dort bereits hat Walser auf eine schreckliche Weise fühlbar gemacht, wie die Gegenutopie in die Utopie einbricht. »Das ist eben eine Bewegung, die nur in der Dimension der Zeit möglich ist: unendlich lang abwärts in endlicher Zeit und bei endlicher Höhendifferenz. Und zwar immer rascher abwärts, immer rasanter, immer reißender. Abnehmendes Licht. Ja, das schon. Und immer wärmer. Die Ausgangslage läßt sich genau angeben: Sonntagvormittag, Mitte Juni, jenes Wetter, das man,

chon bevor man die richtige Vergleichsmöglichkeit hat, sofort
und mit mehr Recht als man weiß, herrlich nennt, im Stadtgarten,
in der Nähe des Pavillons, in dem die Kapelle das Potpourri spielt,
Freunde, Frauen, Mädchen, Kinder, glückliche Hunde, eine Ziga-
ette, Süddeutschland. Wer glaubt schon, daß irgend etwas an die-
em Tag von gravierender Bedeutung ist. Die Stadtgarten-Pavil-
on-Frauen-Kinder-Blüten-Szene scheint wie für immer auf dem
Kamm der Zeitwelle schwanken zu dürfen. Und doch passiert
nichts anderes, als daß diese Szene vom ersten Augenblick zu sin-
ken beginnt und im Lauf von 20 Jahren in spürbar zunehmendem
Tempo ununterbrochen in Grund und Boden sinkt. Im Dreck und
Scheiße. Öl, Ekel. Undsoweiter. Ununterbrochen. Und mit immer noch zunehmender Geschwindigkeit.«

Das visionäre Moment, das Walser hier bereits vorweggenommen
hat, ist charakteristisch für den *Sturz* (der schon in dieser Szene bereits stattfindet). Die positive Idylle, die Walser in der *Gal-
istl'schen Krankheit* ausgemalt hat (z. B. Naturschönheit, die
Reinheit einer nicht entfremdeten Ordnung) kehrt im *Sturz* grim-
mig enstellt durch Dreck und Ekelhaftes als negative Idylle wieder.
Einen ›positiven‹ Helden gibt es hier nicht mehr; alle Figuren sind
auf irgendeine Weise kaputtgegangen; daneben tauchen echte
Chimären auf wie Finchen oder der armenische Kaufmann aus
München. Trotzdem hat Walser seinen Figuren nicht ihre Geschichte, ihre menschliche Aura weggenommen. Das bezieht sich
auch auf die seltsamen Todesarten und Selbstmorde. Es ist immer
ein individueller, typischer Tod (wenn auch aus gegenutopischer
Sicht verzerrt): Gerade der Tod Edmunds, der auf so schauerliche
Weise maniert und bewußt kalkuliert ausfällt; so maniert und
bewußt wie Edmund selbst. Es stimmt deswegen nicht, was einige
Kritiker behauptet haben, für Walser sei dieses Massensterben nur
ein Vorwand gewesen, die Kristlein-Trilogie zu einem endgültigen
Abschluß zu bringen. Walser lebt zu sehr mit seinen Figuren,
nimmt sie selbst viel zu ernst, als daß er imstand wäre, wie Hans
Christoph Buch meinte, das Personal seiner Kristlein-Epen einfach zu »liquidieren«[9]. Einen versteckten Hinweis auf Kristleins
Tod gibt es bereits in der *Gallistl'schen Krankheit,* wenn Walser
sich eine Todesart überlegt, »die keinen Sarg mehr erlaubt. Vielleicht die Alpen«.

Gallistl und Kristlein: Leidensgenossen

Das wesentliche utopische Merkmal des Gallistl-Buches: Gallistl überwindet seine Krankheit (wie wird das weitergehen? Walser plant, wie er sagt, zwei Fortsetzungen unter dem Titel »Gallistls Verbrechen« und »Gallistls Lösung«). Das wesentliche gegenutopische Motiv im *Sturz:* Kristlein überwindet die Gallistl'sche Krankheit nicht. Denn in Wahrheit sind er und Gallistl Leidensgenossen. Kristlein zeigt die bekannten Symptome: Müdigkeit, psychische Regression, das Bedürfnis, in einen embryonalen Zustand zurückzukehren (»Am liebsten hätte ich meinen Heimweg in etwa 800 bis 1200 Meter Tiefe verlegt. Dort stelle ich es mir warm vor, geräuschlos und halbwegs dunkel. Aber vielleicht wäre es dort so einlullend, daß man gar nicht mehr gehen möchte, man bleibt fach liegen«).

Allerdings wird man, wie das in einigen Rezensionen geschehen ist, Gallistl nicht gegen Kristlein ausspielen können. Beide stehen in einem verschieden gearteten sozialen Bezugssystem, das erklärt ihr unterschiedliches Verhalten. Kristlein ist Angestellter, »Stehkragen-Proletarier« (Hans G. Helms), Gallistl (was auch immer für einen Beruf er haben mag – Schriftsteller?) ist eine bürgerliche Existenz. In Kristleins Existenz spukt allenfalls noch ein Rest von Bürgerlichkeit nach (Siegfried Kracauer über *Die Angestellten:* »Auf das Monatsgehalt ... und einige andere ähnlich belanglose Merkmale gründen in der Tat gegenwärtig große Teile der Bevölkerung ihre bürgerliche Existenz, die gar nicht mehr bürgerlich ist ... Die Stellung dieser Schichten im Wirtschaftsprozeß hat sich gewandelt, ihre mittelständische Lebensauffassung ist geblieben. Sie nähren ein falsches Bewußtsein. Sie möchten Unterschiede bewahren, deren Anerkennung ihre Situation verdunkelt; sie frönen einem Individualismus, der dann allein sanktioniert wäre, wenn sie ihr Geschick noch als einzelne gestalten könnten«[10]). Kristlein jedoch ist abhängig, und diese Abhängigkeit verändert sein Leben entschieden: er wird gezwungen, eine Arbeit zu tun (als Leiter des Blomichschen Erholungsheims), die weder seinen Fähigkeiten noch seinen Interessen entspricht. Weil er seine Arbeit nur widerwillig und unzureichend ausführt, wird er entlassen. Diese Erfahrung ist übrigens das Motiv für seine Selbstmord-Phantasien – Walser läßt offen, ob der Selbstmord tatsächlich stattfindet. Wie sehr er schon den Symptomen der Entfremdung verfallen ist, zeigt sein Bekenntnis, sein Lebensinhalt sei nur noch das Geldverdienen. Walser hat mit dem ›Gegentyp‹ im *Sturz* eine Kontrastfigur zu Kristlein entworfen: eine Figur, deren soziale Identität (aber nicht nur sie allein) auf Besitz gegründet ist. Dieser Unternehmer verkörpert all das, was Kristlein fehlt: äußere Sicherheit (während Kristlein umhergetrieben wird), psychische Stabilität (wieviel Angst dagegen bei Kristlein!), kaum entfremdete Arbeit, so daß er in Ruhe schreiben kann, wonach sich auch Kristlein sehnt. Kristlein, fünfzigjährig, ohne berufliche Chancen, ist am Ende; seinem tödlichen Sturz geht der Absturz in sozialer Hinsicht voraus (das gilt nicht nur für ihn allein in diesem Roman).

Peter Wapnewski brachte den Zusammenhang Kristlein–Gallistl meines Erachtens in ein falsches Licht, wenn er im ›Spiegel‹ meinte: »Kristlein ist nicht gesund genug für die Gallistl'sche Krankheit, ist keiner von denen, die sie durchmachen – sondern ist eher einer von denen, die sie verbreiten, zu viele Opfer hinterlassend, als daß er selber zum Opfer sich eignete.«[11] Das mag verstehen, wer will: logisch schlüssig ist das keinesfalls. Dieses Zitat zeigt auch, daß Kritik im Fall Walser oft mehr den Charakter eines Ratespiels bekommt. Wenn schon von Opfern die Rede ist, wird man wohl sagen müssen: Gallistl und Kristlein sind beide Opfer oder besser gesagt: Produkte ihrer gesellschaftlichen Situation. Allerdings haben sie ein unterschiedliches Bewußtsein (das an manchen Punkten mit Walsers Bewußtsein identisch sein mag; aber autobiographisch sind beide Bücher nicht, wollen es nicht sein. Beide spiegeln ein Stück Zeitbewußtsein wider). Gallistl weiß, was mit ihm geschieht, er hat seine Lage erkannt und kann dementsprechend handeln. Kristlein spürt nur dumpf, daß etwas mit ihm geschieht; im besten Falle ahnt er es. Das Gallistl-Buch ist aus einer subjektiven Perspektive geschrieben; es ist die Innenansicht eines Leidensprozesses, den Walser im *Sturz* von außen beschreibt. Karl Heinz Bohrer hat sehr genau die *Gallistl'sche Krankheit* als »aufklärerische Reduktion der sozialen Szene«[12] definiert. Mit dem *Sturz* hat Walser die Bedingungen, unter denen die Gallistl'sche Krankheit zustande kommt, nachgeliefert, indem er sie soziale Szene diesmal ganz in den Vordergrund stellt. Wenn Reinhard Baumgart moniert, Kristlein habe offenbar die *Gallistl'sche Krankheit* nicht gelesen, kann man nur zurückfragen: hätte es ihm etwas genützt, wenn er sie gelesen hätte?

Walser hat im *Sturz* (darüber läßt er Edmund einmal sprechen) das »Höllenhafte unserer Existenz« zum Furchtbaren hin zugespitzt. Im Unterschied zu Thomas Bernhard, dem anderen großen Gegen-Utopiker, glaubt er nicht, daß das Leben von Anfang an auf eine Vernichtung zutreibt. Unsere Existenz ist die Hölle, zu der wir sie gemacht haben. Walser reagiert in seinem Katastrophenbewußtsein sicher nicht weniger seismographisch als Thomas Bernhard. Nur läßt er die Ursachen der Katastrophen nicht außer acht. Seine Gegen-Utopie trägt die realen Züge des Spätkapitalismus. Deswegen ist es beinahe zynisch, ihm »Lust am Untergang«[13] vorzuwerfen. Die gegenutopische Literatur, siehe Huxley, siehe Orwell, war immer kritisch, satirisch, nie affirmativ. »Die Schreiber antworten auf einen Mangel, den sie erleben«, erklärt Martin Walser.[14] Die Gegen-Utopie fordert die Utopie.

Anmerkungen

1 Aurel Schmidt, *Von der alltäglichen Realität erdrückt und erschlagen*, in: *Basler National-Zeitung*, 12. Mai 1973.

2 Reinhard Baumgart, *Magie und Lust am Untergang*, in: *Süddeutsche Zeitung*, 4. April 1973 (Literatur-Beilage).

3 *Thema Realismus. Ein Gespräch mit dem Schriftsteller Martin Walser*, geführt von Adelbert Reif, in: *Basler National-Zeitung*, 4. August 1973.

4 Thomas Thieringer, *Die Soziologie macht Fiktion wieder möglich. Gespräch mit Martin Walser*, in: *Süddeutsche Zeitung*, 10. August 1973.

5 Martin Walser, *Wie und wovon handelt Literatur, Aufsätze und Reden*, Frankfurt (Main) 1973 (edition suhrkamp 642), S. 132.

6 Gespräch mit Adelbert Reif, a. a. O.

7 Martin Walser, *Erfahrungen und Leseerfahrungen*, Abschnitt: »Leseerfahrungen mit Proust«, Frankfurt (Main) 1965 (edition suhrkamp 109), S. 127f.

8 Joachim Kaiser, *Subjektivistischer Romancier mit marxistischem Überbau*, in: *Merkur* 27 (1973), S. 777–783.

9 Hans Christoph Buch, *Phoebe Zeitgeist am Bodensee. Zu Martin Walsers Roman ›Der Sturz‹*, in: *Neue Rundschau* 84 (1973), S. 551f.

10 Siegfried Kracauer, *Die Angestellten*, in: *Schriften I*, Frankfurt (Main) 1971, S. 273f.

11 Peter Wapnewski, *Kristlein am Kreuz*, in: *Der Spiegel*, 21. Mai 1973, S. 156f.

2 Karl Heinz Bohrer, *Die lädierte Utopie und die Dichter*, München 1973, S. 50.

3 Titel der bereits zitierten Rezension von Reinhard Baumgart.

4 Martin Walser, *Wie und wovon handelt Literatur?*, S. 123.

Ursula Bessen
Martin Walser – Jenseits der Liebe

Anmerkungen zur Aufnahme des Romans bei der literarischen Kritik

I.

»Ein belangloser, ein schlechter Roman, ein miserabler Roman. Es lohnt sich nicht, auch nur ein Kapitel, auch nur eine einzige Seite dieses Buches zu lesen.«[1]

Mit diesem apodiktischen Urteil Marcel Reich-Ranickis beginnt die Kritikerrezeption von Martin Walsers Roman *Jenseits der Liebe*. Diese Ablehnung zeigte Wirkung. Nahezu jeder Rezensent fühlte sich in der Folgezeit dazu genötigt, auf dieses Urteil einzugehen. Im nachhinein erscheint es bei nur oberflächlicher Prüfung, als habe Reich- Ranicki sogar sein Ziel erreicht: *Jenseits der Liebe* gilt vielen als Roman, der von der literarischen Kritik als eine der schwächsten Arbeiten Walsers angesehen wird.[2]

Daß die Literaturkritiker zu Martin Walsers Arbeiten grundsätzlich ein problematisches Verhältnis haben, darauf weist H. E. Schafroth hin. Im Gegensatz zu seinen Schriftsteller-Kollegen Grass und Lenz, deren Bücher »auch gelegentlich kritisch rezensiert«[3] würden, spare man die Gehässigkeit jedoch für Martin Walser auf. Diese Art, mit Walsers Arbeiten umzugehen, habe mittlerweile »Tradition«: »Seit einigen Jahren wiederholt es sich in schöner Regelmäßigkeit: wenn Martin Walser ein neues Buch veröffentlicht [...], gönnt sich mindestens ein deutscher Starkritiker einen großen Auftritt und zerreißt das Buch in Fetzen – als ob er zeitlebens darauf gewartet hätte, es zu tun.«[4]

Schafroth, der sich auch nach den Gründen fragt, die eine solche Kritikerhaltung provozieren, vermutet sie im außerliterarischen Engagement des Autors, in seinen politischen Aktivitäten. Betrachtet man die Rezensionen, die zu *Jenseits der Liebe* publiziert wurden, so spricht tatsächlich einiges für diese Vermutung. Walsers politischer Entwicklung widmet sich nahezu jeder Kritiker. In einem solchen Ausmaß und so abgelöst vom literarischen Schaffen les Autors, wie Reich-Ranicki das vorführt, unternimmt dies jedoch keiner.

II.

Bevor Reich-Ranicki überhaupt auf den Roman eingeht, entwickelt er eine politische Kurzbiographie Martin Walsers, die allein darauf abzielt, ihn als Schriftsteller abzuwerten. Erstaunlich daran ist, mit welcher Ausführlichkeit der Rezensent die politischen Aktivitäten Walsers nachzeichnet, obwohl er doch ausdrücklich betont, daß diese »für den Literaturkritiker [...] belanglos«[5] seien: Damals, um 1970, schöpfte Walser, verärgert über Literaturkritiker, Intendanten und Theaterrezensenten, recht plötzlich neue Hoffnungen: Er wandte sich, die Mode vieler bundesdeutscher Intellektueller flink und graziös mitmachend, dem Kommunismus zu. Wenn es mit dem Dichter nicht weitergehen will, ist hierzulande die Barrikade des Klassenkampfes ein attraktiver und meist auch gemütlicher Aufenthaltsort, auf jeden Fall aber eine dekorative Kulisse.«[6]

In diesem polemischen Tonfall ist die ganze Rezension verfaßt. Die Handlung bezeichnet Reich-Ranicki als »simpel«[7], die sprechenden Namen der Figuren (durch ihn entsprechend interpretiert) erscheinen ihm als oberflächlich: »So ist Horn einer, der sich die Hörner abgelaufen hat und dem das Leben (in der kapitalistischen Bundesrepublik) in jeder Hinsicht die Hörner aufsetzt.«[8] Den Figuren und dargestellten Problemen des Romans spricht er jeglichen Wirklichkeitsbezug ab. Sie sind für ihn Klischees: »Und der Firmeninhaber? Das ist eigentlich eine überflüssige Frage, denn wie Firmeninhaber sind, das weiß doch jedermann: es sind Ausbeuter und Blutsauger.«[9]

Dieser Argumentationsweise bedient sich Reich-Ranicki nicht zum ersten Mal, wenn er auf Walsers Prosa zu sprechen kommt. Nicht übernommen hat er in seiner jüngsten Kritik allerdings die früher noch mitgelieferten Gründe für seine Ablehnung. Während er 1963 zur Figurenzeichnung – zu *Ehen in Philipsburg* – schrieb: »Walser ist wohl der erste deutsche Epiker, der das Kunststück vollbracht hat, keine einigermaßen lebendige und greifbare Gestalt zu schaffen – und doch zu zeigen, daß er zu den Meistern der Psychologie gehört«[10], und er seine Beobachtung erläuterte, indem er

215

auf den Unterschied zwischen der Zeichnung von Charaktere
und Charakterzügen verwies, so übernimmt er jetzt nur noch di
Aussage, daß es »nie Walsers Sache [war], lebendige Gestalten z
zeichnen«.[11] Er bemängelt, daß »die Charaktere der beiden Ange
stellten [...] nur sehr vage sichtbar werden«[12], ohne zu fragen
welche Funktion diese Art der Figurenzeichnung in der Gesamt
konzeption des Romans haben könnte.

Da für Reich-Ranicki die Figuren und deren Probleme keinen Be
zug zur sozialen Realität haben, kommt es auch gar nicht so weit
daß er sich mit der Thematik des Romans auseinandersetzt. De
von Walser vermittelte, von den Sozialwissenschaften häufig genu
beschriebene Zusammenhang, daß die am Arbeitsplatz erfahrene
Kränkungen als Aggression in die Familie hineingetragen werde
oder in Selbstaggression umschlagen und sich nur selten gegen di
richten, die sie verursachen, bleibt bei Reich-Ranicki konsequen
ausgespart.

Anstatt sachgerecht auf das Thema des Romans einzugehen, ver
bündet sich Reich-Ranicki vorschnell mit dem Leser, macht sic
zu seinem Sprecher und unterstellt rhetorisch Evidenzen, die ei
gentlich erst argumentativ zu klären wären: »Dieser [Horn] ist wi
die meisten Fünfzigjährigen in der bürgerlich-kapitalistischen Ge
sellschaft ein Opfer des grausamen Konkurrenzkampfes, als
müde abgetakelt, resigniert und verzweifelt. Da er ein Organ hat
das in der westdeutschen Gesellschaft das Leben eher erschwert
nämlich ein Herz, scheitert er im Beruf. Und da er der ›typisch
Verlierer‹ ist, muß er auch als Ehemann und Vater scheitern. I
seiner sexuellen Potenz ist er, dem literarischen Klischee gemäß
ebenfalls wenig leistungsfähig. Der Angestellte Horn neigt zu
Onanie, doch auch hier operiert er eher glücklos.«[13] Mehrere
wird an diesem Zitat deutlich: Die ironische Pointe, und das läß
sich verallgemeinernd für die ganze Rezension sagen, hat stet
Vorrang vor der Information. Und auffällig ist gleichzeitig, daß i
diesem kurzen Abschnitt der Kritiker Vokabular aus dem poli
tisch-ökonomischen Bereich entlehnt[14], Begriffe eines Sprachge
brauchs also benutzt, die nicht die seinen sind, sondern die er den
jenigen unterstellt, die er schon vorher angegriffen hat: die seine
Meinung nach »revolutionären Linken in der Bundesrepublik«, z
deren »geistreichem Bajazzo«[15] Martin Walser sich entwickel
habe.

Auch auf das, was den Roman am auffälligsten strukturiert, di

216

Erzählperspektive, geht Reich-Ranicki im Grunde nicht ein: Nahezu alle gesellschaftlichen Prozesse erfährt der Leser aus der Sicht der Hauptfigur Horn. Mit einem einzigen Satz schreibt er über dieses Konstruktionsprinzip hinweg: »Indes muß man zugeben, daß sich Walser viel Mühe gibt, um den Lesern das Innenleben seines Helden zu verdeutlichen.«[16] Was hier ernst verstanden werden könnte, ist ironisch gemeint, daran läßt das anschließende Zitat keine Zweifel.

Selbst sprachlich hat Walser für Reich-Ranicki seine Zukunft hinter sich: »Die Sprache verweigert sich ihm, seine Diktion ist jetzt saft- und kraftlos: In dieser Asche gibt es keinen Funken mehr.«[17] Ganz so neu ist auch diese Anmerkung nicht. Zu Walsers Sprache hatte der Kritiker seit jeher ein ambivalentes Verhältnis. Schrieb er 1963: »In der Tat, bisweilen hat man den Eindruck, daß nicht die Sprache Walser als Instrument dient, sondern daß er lediglich ein Medium der Sprache ist. Die Befürchtung, sein Intellekt könnte in diesen Wortfluten ertrinken, läßt sich nicht von der Hand weisen«[18], so hat er in dieser Rezension mit den gleichen Redewendungen entschieden, daß es der Vergangenheit angehört, zu fragen, »ob die Sprache das Instrument Walsers sei oder Walser lediglich ein Instrument der Sprache«.[19] Denn von Walsers »einst rühmliche[r] Empfänglichkeit für Töne und Zwischentöne« sei buchstäblich »nichts geblieben«.[20] Mehr ist zur Sprache nicht zu erfahren, ein Zusammenhang zu anderen Merkmalen des Romans wird nicht hergestellt.

Nicht nur dem Autor aber erteilt der »Groß«-Kritiker eine Lektion. Gegen Ende seiner Rezension geht er auch mit dem Verlag ins Gericht: »Wie schlecht muß ein Walser-Manuskript [sein], damit der Suhrkamp-Verlag es ablehnt?«[21] Positiven Gegeneinwänden baut er wie üblich vor. Er ahnt schon, wer an diesem Roman Gefallen finden könnte: »Rezensenten, die sich für ›progressiv‹ halten, werden das Buch ausgiebig loben, denn Walser gilt ja als furchtloser Linker. Aber diese Prosa – das sei mit Entschiedenheit gesagt – ist weder links noch rechts. Sie ist nur langweilig.«[22]

Ihn würde es nicht erstaunen, sollte sich ›ungeachtet der literarischen Qualität des Romans, aus politischen Gründen eine Solidarität mit dem Autor einstellen.‹ Gegen diese, wie er meint, verschleiernden positiven Rezensionen, sichert er sich von vorneherein ab.

Es hat den Anschein, als könne Reich-Ranicki das, was er für Kritiker postuliert, die literarische von der politischen Arbeit eines Autors zu trennen, selbst nicht einlösen. Denn gleichgültig, worüber er spricht, seine Idiosynkrasie gegen linke oder vermeintliche linke Positionen läßt ihn eine polemische Rhetorik entwickeln, die weitgehend auf Argumentation verzichtet. Sicherlich mag seine Ablehnung in Ansätzen auch ästhetisch begründet sein. Denn seine auf Walsers frühere Arbeiten bezogene noch ambivalente Haltung resultierte damals aus einer gewissen Wertschätzung der Sprache des Autors. »Aber noch in einem so mißratenen Buch wie dem Roman *Das Einhorn* (1966) konnte man hier und da witzige Reflexionen, hübsche Arabesken und geschickt formulierte Impressionen finden.«[23] Die ästhetische Konzeption von *Jenseits der Liebe*, die sich grundlegend von Walsers früheren Arbeiten aus dem Angestelltenmilieu unterscheidet, kommt allerdings solch sprachlichen Erwartungen nicht entgegen.

Letztlich wird der eigentliche Grund seiner Ablehnung jedoch in der dem Kritiker eindeutig erscheinenden politischen Thematik des Buches liegen: Die Schärfe, mit der Reich-Ranicki sich gegenüber dem Roman verwahrt, verweist auf den Nachdruck, mit dem er glaubt, das gesellschaftliche System der Bundesrepublik verteidigen zu müssen. »Aber sie sind ein freier Mensch. In unserer Gesellschaft kann sich jeder verwirklichen.«[24] Walser läßt den Firmenchef Thiele dieses gesellschaftliche Selbstverständnis aussprechen, das der Roman durch Horns Biographie als falschen Anspruch widerlegt.

Weniger polemisch als Marcel Reich-Ranicki geht Joachim Kaiser auf Martin Walsers »gesellschaftskritisches Anliegen«[25] ein. Letztlich habe Walser gestalten wollen, »daß es unsere erfüllte Leistungsgesellschafts-Form sei [...], die Franz Horn in Isolierung und [...] Selbstmordversuch treibe«.[26] Doch daran, so behauptet Kaiser, ist Martin Walser gescheitert. Ein wesentlicher Grund, den er für dieses Mißlingen anführt, ist, »daß Walsers Kritik an bundesdeutschen Figuren oder Zuständen als bloßer Überbau erkennbar« werde.[27] Die unklare Begrifflichkeit erschwert das Verständnis seines Einwandes.[28] Erst die im gleichen Zusammenhang stehende Äußerung, »Horn sei ein alles aus sich herausspinnendes Ich«[29], läßt vermuten, was Kaisers Mißfallen u. a. hervorruft: Die starke Akzentuierung der Innenperspektive. Für Kaiser ist Horn lediglich »Jemand, der keinerlei rationalen Zugang zur Welt finden mag«[29]. Er sieht in ihm einen Menschen, der die »Umstände, als deren Opfer er sich fühlt«, nicht vernünftig erklären kann.[30] Damit greift Kaiser allerdings zu kurz. So übersieht er den Zusammenhang zwischen Horns zunehmender Isolation und seiner bis zum Selbstmord sich steigernden Selbstaggression. Für ihn reduziert sich die Figur auf einen »Unseligen«, der »halt zum Leiden auserkoren ist«.[31] Wenn er davon spricht, Horn hätte sich seine »absurden Suchereien mit Hilfe eines Telefonats«[32] ersparen können, so setzt er damit zwar eine komische Pointe, wird Horns Konflikt aber nicht annähernd gerecht. Kaiser bemängelt, daß hier ein »Ich« dargestellt werde, welches nur »mit sich selber«[33] verkehre. Einmal abgesehen davon, daß Kaiser zwischen Erzähler und der Hauptfigur nicht unterscheidet[34], setzt er darüber hinaus sogar Autor und Hauptfigur gleich. Nicht Walser ist, um in Kaisers Worten zu sprechen, »die moderne Objektwelt« fern, sondern er *zeigt* eine Figur, die sich zunehmend aus gesellschaftlichen Bezügen entfernt, sich isoliert. Das entfremdete Bewußtsein des Kleinbürgers Horn stellt Walser als gesellschaftliches Phänomen dar; Kaiser dagegen sieht Horn als isoliertes Ich. Seine Auffassung von gesellschaftskritischer Darstellung scheint die Ausformung der Innenwelt der Individuen in ihrer gesellschaftlichen Prägung nicht einzuschließen. Diese Sichtweise aber verkürzt die im Innern der Figur angelegte Gesellschaftskritik auf die einer existentiell anmutenden Individualproblematik. Kaiser hat die dargestellte (Selbst-)Entfremdung Horns benannt. Leider bleibt er dabei auf der Beschreibungsebene.

Konnte Kaiser notfalls noch über den – seiner Meinung nach – wenig ausbalancierten Aufbau des Romans hinwegsehen, so ist es die Sprache, die ihn veranlaßt, von *Jenseits der Liebe* als von einem »schwachen Walser-Text« zu sprechen: »Noch der spätere Walser setzte [...] die Eigenbewegung seiner Sprache frei, er machte ein Stil- und Spiel-Netz aus ihr, ein artifizielles Bedeutungssystem neben dem bloßen Bedeuten. Das geschieht hier kaum mehr.«[35]

Hier wird eine Forderung sichtbar, die insgesamt von der ablehnenden Kritik erhoben wird, an der sie versteckt oder offen den Roman mißt. »Die Sprache verweigert sich ihm, seine Diktion ist jetzt saft- und kraftlos«[36]; »Auf die Arbeit an und mit der Sprache mag er sich nicht mehr so wie früher einlassen«.[37] Der Fall Horn werde als ein ins Leblose weggeredeter dargeboten. Daß Walsers sicherlich neue sprachliche Ökonomie eine Funktion haben könnte, ist nicht Gegenstand ihrer Überlegungen. Kritiker, die Merkmale sprachlicher Verselbständigung zu ihrer Beurteilungsgrundlage machen und dafür immerhin in früheren Romanen Anhaltspunkte finden konnten, mußten durch *Jenseits der Liebe* enttäuscht werden. Denn der Roman ist strenger, distanzierter angelegt, die Sprache richtet sich ganz nach den Anforderungen, die durch die Figur des Angestellten Horn vorgegeben werden. Wie bewußt Walser sich Formen seiner früheren Darstellungsart verweigert hat, geht aus folgenden Aussagen hervor: »Wenn man genau hinschaut, wird man bemerken, daß [...] das mein erstes Buch ist, in dem ich in der Er-Form schreibe und nicht mehr in der Ich-Form. Das ›Ich‹ kann orgeln [...]. Ich kann einen solchen Menschen wie diesen Franz Horn, an dessen Seite ich eng weiterschreibe, den kann ich keine sprachlichen Saltos machen lassen. Da ist ja auch der thematische Druck: diese Franz Horn-Biographie ist viel zu stark, als daß ich da vergnügen könnte mit Sprachspielen; dafür ist in einem solchen Zusammenhang kein Platz mehr.«[38]

Wie widersprüchlich und sprunghaft Argumente eingesetzt werden, offenbart sich vollends, liest man von den gleichen Kritikern Bemerkungen zu Walsers Sprache in früheren Rezensionen. Dort nämlich wurde das kritisiert, was nun vermißt oder freundlich uminterpretiert wird. Joachim Kaiser zu Walsers Roman *Der Sturz*: »Nur diese Hochstimmung, die als Voraussetzung zu Walsers orgiastischem Pathos gehört, verhindert, wenn sie da ist, alle formende Sicherheit. Worte, Worte, Worte. Anspielungen zwischen Hamlet und Tagesschau, aber kaum Gehalte, kaum Formen. Das ist Walsers Schicksal, nicht gerade das Schicksal eines Aufklärers.«[39]

Der Eindruck von der völligen Beliebigkeit der Anwendung literarischer Kriterien drängt sich auf. Walser selbst hat die Willkür, mit der hier geurteilt wird, zu Recht thematisiert: »Ja, ich meine, die Leute, die mir jetzt da vorwerfen, daß ich meinen literarischen Federschmuck nicht mehr trage – den haben sie mir ja früher vorgeworfen, daß ich zu viele literarische Saltos schlage, zu sehr literarische Verselbständigung, Sprachspiele, Exaltationen, ›Walsers Wörterrausch‹ und so; ich höre das alles noch. Jetzt bin ich ihnen zu schlicht dahergekommen. Ich suche mir weder das eine noch das andere raus.«[40]

Wolfgang Werth kommt ebenfalls zu einem negativen Gesamturteil des Romans. Obwohl auch er sich an der Sprache stößt, macht er diese jedoch nicht zum Kriterium seiner Ablehnung. Er setzt einen anderen Akzent. Ähnlich wie Joachim Kaiser attestiert auch Werth diesem Roman einen gesellschaftskritischen Anspruch. »Das ist Walsers zentrale Botschaft: Im Kapitalismus gibt es keine Liebe. Wer diesem System dient, wird von ihm aufgefressen, schlimmer noch wird von ihm gezwungen, sich selber zu zerfressen.«[41] Dies darzustellen, so behauptet Werth, sei Walser aber nicht gelungen. Sein abschließendes Urteil lautet: »*Jenseits der Liebe* ist im wahrsten Sinne des Wortes ein Fehlschlag.«[42]

Zentrales Argument seiner Ablehnung ist, daß Walser die gesellschaftliche Erfahrung auf Horns Wahrnehmung reduziere. Darin sieht Werth eine Verengung und gleichzeitig eine Verzerrung der Erzählperspektive. »Die kaputte Innenwelt des Franz Horn kann die Außenwelt, in der und an der er gescheitert zu sein behauptet, nicht denunzieren, weil diese ja nur als jenes Bild im Buch erscheint, das sich Horn-Walser von ihr zurechtgelegt hat, ohne es realisieren zu können.«[43] Werth, der zugesteht, daß Horns Zustand »[...] in diesem Buch richtig zum Ausdruck kommen [...]« mag, formuliert seine darüber hinausgehenden Erwartungen sehr präzise: »[...] aufschlußreich aber wäre das doch nur, wenn zugleich *vorgeführt und erklärt* würde, wie und wodurch es mit Franz Horn so weit gekommen ist.«[44] Horn könne »als Betroffener nicht objektiv«[45] sein, und somit bleibe Walser – anstatt zu erklären – in Behauptungen stecken. Im gleichen Zusammenhang kritisiert Werth die Erzählerposition. Seiner Meinung nach nutzt Walser die distanzierenden Erzählmöglichkeiten nur in unzureichendem Maße. Ein Roman, der in der Er-Form geschrieben wäre, ließe mehr Distanzierungsmöglichkeiten zu: »Obwohl Walser [...] selbst als anonymer Erzähler mitredet, gelingt es ihm nicht, jenen Abstand herzustellen, der diesen Franz Horn und dessen Gegenspieler [...] als Person hinreichend erkennbar machen würde.«[46] Werths zentraler Kritikpunkt deckt sich im Ansatz mit Kaisers Einwand. Werth bleibt aber nicht bei der bloßen Behauptung stehen.

Trotz der unterschiedlichen Akzente, die die ablehnende Kritik setzt, werden in Teilen Ähnlichkeiten der Erwartungen an den Roman deutlich. Neben solchen, die der Sprache gelten, richten sie sich insbesondere auf Stoff und Thematik des Romans. Werth und Kaiser stören sich daran, daß Walser die Erzählperspektive auf das Erleben Horns einengt. Sie sind davon überzeugt, Walser könne mit dieser eingeschränkten Sichtweise seiner gesellschaftsbezogenen Thematik nicht gerecht werden. So fordert Werth, der Autor müsse mit der gleichen Genauigkeit, mit der er Horns Empfindungen und Wahrnehmungen beschreibt, auch auf dessen Lebensverhältnisse, den Betrieb, seine Familie eingehen, unabhängig von Horns – für Werth notwendig verzerrten – Wahrnehmungen. Für ihn hat Walser den Roman »geschrieben wie einer, der auf die Wirklichkeit, in der man sich seine Figuren doch vorstellen soll, nicht mehr neugierig ist«.[47] Was Walser beschreibe, greife zu kurz: Walser habe nichts als Horns Bewußtsein dargestellt, also eine Art Bewußtseinsroman geschrieben. Direkt, eventuell korrigierend, erfahre der Leser nichts über die sozialen Zwänge, über das, was Horns Leiden verursache.

Die impliziten Erwartungen – besonders die Werths – scheinen am Milieu- und Gesellschaftsroman orientiert zu sein. Sie mußten notwendigerweise enttäuscht werden. Erwartungen, denen Walser mit seinen früheren Romanen *Ehen in Philippsburg* und der Kristlein-Trilogie eher entgegenkam. Für diese Romane gilt besonders, was Walser in den sechziger Jahren theoretisch formulierte: Der Reichtum eines Charakters solle dadurch gezeigt werden, daß er ihn »sehr verschiedenen Situationen und Provokationen«[48] aussetze. In seinem Roman *Jenseits der Liebe* kommt es Walser aber nicht mehr darauf an, die Personen aus den fortschreitenden Situationen zu entwickeln. Der Anteil an äußerer Handlung ist auf ein Minimum reduziert. Der Leser nimmt nicht direkt teil an den Situationen zunehmender Entfremdung Horns von der Familie. Zu Beginn des Romans hat er sich schon von seiner Familie getrennt. Sein beruflicher Abstieg hat ebenfalls schon begonnen. Das Hauptgewicht liegt nun darauf zu zeigen, wie Horn sich in dieser Situation verhält, wie sich sein Überlebenswille, der Wunsch sich durchzusetzen verbraucht. Szenen in seiner Familie, im Betrieb tauchen konsequenterweise in Horns Erinnerung auf, sind verknüpft mit seinen Ängsten, Wünschen, Träumen. Horns innere Realität ist Ausdruck der erlittenen Kränkungen durch die äußere Realität. Unfreiwillig, nahezu zwanghaft muß er sich mit ihr auseinandersetzen. Selbst seine Träume sind fremdbestimmt, durch Herrn Thiele, seinen Chef. Daß Walser durch diese Darstellungsart nur eine verkürzte Sicht auf einen individuellen Fall gelungen sei, Horns innerer Zustand nichts über die gesellschaftlichen Bedingungen auszusagen vermöge, die ihn verursachten, ist zu bezweifeln. Walsers Anspruch ist es, »nur diesen Befund [zu] liefern«.[49]

Er fordert den Leser auf: »Vergleicht das einmal mit euren Erfahrungen«.[50] Der Forderung – wie Werth sie aufstellte – zu erklären, »wie und wodurch« Horn in die dargestellte Situation gekommen ist, kommt er nicht nach, er überläßt es vielmehr dem Leser, die Zusammenhänge selbst herzustellen.

III.

Die Rezensenten, die den Roman positiv bewerten, betonen, anders als Wolfgang Werth[51], einhellig den Bezug des Romans auf die Arbeits- und Lebenswelt von Angestellten.

Wolfram Schütte fühlt sich vom Roman getroffen: »dieses Buch [erzählt] von einem selbst«[52]; indem er fragt, »wer kennt das nicht?«[53], geht er davon aus, daß der (Angestellten-)Leser einen Großteil der Erfahrungen, die Horn erleidet, nachempfinden kann, daß insbesondere die älteren Leser »das Gefühl (und mehr noch: die späte Einsicht), mißbraucht worden zu sein«[54], kennen. Für ihn gehört Walsers Geschichte »dem Alltag an, in dem sie sich tausendfach zuträgt«, er sieht eine Verbindung zu einem erschrekkenden statistischen Befund: »Wie vielen der 14000 Selbstmorde, die jährlich in der Bundesrepublik verübt werden, mag sie so oder ähnlich zugrunde liegen?«[55] Diesen Eindruck hat auch Thomas Rothschild: »Das ist erschütternd, aber es entspricht der Realität.«[56] Und auch für Rolf Michaelis ist es eine »düstere Clownsgeschichte aus unser aller Angestellten-Milieu [...]«.[57]

Martin Walser hat Horn nicht mit besonderen, individuellen Zügen und Eigenschaften ausgestattet. Horn wirkt in gewisser Weise künstlich. Gerade diese Typisierung von Charakteren und Situationen schätzen die positiven Rezensenten an diesem Roman: »Auf nur 175 Seiten erzählt Martin Walser ein exemplarisches Leben«[58]; »eine Erzählung mit exemplarischem Anspruch«[59]. Mit Horns Degradierung habe es Walser geschafft, von einem Einzelfall ausgehend, einen allgemeinen Sachverhalt darzustellen: »Er [Horn] steigt ab. Und darin weist er über die Schicht der leitenden Angestellten hinaus. Die Drohung des Abstiegs beeinträchtigt nicht nur deren Leben. Sie ist die allgegenwärtige Ergänzung zum Prinzip des Aufstiegs, der Leistung, der Karriere, das unsere Gesellschaftsform lenkt.«[60]

Einen anderen, ebenso übergreifenden Aspekt, benennt Michaelis. Für ihn ist klar, daß Horn nicht aus eigenem Verschulden an den Rand gedrängt wird, sondern daß Ursachen, die sich seinem Einfluß entziehen, dafür verantwortlich zu machen sind: »Wer wollte bezweifeln, daß die Zustände der Lähmung und der Verkrampfung, der Leere und Verzweiflung [...] nicht nur persönlich, sondern auch gesellschaftlich bedingt sind.«[61] Für ihn bedeutet Walsers Verfahren, gesellschaftliche Prozesse durch die Wahrnehmung eines einzelnen zu vermitteln, keine Verengung der Sichtweise und kein Ungleichgewicht in der Darstellung. Michaelis sieht, daß es nur auf den ersten Blick eine individuelle Perspektive ist, die Walser wählt. Er habe, »scheinbar eine ganz private Geschichte skizzierend, einen zeittypischen und zeitkritischen Roman geschrieben.«

Die Gefahren, die die negativen Kritiken darin sehen, daß sich Walser in seiner Darstellung auf Horns Sichtweise und Erleben konzentriere, bestehen für die zustimmend argumentierenden Rezensenten ohnehin nicht. Für sie ist es nicht möglich, Horn aufgrund seines desolaten Zustandes grundsätzliche Einsichten über seine Umwelt abzusprechen. Die sozialen Lebensverhältnisse werden nicht nur nicht verzerrt dargestellt, die erlittenen Kränkungen machen Horn in gewisser Weise sogar hellsichtiger: »Sie [die Umwelt] wird aus Horns Perspektive gesehen und erhält doch Kontur, erschreckend präzise.«[62] Walser kann somit die »Verinnerlichung von Leistungsdruck darstellen und kommt damit sehr weit«.[63]

Welche Folgen es allerdings hat, daß »die Innerlichkeit [...] okkupiert [ist] von der Außenwelt«[64], führt Rothschild aus: »Der beschädigte Horn kann sich von den Normen seiner Umwelt nicht befreien. Er ist, so scheint es ihm, der Versager. Was ihm widerfährt, er schreibt es sich selbst zu. Er erkennt Heuchelei, Dummheit und Borniertheit, aber er ist nicht imstande, all diese zu sich in Beziehung zu setzen.«[65] Daß es Horn so erscheint, als sei er der Versager, und daß er die, von denen er abhängig ist und die ihn in diese Rolle drängen, noch verteidigt, darin sehen Schaffroth und Michaelis eine »psychologische Ironie« mit gesellschaftskritischem Akzent: »Das ist nicht Walsersche Kobolzerei, sondern ins Satirische getriebene Kritik an der Vernichtung eines Menschen, der nicht zufällig den Wahnsinn fürchtet.«[66]

Obwohl Horn die Ursachen seines Leidens nach und nach erkennt, bleibt er dennoch in seinem singulären Bewußtsein befan-

224

gen. Anstatt sich zu öffnen, vielleicht sogar den Kontakt zu anderen zu suchen, denen es ähnlich ergeht, isoliert er sich zunehmend. Formal, durch die Wahl seiner Darstellungsart, habe Walser diese Vereinzelung, indem er den Helden »unmittelbar aus sich heraus« projiziere[67], so Vormweg, angemesen umgesetzt. »Wie anders ließe sich ein Isolierter darstellen, der eben aus den letzten, unglaubwürdig und unerträglich gewordenen Beziehungen zu seiner Umwelt abtreibt und damit praktisch die Welt verläßt.«[68] In der variationsreichen und konsequenten Schilderung dieser unauflöslich widersprüchlichen Situation sieht Schütte sogar den wesentlichen Vorzug dieses Romans. »Die entscheidende Leistung dieses Romans besteht deshalb nicht so sehr darin, den schubweisen Zuwachs an Bewußtsein zu beschreiben, das Horn über sich und seine Situation gewinnt; sondern diesem Erkenntnis-Zuwachs auch im gleichen Atemzug das Zuwachsen der Erkenntnis, ihre ideologische Verwildertheit eingeschrieben zu haben. Denn Horns Bewußtsein, so klar es sich dünkt, bleibt bis zuletzt getrübt durch seinen Individualismus.«[69]

Mit diesem isolierten Bewußtsein Horns bildet Walser darüber hinaus zugleich eine Tendenz ab, die viele Kleinbürger erfaßt hat. Der ablehnenden Kritik entging diese Ebene der Werkdeutung, die Walser in einem Rundfunkinterview, in dem er auf den Roman eingeht, nochmals ausführt: »[...] er [Horn] ist eben ein Kleinbürger, der in unserer Gesellschaft fast politisch – möchte ich immer sagen –, ganz allgemein findet er wenig Solidarität; da gibt es kein Kollektiv, das für ihn bereitsteht. Das ist eben deshalb, weil eben diese Klasse der Kleinbürger zwischen den stärksten Fronten steht.« Ein Klassenbewußtsein des Kleinbürgers gebe es nicht, sagt Walser, »sondern das Klassenbewußtsein des Kleinbürgers besteht darin, daß es sich vereinzelt sieht«.[70]

Sieht die ablehnende Kritik in Walsers literarischer Entwicklung eine Stagnation, war z. B. für Joachim Kaiser die Wiederaufnahme der Thematik aus dem Angestelltenmilieu nur eine »Selbstwiederholung«[71] des Autors, sei Walser »sein eigener Epigone« geworden, so ist für die Rezensenten, die den Roman für gelungen oder wenigstens teilweise für geglückt halten, diese thematische Wiederaufnahme Ausdruck der literarischen Kontinuität und Fortentwicklung des Autors: »Kein ganz neuer Walser [...], wenn auch nicht ganz der alte.«[72] Für Rolf Becker erzählt Walser, »was er immer wieder erzählt: die Geschichte eines vom Leistungszwang Gepeinigten [...] eines an der Gesellschaft und [...] an sich selbst leidenden, mal mehr, mal weniger intellektuellen Kleinbürgers«.[73] Becker weist darauf hin, wie ähnlich sich die Figuren Horn, Kristlein und Gallistl sind. Er sieht aber gleichzeitig die Unterschiede der einzelnen Romane, bedingt durch ihre Form und Sprache. Daß es »wieder einmal ein Angestellter [...], [...] sichtlich eng verwandt [...] mit dem umtriebigen Anselm Kristlein«[74] ist, das behauptet nicht nur Vormweg, das hat auch Schütte erkannt. Er setzt aber noch einen zusätzlichen Akzent: Für ihn ist Franz Horn nicht nur verwandt mit Anselm Kristlein, sondern er ist »ein fortgeschriebener, radikal von allen persönlichen Beziehungen entblößter Kristlein«.[75] Walser knüpfe, so Schütte, mit diesem Roman an die Kristlein-Trilogie an, deren Ende er mit dem Beginn von *Jenseits der Liebe* vergleicht: »War dieser entschlafen, als Ende und Glück wie beim Biß zusammenliefen, so wacht jener verbissen auf; wacht auf aus Träumen, in denen sich der Alltag fortgesetzt hatte; wacht also auch aus dem Alltag auf, durch den er bisher traumverloren gegangen war.«[76] Nicht Kristlein, erst Horn ist es, der ein Bewußtsein dafür entwickele, daß er stürze.

Die Figuren Walsers sind immer ein Spiegel der gesellschaftlichen Situationen, in denen sie sich zurechtfinden müssen. Rothschild betont: »Der Angestellte Franz Horn wird mehr als schon vor ihm Anselm Kristlein [...] Zeugnis abgeben von einer Zeit, die den Menschen nicht gestattet Mensch zu sein.«[77] Wie eng die Beziehung dieser fortgeschriebenen Figuren mit einzelnen Entwicklungsabschnitten der Bundesrepublik ist, darauf macht Michaelis aufmerksam: »Nach dem intellektuellen Geplapper der Vertreter- und Verkäufergesellschaft der fünfziger und sechziger Jahre (*Halbzeit*, 1960), nach den vom Morgenrot des Sozialismus entflammten Zweifeln der studentischen Reformgeneration (*Die Gallistl'sche Krankheit*, 1972), nun die Resignation einer Gesellschaft, die Glück in allen Richtungen – Geschäft, Ehe, Familie, Politik – gesucht und nirgendwo gefunden hat. Bis auf die alkoholischen Reserven – alles aufgezehrt. [...] Franz Horn und die Gesellschaft, für die er leidet, sind angekommen ›jenseits der Liebe‹.«[78]

Die Kontinuität, mit der Martin Walser Probleme aus dem Angestelltenmilieu zum Gegenstand seiner literarischen Arbeit macht, veranlaßte einen Großteil der Kritiker, von *Jenseits der Liebe* als einem »Angestellten-Roman« zu sprechen. Aurel Schmidt hebt Walsers Verdienst hervor, besonders mit diesem Roman ein litera-

226

isch vernachlässigtes Thema aufgegriffen zu haben: »Der Arbeiter st in der Literatur schon oft genug dargestellt worden – aber der Angestellte? Er kommt eindeutig zu kurz, aber nicht weil es über lhn nichts zu sagen gäbe. Die Linke hat den Arbeiter mythologiiert und den Angestellten dafür vernachlässigt. Dadurch, daß Walser sich des Angestellten annimmt und ein Buch aus der Angetelltenwelt geschrieben hat, will er ihn und überhaupt: jeden Leser lazu führen, über sich selbst, seine Probleme, seine soziale Lage aachzudenken.«[79]

In der Frage der Bewertung der Sprache des Romans sind sich alle liese Kritiker einig. Sie sehen darin einen Vorteil, daß Walser – wie Schütte es ausdrückt – »das Erzählmaterial zu kanalisieren versucht«.[80] Die sprachliche Ökonomie wird nicht als Mangel, als Jnfähigkeit des Autors angesehen, sondern als Ziel, das Walser Jewußt angestrebt habe.

Für Vormweg schreibt Walser nicht aus einer Defensive, seine Eloquenz« steht für ihn außer Frage. Um dies zu begründen, ziiert er aus dem Roman eine Stelle, in der Walser mit der gezielten Absicht einer negativen Selbstcharakterisierung eine Figur – Horns Konkurrenten Liszt – fabulierend sprechen läßt. Resumierend kommentiert Vormweg: »Solcherlei Brillanz, ihm selbst seit je ein Leichtes, ist Walser heute ganz zu Recht verdächtig. Er distanziert ich von ihr, verweigert sie sich nach Kräften, wenn auch vielleicht aoch immer nicht konsequent genug.« Vormwegs Einschätzung: Auch dies jedenfalls ein Punkt für den Erzähler Walser, der sich nit seinem jüngsten Roman keinesfalls disqualifiziert hat. Ganz im Jegenteil [...].«[81]

Der Gegensatz zu den Forderungen der ablehnenden Kritik wird aochmals deutlich, wenn Michaelis formuliert: »Walser versucht ich freizuschreiben von der Versuchung inhaltsloser Fabulierei«[82]; Walser suche sich als Erzähler zu disziplinieren. Auch Bekxer »gefällt«, daß Walser sich »kurz faßt und seine Geschichte züzig macht; daß er seine bekannt-brillante Suada, seinen Hang zur Verbalausschweifung bremst, ohne doch die Erzählung zu skeletieren.«[83]

Halten Michaelis und Becker grundsätzlich die geraffte Erzählechnik für angemessen, so kritisieren sie dennoch sprachliche Deails. Michaelis, der in diesem »Kurzroman« »Formelemente der Novelle«[84] sieht, schätzt den Roman jedoch vornehmlich aufgrund seiner »diagnostischen Zeitkritik«.[85]

Uneingeschränkt positiv in ihrer Einschätzung der Sprache ar
gumentieren Vormweg, Schafroth und Schütte. Schütte, den de
Romanaufbau an ein musikalisches Kompositionsprinzip erinner
– er nennt Beispiele für »thematische Wiederholungen, Variatio
nen, [...] Motivspiegelungen, symbolische Verweise« [86] – betont
daß diese sprachlichen »Feinheiten« [87] oft erst bei wiederholte
Lektüre erkennbar würden. Ob das als versteckte Anspielung au
[einen] Kritiker zu verstehen ist, [dem] denen nicht nur sprachlich
Feinheiten entgangen sind, bleibt offen. Auffällig ist auch in die
sem Punkt die Ähnlichkeit zwischen der Interpretation der Kriti
ker und der Autorintention.

IV.

»Am schlimmsten erging es ihm [Martin Walser] mit seinem letz
ten Roman«. [88]
Einschätzungen dieser Art zu *Jenseits der Liebe* findet man in spä
ter erschienenen Artikeln, Rezensionen oder Interviews zu ande
ren Büchern Walsers. [89]
Jenseits der Liebe erscheint vielen als eines der Bücher Walsers
das bei der literarischen Kritik auf die stärkste Ablehnung stieß
Schaut man sich die Rezensionen zu Walsers Roman jedoch gena
an, so ergibt sich ein anderer Eindruck. Der Anteil der Kritiker, di
den Roman eindeutig ablehnen, ist sehr gering. [90] Das Buch is
nicht an der literarischen Kritik gescheitert, eher ein Kritiker bzw
einige wenige an ihm.
Der polemische und aggressive Beitrag Marcel Reich-Ranicki
war sicherlich dazu geeignet, Kritiker-Kollegen zu veranlassen
sich spontan mit dem angegriffenen Autor zu solidarisieren.
Nahezu jede Kritik geht auch auf Reich-Ranickis Verriß direk
oder indirekt ein, und dies nicht nur auf literarischer Ebene. Auc
Kritiker, die letztlich die Einschätzung teilen, daß es sich bei *Jen
seits der Liebe* um ein mißlungenes Buch handelt, distanzieren sic
ausdrücklich von der Form einer solchen Rezensionspraxis. S
schreibt Wolfgang Werth: »In einem als Rezension ausgegebene
Artikel, der in der ›Frankfurter Allgemeinen‹ erschien, hat Marce
Reich-Ranicki das Buch zum Vorwand genommen, eine böswilli
ge, äußerst üble Attacke gegen Martin Walser zu führen, in de
Unterstellungen und Schmähungen die Argumentation ersetzen

228

Es lohnt sich nicht, das nachzulesen. Aber wer als Rezensent des Romans ›Jenseits der Liebe‹ zu einem negativen Befund gelangt, hat doppelten Grund, sich von diesem Versuch, einen Autor fertig zu machen, entschieden zu distanzieren.«[91] Werths Forderung nach Argumenten ist kein Postulat, sondern von ihm eingelöst.

Der Schluß, daß Reich-Ranicki aufgrund seiner Provokation, die – über das literarische Feuilleton hinaus – Wellen schlug[92], unbeabsichtigt eine positive Gegenkritik herausgefordert haben könne, liegt nahe. Diese Vermutung ist auch ausgesprochen worden. Es hieß: »Die von 25 Kritikern ermittelte Bücherliste des Südwestfunks übte Solidarität mit Walser und punktete seinen Roman drei Monate lang mit Abstand auf Platz 1.«[93]

Ebenso wird z. B. die Kritik Schüttes als eine Rezension eingeschätzt, die als »gezielter Gegenangriff [...] eher eine Antwort auf Ranicki war«.[94]

Selbst wenn man dieses Motiv unterstellt, so bedeutet das indes nicht, dies sei auf Kosten der präzisen Auseinandersetzung mit dem Roman erfolgt. Insbesondere Schüttes Kritik – und auch die vieler anderer zustimmender Rezensenten – zeigt, daß gerade ihre Gegenkritik keine bloße Gegenpolemik bedeutet. Als ihr hervorstechendes Merkmal überzeugt vielmehr, daß sie sich argumentativ begründend mit dem Text auseinandersetzt. Mit ihrer sachlichen und genauen Form der Auseinandersetzung unterlaufen die Rezensenten nicht nur Reich-Ranickis Pamphlet, sie kommen damit auch dem nach, was der Roman von sich aus erfordert; woran sich zeigt, daß Martin Walser als Autor nicht in Schutz genommen werden muß.

Anmerkungen

1 Marcel Reich-Ranicki, *Jenseits der Literatur,* in: *Frankfurter Allgemeine Zeitung,* 27. März 1976.

2 Vgl.
 – Dieter Bachmann, *Die Lebensbitterkeit erträglich machen,* in: *Die Weltwoche,* 15. März 1978;
 – *Bücherkommentare,* Mai/Juni 1978;
 – Rüdiger Krohn, *Eine ganz gewöhnliche Feriengeschichte,* in: *Badische Neueste Nachrichten,* 11. Mai 1978.

3 Heinz E. Schafroth, *Nicht Schritt gehalten mit seinem Abstieg*, in: *Schweizer Monatshefte*, Juli 1976.

4 Ebd.

5 Reich-Ranicki, a. a. O.

6 Ebd.

7 Ebd.

8 Ebd.

9 Ebd.

10 Marcel Reich-Ranicki, *Der wackere Provokateur Martin Walser*, in: M. Reich-Ranicki, *Deutsche Literatur in West und Ost*, Reinbek 1970 S. 144.

11 Reich-Ranicki, *Jenseits der Literatur*.

12 Ebd.

13 Ebd.

14 Vgl. auch Zitat Anm. 8.

15 Reich-Ranicki, *Jenseits der Literatur*.

16 Ebd.

17 Ebd.

18 Reich-Ranicki, *Der wackere Provokateur*, S. 147.

19 Reich-Ranicki, *Jenseits der Literatur*.

20 Ebd.

21 Ebd.

22 Ebd.

23 Ebd.

24 Martin Walser, *Jenseits der Liebe*, Frankfurt (Main) 1976, S. 166.

25 Joachim Kaiser, *Isoliertes Ich, dem Abgrund nahe*, in: *Süddeutsche Zeitung*, 7. April 1976.

26 Ebd.

27 Ebd.

28 Liest man eine spätere Kritik Kaisers zu Walsers Novelle *Ein fliehendes Pferd*, in der er noch einmal auf *Jenseits der Liebe* eingeht, so versteht man sein Anliegen nicht unbedingt besser. Dennoch, wenn er nun davon spricht: »Walsers Tendenziöses wurde als bloßer, von außen hineingepumpter Überbau einer Geschichte erkennbar, welche ihrerseit auf andere Schlußeffekte hinauslief als darauf, daß manche Übersensiblen in unserer Leistungsgesellschaft dann Schwierigkeiten haben wenn sie sich zu politisch unvorsichtigen Gesten animieren lassen«, so wird hier ein anderer Akzent deutlich, und man kann zumindest nur eines klarer vermuten:
Daß Horns Leiden gesellschaftliche Ursachen hat, ist ihm nicht plausibel. Sie erscheinen ihm isoliert von der Figur, an sie herangetragen. Kaiser beläßt es auch hier bei diesem Eindruck. Abgesehen davon, daß Kaiser in seiner Rezension vor allem mit der Verwendung des Begriffs »Überbau« Verwirrung auslöst, da er in den folgenden Ausführungen

eher Probleme der »Basis« anspricht, entbehrt es nicht einer gewissen Komik, wenn er es ist, der von Walsers Roman schreibt: »[...] das Verhältnis zwischen isoliertem Ich und quellendem Sprachfluß [blieb] trübe, konfus.«

(In: *Martin Walsers blindes Glanzstück*, in: *Merkur* 1978, S. 829.)

1 Kaiser, *Isoliertes Ich, dem Abgrund nahe*.

2 Ebd.

3 Ebd.

2 Ebd.

3 Ebd.

4 Ebd.: »Und da die moderne Objektwelt diesem ›Proust von Wasserburg‹ (H. M. Enzensberger nannte ihn so) kulissenhaft weit weg zu sein scheint, müssen dem *Erzähler* wie gesagt, ersatzweise die isolierten Gelenke und Funktionen seines Körpers zu feindlichen Objekten werden.«

5 Ebd.

6 Ranicki, *Jenseits der Literatur*.

7 Wolfgang Werth, *Kapital tötet die Liebe*, in: *Deutsche Zeitung*, 7. Mai 1976.

8 *Der Autor im Gespräch: Martin Walser*, Süddeutscher Rundfunk, Stuttgart, 14. Mai 1976 (22.15 h–23.00 h Südfunk 2) Manuskript S. 26 f.

9 Joachim Kaiser, *Subjektivischer Romancier mit marxistischem Überbau*, in: *Merkur* 1973, S. 783.

10 *Der Autor im Gespräch*, S. 26.

1 Werth, a. a. O.

2 Ebd.

3 Ebd.

4 Ebd.

5 Ebd.

6 Ebd.

7 Ebd.

8 Zitiert nach: Günther Blöcker, *Der Realismus*, in: *Merkur* 1965, S. 391.

9 *Der Autor im Gespräch*, S. 25.

10 Ebd.

1 Werth, a. a. O.: »Seine Botschaft kommt beim Leser nicht an.«

2 Wolfram Schütte, *Von den Alltagsfreundlichkeiten*, in: *Frankfurter Rundschau*, 10. April 1976.

3 Ebd.

4 Ebd.

5 Ebd.

6 Thomas Rothschild, *Drohung des Abstiegs*, in: *Evangelische Kommentare*, Juli 1976.

7 Rolf Michaelis, *Leben aus zweiter Hand*, in: *Die Zeit*, 24. März 1976.

58 Rothschild, a. a. O.
59 Rolf Becker, *Der Sturz des Franz Horn,* in: *Der Spiegel,* 5. April 197◆
60 Rothschild, a. a. O.
61 Michaelis, a. a. O.
62 Rothschild, a. a. O.
63 Becker, a. a. O.
64 Schütte, a. a. O.
65 Rothschild, a. a. O.
66 Michaelis, a. a. O.
67 Heinrich Vormweg, *Franz Horn gibt auf,* in: *Merkur,* Heft 336, 197◆
   S. 484.
68 Ebd.
69 Schütte, a. a. O.
70 *Der Autor im Gespräch,* S. 16 f.
71 Kaiser, *Isoliertes Ich, dem Abgrund nahe.*
72 Becker, a. a. O.
73 Ebd.
74 Vormweg, a. a. O.
75 Schütte, a. a. O.
76 Ebd.
77 Rothschild, a. a. O.
78 Michaelis, a. a. O.
79 Aurel Schmidt, *Das Ende eines Angestellten,* in: *National-Zeitung* (B
   sel), 3. April 1976.
80 Schütte, a. a. O.
81 Vormweg, a. a. O., S. 485.
82 Michaelis, a. a. O.
83 Becker, a. a. O.
84 Michaelis, a. a. O.
85 Ebd.
86 Schütte, a. a. O.
87 Ebd.
88 *Bücherkommentare,* a. a. O. (1978).
89 Vgl. u. a.:
   – Dieter Bachmann, a. a. O.;
   – Rüdiger Krohn, a. a. O.;
   – Michael Andre, *Interview mit Martin Walser,* in: *Düsseldorf◆
     Nachrichten,* 3. Mai 1978.
90 Von 34 – zufällig ausgewählten – Rezensionen, die in lokalen und übe
   regionalen Zeitungen erschienen, lehnten nur vier Kritiker den Roma◆
   eindeutig ab. Der höhere Anteil an hier aufgeführten positiven Kri◆
   kern oder an solchen, die den Roman mit Einschränkungen akzepti
   ren, ist nicht zufällig. Es wiederholt sich im verkleinerten Maßstab da
   was sich insgesamt ereignet hat.

91 Werth, a. a. O.
92 Vgl.
  – Hermann L. Gremliza, *Jetzt reicht's, Ranicki,* in: *Konkret,* Mai
    1976.
  – Dieter E. Zimmer, *EinRingkampf,* in: *Die Zeit,* 5. November 1976.
93 *Berlinmagazin,* Hobo Nr. 29, 1976.

Martin Walser
Romananfänge

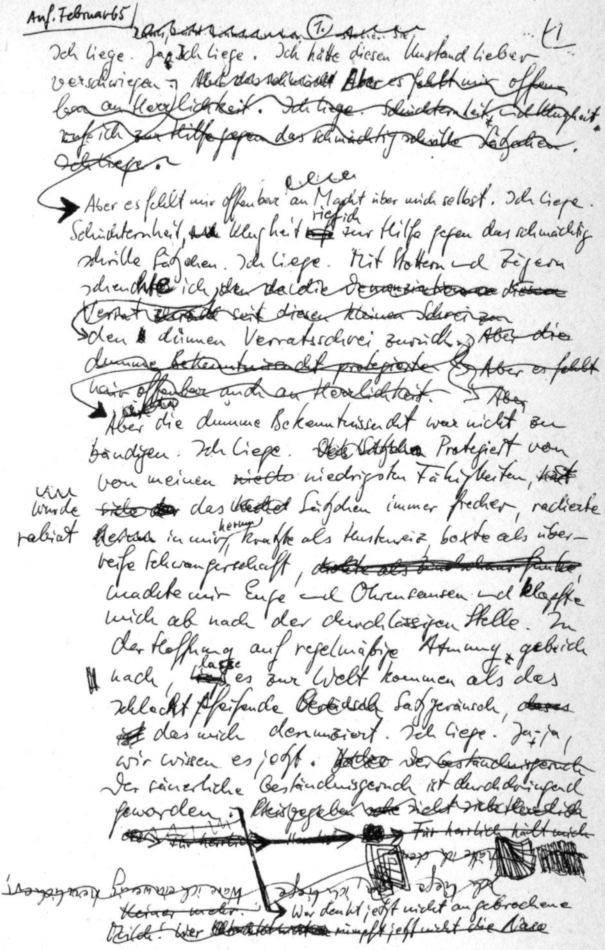

Auf. Februar 65

Ich liege. Ja, Ich liege. Ich hätte diesen Umstand lieber verschwiegen.

Aber es fehlt mir offenbar an Macht über mich selbst. Ich liege. Schüchternheit, Klugheit rief ich zur Hilfe gegen das schmächtig schrille [illegible]. Ich liege. Mit Stottern und Zögern schluckte ich den dünnen Verratsschrei zurück.

Aber die dumme Bekenntnissucht war nicht zu bändigen. Ich liege. Protegiert von meinen niedrigsten Fähigkeiten, wurde das [illegible] immer frecher, rabiat, [illegible] in mir herum, kratzte als Hustenreiz, boxte als überreife Schwangerschaft, machte mir Enge und Ohrensausen und klopfte mich ab nach der durchlässigen Stelle. In der Hoffnung auf regelmäßige Atmung gebe ich nach, lasse es zur Welt kommen als das schlecht pfeifende [illegible] Luftgeräusch, das mich denunziert. Ich liege. Ja-ja, wir wissen es jetzt. Der säuerliche Geständnisgeruch ist durchdringend geworden.

Wer denkt jetzt nicht an gebrochene Milch!

Das Einhorn

-1-

Ich. Es gibt. Ich gehe. In die Stadt. ~~Aber~~ Eine
Menge Menschen. Es gibt immer. Wo ich hinkomme.
~~Auch~~ Eine Menge Bilder. Ich ~~verstehen~~ folge. Verstehe. ~~Aber~~ Es kommt einem bekannt vor. Es ist
nicht schwierig, sich durchzufinden. Jeder erzählt, ich erzähle auch. ~~Man erfährt~~ Man erfährt
eine Menge. Ich gehe über den Stachus. ~~Da~~
~~Mein linker~~ Mein linker Wadenmuskel schmerzt.
~~Ich verstehe~~ Ich darf nicht mehr auf dem Ballen
auftreten. Sobald ich nur auf der Verse auf-
trete, schmerzt der Wadenmuskel fast über-
~~haupt~~ nicht. ~~Und wenn~~ Wenn Leute auf
mich zukommen, denen ich nicht hinkend
auffallen will, bleibe ich einfach stehen.
~~Das ist hier kein Problem.~~ Mein Muskel fühlt
sich wässrig an. Ich habe das Gefühl, mein
linker Wadenmuskel nehme andauernd zu.
Kein Wunder, daß ich denke, ich schleppe
meinen linken Wadenmuskel durch die
Stadt, die Spatzen pfeifen es von den
Dächern. Kein Wunder, daß ich unter diesen
Umständen den Eindruck habe, München
bestehe vor allem aus Frauen. ~~Ich bin~~
~~Ich bin bereit noch eine Weile zu reden.~~
Mein Muskel ist kaum mehr zu schleppen.
~~Das spüre ich~~ (geht) ~~sie~~ vor mir. Eine. ~~geht also~~
~~ich und das Verse bleiben und das~~ Schwarze,
gelbe, Bluse, Hose, weit aus, aber dann
~~und eng, mein dann mein~~ mein ~~bald ich Muskel~~

Fiction

238

Mein Name ist Josef Gallistl.
Ich nenne mich nur Gallistl.
Für meinen Vornamen habe
ich keine Verwendung. Ich
melde natürlich immer wieder
~~mich einen oder eine~~
jemanden, dem ich meinen
Vornamen zum Aus-
sprechen anbieten könnte.
Es ist auch ein finanzielles
Problem. So einer würde
vielleicht für mich sorgen.
Nicht ununterbrochen, aber
in Zeiten der Schwäche.
Ich habe Angst. Es wird
schon nicht so schlimm
werden. Hoffentlich
kommen alle, die jetzt
unterwegs sind, gut heim.
Und nicht mit blutigen Köpfen.

Die Gallistl'sche Krankheit (aus Walsers Notizheft)

Oder tot. Ich ... befindete
Ich stopfe mir eine Pfeife, ent-
zünde sie auch. Mein Hund
schaut mir zu. Er hält mich
jetzt für einen Surrealisten. Auch
ich weiß manchmal etwas
ganz sicher. Ich darf mich
nur nicht bewegen.

Die Gallistl'sche Krankheit (aus Walsers Notizheft)

①

Als ich wieder an mir kam, spürte ich ~~ich~~, daß ~~an~~ jemand
einen nassen Lappen über meine Augen gelegt hat.
Ich ~~hörte~~ ~~es~~ ~~Bach~~ ~~An~~ Killilly-Musik, HFN-
Gerät ~~Gerät~~ Geodmeter. ~~Das~~ Ich wollte den
Lappen ~~es~~ wegziehen, aber meine Hände
~~waren~~ ~~gefesselt~~ ließen sich nicht bewegen.
Ich probierte es mit den Lippen. ~~Ein ein~~
Ein Laut gelang, ~~gelan~~ Ein kleines krächzen.
~~Ich hörte~~ Der Lappen wurde weggezogen.
Anna saß auf dem Bettrand ~~+~~. ~~Ich war~~
~~nicht wunderte mich darin~~ ~~Daß sie~~
~~nicht nackt war, wunderte mich.~~
~~Ich wundere mich, daß sie nicht nackt~~
ist. Ja, Anna, wirklich. Ich bin doch ~~auch~~ nackt.
~~Ich habe den~~ Wer hat mich jetzt wieder
so zugerichtet? Sie winkt ab. ~~Schonung~~ ~~Ich brauche~~
~~Krankenwärterisch~~ Recht hat sie. Wir schreiben
September 1966. Ich kann nicht sagen,
daß das ein erfreulicher Monat ist. Diesmal
muß es ein Nierenhaken gewesen sein. Horst
du denn nicht draußen, Apoll will
herein. Das ist Anna, ~~da sie~~ angeblich
liebt sie Hunde, wahrscheinlich liebt
sie sie wirklich, aber ~~sie kann~~ wenn
sie mich ~~entsetzlich~~ pflegt, hört sie nicht
wie Apoll immer jämmerlicher jault,
weil ~~er sie~~ er herein will. Laß ihn
doch herein, Anna. Wenn ich bloß sprechen
könnte. Wenn ich mich bewegen

Der Sturz H[1]

241

könnte. Ihr glaubt wohl, ~~ich~~ die ~~Ratten~~
mich taubgeschlagen. Verbietet ~~diese~~ diese
AFN-Quatsch. Oder ist das ~~Direkt~~.
Ich kann ja nur nach oben starren.
Aber daß da eines ~~der~~ der Kinder sich
~~Dies~~ ~~diese Musik~~ diese Sendung erspannjen
~~hatte~~ hat, ist mir klar. ~~Ich ~~
~~Es müß~~ Es muß
~~Philipp~~ sein. Er imitiert das Gejaule
Apollos, öffnet ihm aber nicht. Das
schafft nur ~~Philipp~~. Ach, jetzt begreif ich,
ihr glaubt, ~~es~~ ~~das ist ein~~ Selbstmordversuch ~~gewesen~~ gewesen. Deshalb habt
ihr mir die Hände aufgebunden. Oder
hab ich getobt? ~~Das~~ Wahrscheinlich
seh ich schlimm aus. Warum zeigst du
mich so den Kindern? Aber ~~sie~~ die wissen
sowieso alles, ~~die Narren~~ und ~~unsere~~
~~ehr~~ unsere Herren sind sie auch. Aber es
war doch ... Egal, Anna, du siehst, ich
lebe, ist das ~~der~~ unser Doktor? und das ein
Pfarrer? Jungejunge, wollt ihr mich,
kaum daß ich den ersten Kreischer aus-
stoße, auch schon wieder taufen. Ich widersage
nicht. Noch nicht. Irgendwann schon.
~~Doch~~ Und Frau Barcelia ~~an~~ auch. Oh, laß Gott
~~heran~~ laß dich doch gleich photographieren mit
mir, stell einen Fuß ~~auf deinem~~ auf mich,
Petri Heil, ~~du~~ Anna, du hast mich ~~wieder~~. Tod, wo ist dein
Schrecken nun.

(natürlich mit
X und Karlitos, Daniel
und Jorge. Herr Barcelia
stellt seine Uhr zum Herrn Doktor
Wer willst du denn
noch zuschauen lassen
X Oder Gott
Doch

Der Sturz H[1]

Als ich wieder zu mir kam, spürte ich, daß mir
jemand einen nassen Lappen über
die Augen gelegt hatte. Ich wollte den Lappen
wegziehen, konnte aber meine Hände
nicht bewegen. Also versuchte
ich, etwas zu sagen. Ein Krächzen
gelang. Der Lappen wurde weggezogen.
Auf dem Bettrand saß Anna. Sie
rief: Philipp, mach das Radio aus.
Das Radio summte weiter, Hit-
parade plus Gequatsche. Anna
sprang auf und stellte den unmöglichen Lärm
ab. Philipp riß die Stecker zwei Stecker
aus der Wand, und das Radio aber Anna saß wieder bei
mir. Sie war angezogen, ich nackt
aber zugedeckt. Draußen heulte
Apollo immer jämmerlicher, irgendwo im
Haus imitierte Philipp das Geheul, aber
nicht daß er den Hund hereingelassen hätte,
Anna hätte ihn hereingelassen, wenn sie nicht
geglaubt hätte, Warum habt ihr mir

Der Sturz H²

die Hände aus Rat gebunden? ~~war es~~
~~war~~ also ein Selbstmordversuch war
es nicht, das kann ich euch sagen.
So wie ich mich zu ~~ge~~ ~~richtet~~
fühle ~~richtet~~ war ~~ich nicht selbst~~
~~sein~~ ~~ich gegen~~ wer es war Oder habe
ich getobt? Oder habt ihr mir die
Hände gar nicht angebunden, und
ich bin einfach zu schwach, um sie
zu bewegen? Es fühlte sich an, als
lägen ~~mir~~ harte, drückende Gewichte
auf meinen Händen. Und abgeklammt,
abgebunden ~~fühlten~~ sie sich, andi
~~an. Ich spüre nur noch~~ ~~Finger~~ ~~an der rechten Hand~~
~~an. In den~~ ~~tiefergerutschten~~ ~~schwer~~ ~~das~~
~~ich habe also~~ ~~an der linken noch zwei.~~
~~gestaute Blut~~ ~~hätte~~ Wenn ich
hätte sprechen können, Anna, ~~würde~~ ich dich
gebeten, mir eine Zigarette in den Mund
zu stecken, mich ziehen ~~zu~~ lassen, ~~aus~~ die
Zigarette aus dem Mund zu nehmen,
zu warten, bis ich den Rauch wieder aus-
gestoßen hätte, die Zigarette wieder
einzusetzen, mich ziehen ~~zu~~ lassen, ach
Anna, du ~~könntest~~ ~~hättest~~ mich so richtig

Der Sturz H²

berandian ~~~~ du hast ein Gefühl
für ~~eine~~ einen Rhythmus. 🔲 Ach
Anna, es war ~~doch~~ wieder einmal
kein Zuckerschlecken. Das kannst du dir
denken. Nun sieh nicht so krankenschwesterisch,
Anna, beug dich doch runter zu mir, ich
verdurste. Glaubst du nicht, Mißtrauisches
Stück. ~~~~ Es war diesmal
~~~~ besonders lehrreich, ~~~~
~~~~ Anna, ich geh nicht
mehr hinaus, ~~~~
~~~~ nie mehr, du hast mich jetzt
einfach auf'm Hals, du wirst schon sehen.

*Nach dir.

Ich wäre doch
viel früher ge-
kommen, Anna
ich konnte nicht.
Wirklich. Wieviele
Monate waren es jetzt?
Mehr als ein Jahr, was?
Auf jeden Fall, Anna

Der Sturz H²

Wenn ich, als ich wieder zu mir kam,
gleich hätte sprechen können, hätte ich gesagt, daß man mir
den nassen Lappen wegziehen möge, den jemand
über meine Augen gelegt hatte. Ich hätte
gesagt, daß ich ihn selber wegziehen würde,
wenn ich meine Hände bewegen könnte.
Dann wäre der Lappen weggezogen worden
und ich hätte gesehen. Sie hätte sofort gerufen:
Philipp mach das Radio aus! Und wenn
Philipp das Radio nicht sofort ausgemacht
hätte, wäre sie aufgesprungen, hätte
das Radio abgemarkt, Philipp hätte
das Radio unter'n Arm gepackt und
wäre abgehauen. Ich hätte gefragt:
du — Wie geht es — hockt beide immer noch
so oft vor'm Fernsehapparat und
hat ihn eingestellt, daß das Bild
durchfällt? Du hättest dich wieder
zu mir gesetzt. Du hättest —
Ich hätte gesagt, daß bei jeder Hand-
bewegung deine Armreifen klingeln.
Apollo.

Der Sturz H³

Wenn draußen Apollo geheult hatte und keines der Kinder hätte sich gerührt, ihn hereinzulassen, hätte ich gesagt, ~~...~~ ihn sofort hereinlassen, wenn ~~...~~ nicht ~~...~~ die keine Sekunde von meinem Bett entfernen.

Der Sturz H[3]

[…] Ich hätte gefragt,
warum man mir die Hände ans
Bett gebunden (habe). Ein Selbstmordversuch sei das nicht gewesen, wenn sie
das meinten. Ob ich getobt hätte? Oder
ob man mir die Hände per nicht
aufgebunden (habe) und ich sei nur
zu schwach, sie zu bewegen? Es
fühlte sich an, als lägen harte drückende
Gewichte auf meinen Händen. Einge-
klemmt fühlten sie sich an. Von
der rechten Hand spürte ich noch 3,
von der linken noch 2 Finger. Wenn
ich hätte sprechen können, hätte ich
sie gebeten, mir eine Zigarette in den
Mund zu stecken, mich ziehen zu
lassen, mir die Zigarette aus dem
Mund zu nehmen, zu warten, bis ich
den Rauch wieder aus-
geatmet haben würde, die Zigarette
wieder einzusetzen, und ziehen zu
lassen. Du hättest mich
so richtig berauchen können, du hast
das Gefühl für den Rhythmus.

Der Sturz H³

Wenn ich hätte sprechen können, hätte ich dir
gesagt, daß es wieder einmal
kein Zuckerschlecken gewesen sei, und daß du
das aber auch selber wissen müßtest, und daß
du es, bitte, nicht so krankenwärterisch dasigen
solltest, und daß du dich ruhig runterbeugen könntest
zu mir, diesmal sei es nämlich besonders
toll, weil ich doch verdurste nach
dir, und das hättest du nicht geglaubt,
mißtrauisches Stück, und daß es diesmal
besonders lehrreich gewesen sei, ich wäre
ja viel früher gekommen, Anna, wenn ich
hätte, und daß ich, wenn es nach mir gegangen wäre,
viel früher gekommen wäre, und wie
lang viele Monate es denn nun tatsächlich gewesen seien, und ich ginge
nicht wieder hinaus, nie mehr, du
hättest auch jetzt auf'm Hals, du
würdest schon sehen.

Als H. aufwachte, waren seine Zähne
aufeinandergebissen. Er spürte, daß
er nichts tun konnte dagegen. Er
kam sich ausgeschlossen vor.
Oder klein. ~~Rückgra~~ Ober- und
Unterkiefer ~~~~ spürte er als
gewaltige Blöcke. Es war nicht das
erste Mal, daß ~~er sie so aufeinandergebissen~~
~~waren passiert~~ Aber ~~~~ der Druck war noch nie
so stark gewesen. ~~waren die Kiefer~~
~~~~
~~aufeinandergebissen gewesen~~ Er stand auf und ~~reckte~~ den Kopf
so weit als möglich ~~~~ nach oben
~~~~ ~~hin und her und hinter~~
~~~~ ~~Wahrscheinlich weil der~~
~~~~ Unterkiefer stärker war
Als könne er so ~~~~ den ~~starken~~ Druck wenigstens dem
des Unterkiefers ~~~~ ausweichen.
~~Die Der die~~ Der Unterkiefer war immer
der stärkere. Offenbar hatte ~~~~ das
Aufeinanderbeißen ~~~~ lang vor dem Aufwachen begonnen.
Die Kiefer taten weh. Er holte das Stöckchen

Jenseits der Liebe

Plötzlich drängte Sabine aus dem
Strom der Promenierenden hinaus
und ging auf ein ~~kleines~~ Tischchen
zu, an dem noch niemand saß.
Helmut ~~xxxxxxxxxxxxxxxxxxxxxx~~
hatte das Gefühl, die Stühle dieses
Cafés seien für ihn zu klein, aber
Sabine saß schon. Er hätte ~~xxxxx~~
~~einen Stuhl so xxxxxxxxxx~~
~~xxxxxxxxxxxxx~~ so dicht an dem
~~in beiden Richtungen vorbei~~
~~strömenden xxxxxxxx~~ Er
Er hatte sich möglichst dicht
an die Hauswand gesetzt
und hatte von dort aus
zugeschaut. ~~Er xxx~~ Sabine bestellte
~~zwei~~ Kaffees. ~~xxxxxxxxxxxxxxx~~
Sie hatte ~~xxx~~ ein Bein über das
andere gelegt und schaute

Ein fliehendes Pferd

Grün
Xaver griff nach dem leisen, unerträglichen
Weckergeräusch und stellte es ab.

[handschriftlicher Entwurf mit zahlreichen Streichungen und Korrekturen, weitgehend unleserlich]

Seelenarbeit

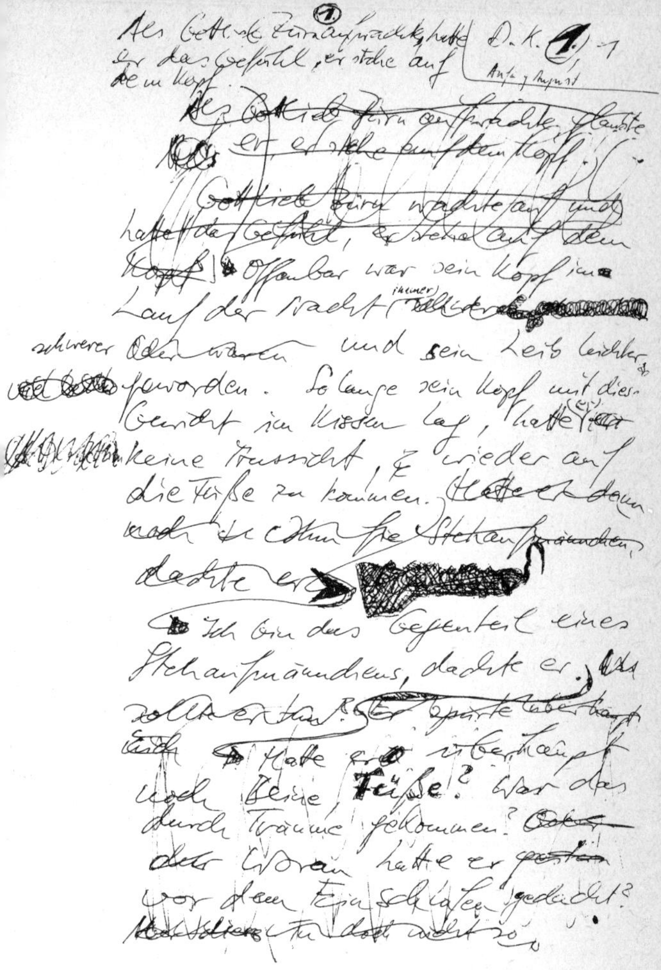
Als Gottlieb Zürn aufwachte, hatte er das Gefühl, er stehe auf dem Kopf. D. K. 1 -1 Anfang August

Offenbar war sein Kopf im Lauf der Nacht (immer) schwerer und sein Leib leichter geworden. Solange sein Kopf mit dem Gesicht im Kissen lag, hatte (er) keine Aussicht, wieder auf die Füße zu kommen.

Ich bin das Gegenteil eines Stehaufmännchens, dachte er. Hatte er überhaupt noch Füße? War das durch Träume gekommen? Woran hatte er vor dem Einschlafen gedacht? tu doch nicht so

Das Schwanenhaus

Martin Walser
Nachruf auf einen Verstummten

Ich glaube, es war im November 1972, als sich Anselm Kristlein das letzte Mal bei mir meldete. Es war eine Art Abschied. Ganz sicher wußte man bei ihm ja nie, ob er die Wahrheit sagte oder ob er nur das sagte, was man, nach seiner Ansicht, am liebsten von ihm hörte. Großspurig und erregt wie immer war er bei seinem letzten Auftritt. Mit dem Segelboot auf dem Anhänger wollte er im Herbst die Alpen überqueren. Am liebsten auf den alten Serpentinen über den Splügen. Dabei wäre die Bernardinostrecke mit Tunnel im Herbst problemlos befahrbar gewesen. Anselm Kristlein war ein deutscher Abenteurer des 20. Jahrhunderts. Geboren 1920. Da sein Tod nicht gemeldet wurde, kann man nicht sagen, er sei gestorben. Man muß sagen – und das kommt bei einem Anselm Kristlein dem Tod sehr nahe – er sei verstummt. Ein verstummter Anselm Kristlein ist einer, der sofort von der Katze gefressen wird. Mir hat er immer alles erzählt. Mir haben auch andere Leute viel erzählt. Über ihn. Ich neige heute noch dazu, das, was er mir erzählt hat, für wahrer zu halten als das, was mir andere über ihn erzählten. Das mit der Katze, zum Beispiel. Er redete oft von der Mieze. Man sah förmlich, daß er unseren Erdball in den Pfoten einer höchsten Mieze sah, die mit diesem Ball und allem, was drauf ist, spiele. Am Sternsteuerrad sah er die Mieze. Er redete, als könne er die Mieze durch Reden davon abhalten, ihn vom Ball zu wischen oder ihm sonst etwas Tödliches anzutun. Es gibt Leute, die mir sagten, er habe zuviel geredet. Ich habe ihm das gelegentlich mitgeteilt. Er nickte. Er war ja immer bereit, alles sofort zuzugeben. Am wenigsten war er aufgelegt zur Verteidigung. Wenn er von etwas überzeugt zu sein schien, dann davon, daß andere gar alles besser wissen mußten als er. Deshalb war seine Lage ununterbrochen prekär. Deshalb war sein Leben abenteuerlich. Tag und Nacht. Er hatte zum Beispiel keinen Beruf, in dem er sich hätte allmählich festigen und vervollkommnen können. Er übte, in leidenschaftlichem Ernst, eine Tätigkeit nach der anderen aus. Da er von Haus keinerlei Selbstbewußtsein hatte, versuchte er durch Tätigkeit oder durch Frauen etwas zu sein. Sekundenweise gelang es ihm. Er hatte eine Familie, bei der er sich nicht zuhause fühle. Er hatte einer Frau, die einen besseren Mann verdient hätte. Niemand wußte das so gut wie er. Er hatte Kinder, die er bedauern mußte, weil er ihr Vater war. Er hatte Freunde und Freundinnen, die von ihm fast so wenig hatten wie er von ihnen. Er war allein. Alles war Feindesland. In jedem Augenblick konnte eine neue Gemeinheit den Krieg gegen ihn eröffnen. Im Kaukasus des Jahres 45 mußten er und seinesgleichen ihr Leben anders verteidigen als im Manhattan der fünfziger Jahre. In München-Süd anders als in Stuttgart-West. Und weil er so wenig standfest war, wurde er in alles hineingezogen, in Erotikintrigen, in Wirtschaftskämpfe, Salonkämpfe, Kulturkämpfe, in Untergänge von Konzernherren, Fremdenlegionären, Einzelhändlern, SS-Offizieren, Friseurstöchtern, Millionärsgeliebten... Auch, einzelnes zu nennen aus dem Lebensteppich dieses umgetriebenen Mannes, ist sinnlos. Er, der Redner, hat offenbar auch zuhören können. Was hat er mir nicht alles von anderen erzählt! Er muß anziehend gewirkt haben auf in Schwierigkeiten geratene Abenteurer. Also auf seinesgleichen. Wenn Anselm mir die Geschichten, seine eigenen und die der anderen, erzählte, hatte ich immer den Eindruck, das Erzählen sei ihm mindestens so wichtig wie das Erleben. Als sei das, was ihm passiert ist, erst erträglich, wenn er's erzählt habe. Deshalb steigerte er sich wahrscheinlich so hinein. Entweder wollte er etwas daran hindern, vergangen zu sein oder er wollte es verhöhnen, weil es so vergangen war, obwohl es sich im Augenblick des Erlebtwerdens aufgespielt hatte, als sei es etwas für immer. Wo ist es denn jetzt? zeterte er. Was ist es denn noch? rief er. Nichts! schrie er. Nichts als was ich noch davon sage und das ist wenig genug, das ist so gut wie nichts. Und dabei war alles so gefährlich. Von 1900 bis 1970. In dieser Zeit ist passiert, was ihn zum Erzählen veranlaßte. Er erzählte mir, was passiert ist, in drei Schüben. (*Schub* war allerdings ein Wort, über das Anselm sich, da es eine Zeitlang das Mode- und Lieblingswort seines Freundes Edmund war, nur mit schriller Anteilnahme oder sanftem Hohn aussprechen konnte.) Von 1958 bis 60, 1964 und 65 und dann noch von 70 bis 72 war er rund um die Uhr bei mir. Dann verschwand er jedes Mal wieder. Er hatte zu leben. Aufgeregtheit, Außersichsein, Turbulenz: das war meistens seine Stimmung. Daran sollte schuld sein, was wieder passiert war. Er brauchte Wörter, um seine Erregungen zum Verströmen zu bringen. Er erzählte, um sich zu beruhigen. Oft genug geriet ihm das ins Gegenteil. Er war keine Sekunde lang souverän oder glücklich oder mit sich eins. Er suchte offenbar andauernd eine Art Übereinstimmung mit sich zu erreichen. Er war ungemütlich, hektisch, laut. Er litt darunter, daß zu wenig möglich war. Aber er war gutmütig, glaube ich. Guten Willens. Zur Bosheit bedenklich ungeeignet. Viel zu schnell gewonnen war er. Von jedem. Also das fiel mir direkt auf. Heute würde man vielleicht sagen: blauäugig. Er konnte offenbar nicht anders, als überall nur Gutes, Schönes, Liebenswürdiges zu sehen. Am liebsten wäre er doch jedem und jeder sofort um den Hals gefallen. Also ich habe keinen Harmloseren erlebt. Und wenn ich's recht überlege, mußte er deshalb verschwinden. Offenbar hatte er sich durch seine umarmerische Lebensweise, die in direktem Gegensatz steht zu dem, was unsere Zeit fordert, unmöglich gemacht. Unbrauchbar eben. Für alles. Die Abenteurer hatten ernstere Formen angenommen. Um ein Haar wäre er noch ins Terrorlager gedriftet. Er konnte ja nicht anders als mitmachen. Sich sträuben, das war ihm das Fremdeste. Anpassung, Dabeisein, Mitmachen: das war seine Seligkeit. Daß das etwas kostet, daran hat er offenbar nicht gedacht. Er hat offenbar gemeint, dadurch, daß er mir in Abständen seine Anpassungsabenteuer erzähle, könne er sich entschädigen und sich dann sofort wieder hineinstürzen in den unberechenbaren Lebensfluß unserer unruhigen Gesellschaft. Irrtum. Anselm Kristlein mußte allmählich zugeben, daß seriöse Katastrophen möglich seien. Die waren in seinen Abenteuererwartungen nicht vorgesehen. Vielleicht hat es ihn doch geschockt, daß er dann auch noch des Mordes angeklagt werden konnte. Bald danach ist er auf jeden Fall verschwunden. Aus meinem Gesichtskreis, muß ich sagen. Und mit ihm, muß ich zugeben, ist der letzte Mensch aus meinem Leben verschwunden, der noch draufloslebte, weil er einfach daran glaubte, irgendwie werde es schon weitergehen. Obwohl er, wie ich ahne, immer Angst hatte, ob es überhaupt noch weitergehe, überwog sein strahlendes Vertrauen, daß es weitergehen werde. Ich habe keinen mehr getroffen, dem es so wie ihm gelang, sich seine Angst immer wieder von der Seele zu reden, daß er dann in hellen Sprüngen dem nächsten Farbfleck nachlaufen konnte. Da war ich dann nicht mehr dabei. Ich blieb zu Hause und sah ihn erst wieder, wenn er wieder von einer Tour zurückkam. Mein Gott, wie wohlgesonnen zog er immer aus, und wie zugerichtet kam er jedesmal zurück! Er mußte es erzählen. Um wieder hell zu werden, um wieder vertrauen zu könen, leben zu wollen. Wenn ich an Anselm denke, fällt mir immer die Amsel ein, die vor meinem Fenster wohnt und auf das Terrassenpflaster hüpft – das in keinem Sinn so erhaben ist wie die *Bsetzi* vor Anselms und Alissas letztem Arbeitsplatz, dem *Hotel Post-Bodenhaus* in Splügen – und zetert, sobald die Katze aus dem Haus tritt und sich irgendwo niederläßt und harmlos tut. Aber die Amsel weiß es offenbar besser. Sie stürzt, sobald die Katze sichtbar wird, förmlich auf die zu und tanzt vor der, in gefährlichster Nähe, ihren Protesttanz. Die Katze läßt sich das scheinbar gefallen, obwohl das Gezeter schrill und das Her- und Weghüpfen nervenkitzelnd ist. Und wenn sich die Katze drei Meter weiter drüben hinlegt, folgt die Amsel mit ihrer ganzen Aufführung. Das sieht wirklich aus, als werde die Katze von der Amsel verfolgt. Aber tatsächlich unternimmt die Katze, solang die Amsel ihren Zetertanz um sie legt, nichts Schlimmes. Ach ja Anselm, dich haben sie unter anderm auch für einen Gesellschaftskritiker gehalten. Als hättest du je eine Lippe riskiert, wenn die ganzen Verhältnisse dir nicht vorher Angst eingejagt hätten. Du hast so gut als möglich leben wollen, das hat dich in Abenteuer verstrickt, denen warst du nicht gewachsen, also hast du eben angefangen zu beten, zu singen und zu sagen auch. Ich habe, was du in deinem rücksichtslosen Wortvertrauen mir gesagt hast, weitergesagt; soweit mein Atem reichte. Das war sozusagen meine Pflicht. Im vergangenen Sommer kam ich auf dem Weg von Chambéry nach Valence durch den kleinen Ort St. Laurent du Pont, hoch in Savoyen. Da saß vor einer simplen Apotheke, in der vor allem savoyische Kräuter angeboten wurden, ein Mann in der Sonne. Auf einer Steinbank. Das muß er gewesen sein. Von diesem Ort zweigt nämlich das Seitental ab, das hinauf führt zur Grande Chartreuse, zu dem Kloster der Verstummten. Da saß er, so ruhig wie ich ihn nie zuvor gesehen hatte. Offenbar überlegte er noch. Er hatte nämlich auf seinem Schoß eine Katze. Am liebsten würde ich sagen, die sah Alissa gleich. Aber sicher bin ich da nicht. Ich konnte ja nicht halten. Ich habe nicht soviel Zeit wie ein Verstummter. Aber seit ich ihn da sitzen sah – wenn er es war –, denke ich daran, daß man ihn, wenn er je heiliggesprochen werden sollte, für immer mit einer Katze abbilden müßte.

VI.

Vita

1927	Geboren in Wasserburg/Bodensee am 24. März
1938–1943	Oberschule Lindau
1944–1945	Arbeitsdienst, Militär
1946	Abitur
1946–1948	Studium an der Theologisch-Philosophischen Hochschule Regensburg. Studentenbühne
1948–1951	Studium an der Universität Tübingen (Literatur, Geschichte, Philosophie)
1951	Promotion bei Friedrich Beissner mit einer Arbeit über Franz Kafka *(Beschreibung einer Form)*
1949–1957	Mitarbeit beim Süddeutschen Rundfunk *(Politik und Zeitgeschehen)* und Fernsehen In dieser Zeit Reisen für Funk und Fernsehen nach Italien, Frankreich, England, ČSSR und Polen
1957	Umzug von Stuttgart nach Friedrichshafen
1958	Drei Monate USA-Aufenthalt, Harvard International Seminar
1968	Umzug nach Nußdorf
1973	Sechs Monate USA-Aufenthalt: Middlebury College (Vermont) und University of Texas, Austin
1975	Zwei Monate in England: University of Warwick
1976	Vier Monate USA-Aufenthalt: University of West Virginia, Morgantown
1979	Drei Monate USA-Aufenthalt: Dartmouth College

Preise

I. Bibliografie der Werke Martin Walsers

Diese Bibliografie stützt sich u. a. auf das von Heinz Saueressig mit Thomas Beckermann teilweise gemeinsam zusammengestellte Quellenverzeichnis der Arbeiten Martin Walsers. Hörspiele und Drehbücher, soweit sie nicht publiziert sind, wurden nicht aufgenommen.

1 Buchausgaben

Ein Flugzeug über dem Haus und andere Geschichten. Frankfurt (M) 1955; edition suhrkamp 30, 1963

Ehen in Philippsburg. Roman. Frankfurt (M) 1957; rororo Taschenbuch 557, Reinbek 1963; Lizenzausgabe: Stuttgart (Bertelsmann, Europäischer Buch- und Phonoclub) und Wien (Buchgemeinschaft Donauland) [1969]; bibliothek suhrkamp 527, Frankfurt (M) 1977

Halbzeit. Frankfurt (M) 1960; Knaur Taschenbuch 34, München 1963; suhrkamp taschenbuch 94, Frankfurt (M) 1973

Beschreibung einer Form. München 1961; Ullstein-Buch Nr. 2878, Frankfurt (M) 1972

Eiche und Angora. Eine deutsche Chronik, Frankfurt (M) 1962; edition suhrkamp 16, Frankfurt (M) 1963

Überlebensgroß Herr Krott. Requiem für einen Unsterblichen. Frankfurt (M) 1964

Lügengeschichten. Frankfurt (M) 1965

Das Einhorn. Roman, Frankfurt (M) 1966; Fischer Taschenbücherei 1106, Frankfurt (M) 1970; suhrkamp-taschenbuch 159, Frankfurt (M) 1974

Drei Stücke. Mit einem Nachwort von Werner Mittenzwei, Berlin und Weimar 1966

Der Abstecher/Die Zimmerschlacht. Übungsstück für ein Ehepaar, Frankfurt (M) 1967

Heimatkunde. Aufsätze und Reden, Frankfurt (M) 1968

17 Geschichten, Zürich 1969

Fiction, Frankfurt (M) 1970

Ein Kinderspiel, Frankfurt (M) 1970

Aus dem Wortschatz unserer Kämpfe. Szenen. Mit 16 Graphiken von Peer Wolfram. Stierstadt Taunus 1971

Gesammelte Stücke. Alle Stücke in der endgültigen Fassung, Frankfurt (M) 1971

Die Gallistl'sche Krankheit, Frankfurt (M) 1972; edition suhrkamp 689, Frankfurt (M) 1974; Buchclub ex libris, o. J.; Berlin und Weimar 1975 (zus. m. *Fiction*)

Wie und wovon handelt Literatur, Aufsätze und Reden, Frankfurt (M) 1973

Der Sturz. Roman, Frankfurt (M) 1973; suhrkamp taschenbuch 322, Frankfurt (M) 1976

Stücke, Stuttgart Reclam 1974

Das Sauspiel. Szenen aus dem 16. Jahrhundert, Frankfurt (M) 1975; edition suhrkamp, mit Materialien, herausgegeben von Werner Brändle, Frankfurt (M) 1978

Was zu bezweifeln war. Aufsätze und Reden 1958–1975, Auswahl und Nachwort von Klaus Schuhmann, Berlin und Weimar 1976

Jenseits der Liebe. Roman, Frankfurt (M) 1976; Berlin und Weimar 1977

Ein fliehendes Pferd. Novelle, Frankfurt (M) 1978; Berlin und Weimar 1979; Darmstadt, Wien (Deutsche Buchgemeinschaft); Gütersloh (Bertelsmann-Club); Stuttgart (Europäische Bildungsgemeinschaft); Wien (Buchgemeinschaft Donauland) 1980

Der Grund zur Freude. 99 Sprüche zur Erbauung des Bewußtseins, Düsseldorf 1978

Wer ist ein Schriftsteller, Aufsätze und Reden, Frankfurt (M) 1978

Heimatlob. Ein Bodensee-Buch. Zusammen mit André Ficus, Friedrichshafen 1978

Seelenarbeit. Roman, Frankfurt (M) 1979

Das Schwanenhaus. Roman, Frankfurt (M) 1980

Selbstbewußtsein und Ironie. Frankfurter Vorlesung, Frankfurt (M) 1981

2 Erstveröffentlichungen

Die Niederlage. Erzählung in: *Die Literatur*, Mai 1952, S. 5

Ein grenzenloser Nachmittag. Hörspiel in: *Hörspielbuch* 1955, Frankfurt (M) 1955, S. 177–207

Ein Angriff auf Perduz. Erzählung in: *Texte und Zeichen*, Mai 1956, S. 254–266

Eigentlich müßte immer Post da sein in: Rolf Schroers, *Auf den Spuren der Zeit*, München 1959, S. 190–194

Der Wurm. Erzählung in: *Merkur* 154, 1960, S. 1136–1144

Sonntagmittag. Gedicht in: *Bodensee-Hefte*, Mai 1961, S. 179

Ins Wasser zu schauen. Gedicht in: *Bodensee-Hefte*, Juli 1961, S. 268

Fingerübung eines Mörders. Erzählungen in: *Akzente*, Heft 5, Oktober 1961, S. 309–314

Ecce Homo. Beschreibung eines Künstlers. Erzählungen in: *Pardon*, Oktober/November 1961

Beim Schreiben – Methode – Verleihung der Rollen. Gedichte in: *Werkraum-Heft II der Münchener Kammerspiele*, November 1961

Bewältigung – Einladung – Reise – Übung im Konjunktiv – Meldung. Geschichte in: *Alphabet 1962*, Stierstadt 1962

Bewältigung – In meinem Kopf – Großmutters Nase. Gedichte in: *Atelier II*, Frankfurt (M)/Hamburg 1963

Und als die Maschine fertig war in: *Dichtung und Arbeit*, Almanach 1964 der Gewerkschaft Textil-Bekleidung, Düsseldorf, S. 75–76

Professoren-Geige – Prophezeiung. Gedichte in: *Meisengeige. Zeitgenössische Nonsensverse*, hrsg. von G. B. Fuchs, München 1964

Erdkunde (Hörspielfassung des späteren Theaterstücks *Die Zimmerschlacht*) in: *Kürbiskern* I/1965, S. 59–72

Davor habe ich Angst in: *34 x erste Liebe*, hrsg. von R. Neumann, Frankfurt (M), 1966, S. 115

Das Einhorn – Brief von Anselm Kristlein an seinen Verleger in: *Dichten und Trachten 28*, 2. Halbjahr 1966, S. 5–10

Umsonst oder nicht umsonst. Gedicht aus: *Stationen Vietnams* in: *Stuttgarter Zeitung*, 25. Oktober 1967

Allgemeine Schmerzschleuder. Gedicht in: *Die Zeit*, 22. März 1968

Versuch, einen Beamten zu einer gesetzwidrigen Handlung zu überreden – An einen süßen Sozialdemokraten – Vorbereitung von Prosa – Schon wieder ein Kunstwerk. Gedichte in: *Texte Dokumente Zeichnungen*, hrsg. von H. Saueressig und K. Schröter, Biberach an der Riß 1968, S. 68–71

Wir werden schon noch handeln. Dialoge über das Theater in: *Akzente*, Dezember 1968, S. 511–544

Mit Janssen im Ohr (zusammen mit Horst Janssen, *Eustachius grüßt Walser.* Zeichnung), Biberach an der Riß, o. J. (Dezember 1968)

Erlebnis Prosa in: *Die Zeit* Nr. 42, 17. Oktober 1969

Der Fehler. Drehbuch. Nach einem Roman von Antonez Samarakis, Typoskript München 1971

Strophen in: *Kürbiskern* 1/1972, S. 50–53

Selbstgefühl. Zehn Strophen, in: *Kürbiskern*, 4/1975, S. 30–31

Merksätze in: *Die Tat*, 19. April 1975

Ich über mich in: *Buchreport* 6, 6. Februar 1976

Requiem in Langenargen in: *Auf Anhieb Mord.* Kurzkrimis, Reinbek 1977, S. 170–200

Säntis in: *Bodensee-Hefte* 3/1978, S. 46–50

Hiesiger Lebenslauf in: *Kürbiskern* 4/1978, S. 5–6

Lasset uns schweigen in: *Radius Almanach*, Stuttgart 1978, S. 13–14

Heimatlob mit Legende. Jedem seinen See in: *Merian – Bodensee*, Januar 1979, S. 35–38

Der dritte Grad. Drehbuch von Martin Walser u. a., München 1979, Scotia Deutschland Presseheft

Die Rede des vom Zuschauen erregten Gallistl vom Fernsehapparat herunter, daß es keine Wirklichkeit geben dürfte in: *Konkret* Literatur, Herbst 1979, S. 14–15

Abschied von Kristlein in: *Die Zeit*, 13. März 1981

Versuch dem Meister der Distanz nicht zu nahe zu treten in: *Stuttgarter Zeitung*, 9. Mai 1981

3 Aufsätze, Besprechungen, Reden

Kafka und kein Ende in: *Die Literatur* Nr. 2, 1. April 1952, S. 5

›Letzte Warnung‹... an den Leser moderner Dichtung in: *Die Kultur*, Stuttgart, November 1953

Der Philosoph – ein Fachmann für das Allgemeine (zusammen mit Herbert Eisenreich) in: *Frankfurter Hefte*, November 1954, S. 828–831

Jener Intellektuelle (Ein zeitgenössisches Porträt) in: *Akzente*, Heft 2, April 1956, S. 134–137

Zum Buch eines ›Nichtchristen‹ (Rez. von Gerhard Szczesny, *Die Zukunft des Unglaubens*) in: *Süddeutsche Zeitung*, 25./26. Oktober 1958

Der Schriftsteller und die Gesellschaft in: *Dichten und Trachten*, Frankfurt (M), Herbst 1957, S. 36–39

Der Dompteur und die Katzen. Über Henri Montherlant in: *Frankfurter Hefte*, Dezember 1958, S. 891–894

Prophet mit Marx- und Engelszungen. Zum Erscheinen des Hauptwerks von Ernst Bloch in Westdeutschland in: *Süddeutsche Zeitung*, 26./27. September 1958

Stichwort zu einem Plädoyer in: *Magnum*, Heft 23, 1959

Herr Suhrkamp in: *In memoriam Peter Suhrkamp*, Frankfurt (M) o. J. (1959), S. 74–80

Aus dem Stoff der fünfziger Jahre (Selbstankündigung von *Halbzeit*) in: *Deutsche Zeitung*, 24./25. September 1960

Was Schriftsteller tun können. Zu dem Roman ›Das dritte Buch über Achim‹ von Uwe Johnson in: *Süddeutsche Zeitung*, 26./27. August 1961

Einer der auszog, das Fürchten zu lernen. Vermutungen über Hans Magnus Enzensberger in: *Die Zeit*, 15. September 1961

Das Fundament der Saison in: *Die Alternative oder Brauchen wir eine neue Regierung*, hrsg. von M. Walser, Reinbek, August 1961, S. 5–6

Willkürliche Rede über die Gattungen (Zur Aufführung von *Der Absteher*) in: *Werkraum-Heft II der Münchener Kammerspiele*, November 1961

Ein Jahr und das Gedächtnis in: *Süddeutsche Zeitung*, 30./31. Dezember 1961

Soll man diese Nieren essen? Noch ein offener Brief (an Siegfried Lenz) in: *Die Zeit*, 2. März 1962

Internationale der Überlebenden in: *Die Zeit*, 10. August 1962

Regie-Erfahrungen mit Weyrauchs Hörspielen in: *Dialog mit dem Unsichtbaren. Sieben Hörspiele*, Olten/Freiburg 1962, S. 245–248

Überredung zum Feiertag in: *Süddeutsche Zeitung*, 22./23. Dezember 1962

Fällige Fragen in: *Der Jung-Buchhandel*, Februar 1963, S. 70

Auskunft über Mayer in: *Süddeutsche Zeitung*, 4. September 1963

Alternativen, Sackgassen? in: *Theater heute*, November 1963, S. 30

Bericht eines Besuchers in: *Die Zeit*, 15. November 1963

Ein Freund. Zum Tode von Hans-Joachim Sperr in: *Süddeutsche Zeitung*, 30. November/1. Dezember 1963

Dialekt und Dialog. Arbeitsnotizen (mit dem *Lebenslauf. Ausgewählt im Hinblick auf das Theater*) in: *Heft 124 des Berliner Schillertheaters*, 1962/1963

Sozialisieren wir die Gruppe 47! in: *Die Zeit*, 3. Juli 1964

Literatur-Kritik in: *Der Spiegel*, 1964, S. 8–9

Ruiniert die Sprache in: *Der Abend* (Berlin), 9. Juli 1964

Über Max Frisch ›Mein Name sei Gantenbein‹ in: *Bücher, die wir empfehlen*, Düsseldorf: Schrobsdorff'sche Buchhandlung, Advent 1964, S. 7

Eine winzige Theorie der ›Geschichte‹ in: *Dichten und Trachten 24*, Frankfurt (M), 2. Halbjahr 1964, S. 30–33

Mit welchem Recht hält Deutschland an der Ablehnung der Zwei-Staaten-Theorie fest in: *commentarii*, 3/1964, S. 14

Die Kreuzigung einer Katze (Herkunft der Geschichte) in: *Deutsch – gefrorene Sprache in einem gefrorenen Land?*, hrsg. von Friedrich Handt, Berlin 1964, S. 57–58

Tagtraum, daß der Kritiker ein Schriftsteller sei in: *Süddeutsche Zeitung*, 31. Dezember 1964/1. Januar 1965

Unser Auschwitz in: *Stuttgarter Zeitung*, 20. März 1965

Glänzende Skrupel. Über Jean-Paul Sartre ›Die Wörter‹ in: *Der Spiegel*, 1965, S. 129–130

Die notwendigen Schritte in: Jonathan Swift, *Satiren*, Frankfurt (M) 1965, S. 5

Über die Verwendung von Metzgern in Gedichten. Hommage à Günter Grass in: *Die Zeit*, 17. September 1965

Wie hältst Du's mit Vietnam? in: *elan – Zeitung für internationale Jugendbewegung* Nr. 9, Hamburg, September 1965

Unser Auschwitz (erweiterte Fassung) in: *Kursbuch I*, 1965, S. 189–200

Keine rhetorische Schreckphase mehr in: *Die Weltwoche*, 3. Dezember 1965

Stimme zu Robert Neumanns Artikel ›Spezies‹ in: *konkret*, Juni 1966, S. 31

Wenn ich lese in: *Remscheider Generalanzeiger*, 15. September 1966

Gründung einer Opposition (Rede zur Eröffnung einer Protestausstellung gegen die amerikanische Vietnam-Politik) in: *Süddeutsche Zeitung*, 29. September 1966

Geburtstagsrede in: *Hans Mayer zum 60. Geburtstag*, hrsg. von Fritz J. Raddatz und Walter Jens, Reinbek 1967, S. 106

»Warum wählen wir noch?« (Martin Walser über Parteien, Staat und Wirtschaft) in: *Der Spiegel*, 15. Mai 1967

Eine Wirkung Fritz Kortners in: *Theater heute*, Juli 1967, S. 31.

Die Unschuld des Obszönen. (Stellungnahme zu Draginja Dorpats indiziertem Roman ›Ellenbogenspiele‹) in: *Frankfurter Allgemeine Zeitung*, 2. August 1967

Theater als Seelenbadeanstalten. Eine Polemik aus gegebenem Anlaß sowie einige persönliche Vorschläge zur Besserung in: *Die Zeit*, 29. September 1967

Amerikanischer Irrtum in: *Schwäbische Zeitung* (Leutkirch), 30. September 1967

Ein sehr bescheidener Vorschlag (Zum 50. Jahrestag der Oktoberrevolution) in: *Kürbiskern* Heft 4, 1967, S. 91–92

Meine Meinung in: *Informationen über die Kampagne für Abrüstung*, Offenbach 1967, S. 12

Stationen Vietnams (Sieben Zeichnungen von Carlo Schellemann, Texte von Martin Walser), Augsburg 1967

Gruppenbild 1952 in: *Die Gruppe 47*, hrsg. von Reinhard Lettau, Neuwied/Berlin 1967, S. 278–282; S. 368–370

Einseitige Erfahrungen in: *Heinrich Maria Ledig-Rowohlt zuliebe. Festschrift zu seinem 60. Geburtstag*, hrsg. von Siegfried Unseld, Reinbek 1968, S. 109–110

›Beitrag zur atomaren Hi…‹ (Martin Walser über die Vietnam-Debatte des Bundestags) in: *Der Spiegel,* 18. März 1968

Ist die Revolution unvermeidlich? (Schriftsteller antworten auf eine Spiegel-Umfrage) in: *Der Spiegel,* 8. April 1968

Brief an eine Schülerzeitung. Friedrichshafen 30. 4. 68 in: *experiment.* Beilage zur Schülerzeitung *Ventil* 14/1968 des Matthias-Grünewald-Gymnasiums Würzburg, S. 4–5

Böll und fünfzig in: *In Sachen Böll. Ansichten und Aussichten,* hrsg. von Marcel Reich-Ranicki, Köln/Berlin 1968, S. 311–312

Mythen, Milch und Mut. (Stellungnahme zu Leslie S. Fiedlers Aufsatz *Das Zeitalter der neuen Literatur*) in: *Christ und Welt,* 18. Oktober 1968

Rede an die Mehrheit in: *Kürbiskern* Heft 2, 1969, S. 335–339

Was wählen Sie am 28. September 1969 in: *Pardon,* September 1969

Besondere Merkmale. Ein Porträt des Malers André Ficus in: *Die Kunst und das schöne Heim,* September 1969

›Es fehlt ihm das Verpackungswesen‹ (Leserbrief auf Ivan Nagels Besprechung von Peter Weiss' *Trotzki*) in: *Süddeutsche Zeitung,* 31. Januar 1970

Eine Kreuzung von Kafka und Maillet in: *Leo Maillet.* Katalog zur Ausstellung in den Städtischen Sammlungen zu Biberach an der Riß, Februar/März 1970

Hölderlin zu entsprechen. Von der schweren Vermittlerrolle des Dichters in: *Die Zeit* Nr. 13, 27. März 1970

Über die Neueste Stimmung im Westen in: *Kursbuch* 20, April 1970, S. 19–41

Die Bibliothek der Zukunft in: *Leserzeitschrift* 1970, H. 3, S. 30–31

Worin die Studenten irrten in: Süddeutsche Zeitung, 13. Mai 1970

Dieser schöner Dichter Hölderlin in: Neues Forum 1970, S. 780–783

Ist die deutsche Bank naiv? Martin Walser über Fritz Seidenzahl in: Der Spiegel, 24. August 1970

Plädoyer für eine IG-Kultur, in: Süddeutsche Zeitung, 23. November 1970

10 Fragen an Kollegen, in: Kürbiskern 1972, H. 1, S. 166–167

Die neuesten Nachrichten aus den USA, in: *Angela Davis. Materialien zur Klassenjustiz,* Neuwied und Berlin, 1972, S. 387–391

Wie ist es, eigene Erfahrungen zu verstehen?, in: *Kürbiskern* 1972, H. 4, S. 531–533

Aber der Horváth, in: Die Zeit, 26. Mai 1972

Telegramm an Heinrich Heine, in: Deutsche Volkszeitung, 13. Juli 1972

Frau Warren auf der Briefwaage. Über eine Lieblingsbeschäftigung, in: Stuttgarter Zeitung, 17. Juli 1972

Der supertraurige Superkaspar. Über das graphische Puppentheater des Günter Schöllopf, in: Stuttgarter Zeitung, 31. Juli 1971

Woher diese Schönheit? Martin Walser über den Bildhauer Toni Schneider-Manzell, in: Schwäbische Zeitung, 21. Juni 1972

Brief an Peter Palitzsch, in: Stuttgarter Nachrichten, 5. August 1972

An Uferbesitzer und Politiker, in: Schwäbische Zeitung, 20. August 1971

Wahlgedanken, in: Deutsche Volkszeitung, 16. Oktober 1972

Nachrichten, Lew Ginsburg betreffend, in: Die Zeit, 22. Oktober 1971

Gefallen für die Literatur, in: Kultur und Gesellschaft, November 1971, S. 13

Überredung zum Feiertag in: Salzburger Nachrichten, Weihnachten 1972

11 Punkte aus einem Arbeitsprogramm für Schriftsteller, in: die horen, 91/1973, S. 6

Theater als Öffentlichkeit, in: Kürbiskern 1973, S. 719–727

Arbeiter und wir, in: Neue Rheinhauser Zeitung, Stadtteilzeitung DKP - Rheinhausen, April 1973

Warum wir in die Gewerkschaft wollen in: UZ, 23. Februar 1973

Ironie als höchstes Lebensmittel oder: Lebensmittel der Höchsten in: Besichtigung des Zauberbergs, Biberach an der Riß, 1974, S. 183–215

Hinweis auf einen alten Hut in: Der Spiegel, 11. Februar 1974

Über die Architektur einer Moral in: Kürbiskern, 4/1974, S. 42–47

Links gleich rechts in: Unsere Zeit, 4. Mai 1974

Wenn einer Säue vor die Perlen wirft. Peter Fleischmanns Film »Dorotheas Rache« in: *Die Zeit,* 10. Mai 1974

Treten Sie zurück, Erich Honecker! in: Der Spiegel, 13. Mai 1974

Daumenlutscher, Vorbildschnitzer. Wo bleibt Achternbusch? in: Die Zeit, 28. Juni 1974

Bericht über einen Schlag ins Wasser in: Bodensee-Hefte, August 1975, S. 16–18

Über die Architektur einer Moral. Zum 70. Geburtstag von Pablo Neruda in: Deutsche Volkszeitung, 12. September 1974

Rascher Überblick über unser Vermögen in: Deutsche Volkszeitung, 14. November 1974

Als Mitarbeiter in Salzburg in: Frankfurter Rundschau, 16. November 1974

Trinidad. Variationen eines Würgegriffs in: das da, November 1974

Schreiben ist: die Wahrheit proben. Franz Kafka und die Bemühung, Geschichte zu gewinnen in: Stuttgarter Zeitung, 30. November 1974

Eine Zelle Öffentlichkeit/Überlegungen zum Kongreß »Bibliothek und Arbeitswelt« in: Buch und Bibliothek, 1975, S. 305–306

Brief über Deutschland in: *Merian – Deutschland*, Januar 1975, Heft 1

Ernsthafter Feind. Ein stilles Bild von brutaler Zurückhaltung. Walter Kappackers Roman »Morgen« in: *Die Zeit*, 14. Februar 1975

Schriftsteller wollen Klarheit. Aufklärung der Lockheed-Affäre in: *Abendzeitung* (München), 23. Februar 1976

Abwehr eines Meisterwerks. Über den neuen Film »Szenen einer Ehe« von Ingmar Bergmann in: *Der Spiegel*, 17. März 1975

Ein Asyl für die Kultur in: *Stuttgarter Zeitung*, 26. April 1975

Einig gegen Berufsverbot in: *Kürbiskern*, 4/1975, S. 103

Der Gifter. Martin Walser über den Magazinmann Gerhard Löwenthal in: *konkret*, August 1975

Was sind ihre Pläne? in: *Abendzeitung* (München), 5. September 1975

Versuch, ein Gefühl zu verstehen (übersetzt von Leslie Willson) in: *Dimension* Volume IX, 1976, S. 250–257

Charlie Manson Mediensohn in: *konkret*, Januar 1976, S. 28–33

Es fehlt ein Wort. Und ein Ohr (Über die Wirklichkeitsform) in: *Literaturmagazin 5*, Hamburg 1976, S. 138–141

Das Unmögliche kann man nur darstellen. Herbert Achternbuschs zweiter Film in: *Frankfurter Rundschau*, 9. August 1976

Zweierlei Füß – Über Hochdeutsch und Dialekt in: Matthias Spranger (Hrsg.), *Dialekt. Wiederentdeckung des Selbstverständlichen?* Freiburg 1977, S. 138–144

Auskunft über Dornröschen in: *Neue Züricher Zeitung*, 24./25. Dezember 1977

An die sozialdemokratische Partei Deutschlands in: Freimut Duve/Heinrich Böll/Klaus Steck (Hrsg.), *Briefe zur Verteidigung der Republik*, Hamburg 1977, S. 156–160

Ernst Bloch, nie ist ein Linker weniger borniert gewesen in: *konkret*, September 1977, S. 34–35

Über die verständlichen Gedichte. Zu Bertolt Brechts Gedicht: *Die Literatur wird durchforscht werden* in: Walter Hinck (Hrsg.), *Ausgewählte Gedichte Brechts mit Interpretationen*, Frankfurt (M), 1978, S. 75–78

Wir alle haben den Vaterlandsleichnam auf dem Rücken in: *Der Stern*, Nr. 38, S. 209

Warum liest man überhaupt? in: *konkret*, Literatur Herbst 1978, S. 59–61

Was einer in Sibirien sucht und findet. Zu E. A. Rauters »Kunerma – der Ort, wo niemand wohnt« in: *Frankfurter Rundschau*, 2. November 1978

Mein Weg zur Rose in: *Göttinger Tagblatt*, 18./19. November 1978

Ich will diese Nadel tragen in: Bernt Engelmann (Hrsg.), *VS-Vertraulich*, Band 2, München 1978, S. 192

Unsere historische Schuldigkeit in: *konkret*, November 1978, S. 22–24
Für ein glückliches Medium in: Michael Wolf-Thomas (Hrsg.), *Die Verteidigung der Rundfunkfreiheit*, Hamburg 1979, S. 10–13
Geburtstagsbrief für Hans Werner Richter in: *Hans Werner Richter und die Gruppe 47*, München 1979, S. 238
Wir sind nicht Ärzte, wir sind der Schmerz. Ein Briefwechsel in: Gisela Lindemann (Hrsg.), *Sowjetliteratur heute*, München 1979, S. 175–194
... bis die Welt in zwei Saucen zerfällt in: *konkret*, April 1979, S. 28–29
Händedruck mit Gespenstern in: Jürgen Habermas (Hrsg.), *Stichworte zur geistigen Situation der Zeit*, Frankfurt (M) 1979, Band 1, *Nation und Republik*, S. 39–50
Entstehung von Wohlgefühlen. Nachträge zu einem Geburtstagsartikel in: *Stuttgarter Zeitung*, 28. März 1979
Zwei Fragen an Schriftsteller in: *tendenzen*, Nr. 125, März/April 1979
Was Weltliteratur werden soll, muß erst Regionalliteratur sein in: *Buchreport*, 27. Juni 1979, S. 58–61
Er bleibt aber der Realist rund um die Uhr. Martin Walser über »seinen Schiller« in: *Frankfurter Rundschau*, 2. Dezember 1980
Deutsche Gedanken über französisches Glück in: *Neue Rundschau*, Heft 1, 1981, S. 53–58
Heines Tränen in: *Süddeutsche Zeitung*, 26. Februar 1981

4 Vorworte, Nachworte, Herausgaben

Die Alternative oder Brauchen wir eine neue Regierung?, Reinbek 1961
Er. Prosa von Franz Kafka, Frankfurt (M) 1963
Vorzeichen 2. Neun neue deutsche Autoren, Frankfurt (M) 1963
Jonathan Swift, *Satiren*, Frankfurt (M) 1965
Vorwort zu Bottroper Protokolle. Aufgezeichnet von Erika Runge, Frankfurt (M) 1968, S. 7–10
Nachwort zu: Werner Wolfgang, *Vom Waisenhaus ins Zuchthaus. Ein Sozialbericht*, Frankfurt (M) 1964
Ein Nachwort zur Ergänzung zu: Ursula Trauberg, *Vorleben*, Frankfurt (M) 1968, S. 267–285
Wolfgang jetzt wirst du in: Wolfgang Weyrauch, *Mit dem Kopf durch die Wand*, Darmstadt und Neuwied 1972
Über Traumprosa in: Wolfgang Bächler, *Traumprotokoll. Ein Nachtbuch*, München 1972, S. 118–126
Hamlet als Autor in: *William Shakespeare's Hamlet.* Erläuterungen und

Dokumente, Stuttgart 1972

Lehrgang für Selbstverwirklicher. Vorwort zu: Ulrich Paetzold/Hendrik Schmielt (Hrsg.), *Solidarität gegen Abhängigkeit. Auf dem Weg zur Mediengesellschaft*, Darmstadt 1973

Nachwort zu: Helmut Kessler, *Der Schock. Ein Lebensbericht*, München 1974

Gesang von Leuten. Nachwort zu: Klaus Konjetzky, *Polen. Vom Grünen Eck*, München 1975, S. 94–96

Ein Blick durchs umgekehrte Fernrohr zu: Heike Doane, *Gesellschaftskritische Aspekte in Martin Walsers Kristlein-Trilogie*, Bonn 1978

Die Würde am Werktag. Literatur der Arbeiter und Angestellten, mit einem Vorwort, *Die Literatur der gewöhnlichen Verletzungen*, Frankfurt (M) 1980

Vielen ein Greul. Nachwort zu: Heinrich Lersch, *Hammerschläge*, Frankfurt (M) 1980

5 Übersetzungen

Bernard Shaw, *Frau Warrens Beruf*, Frankfurt (M) 1970

Trevor Giffiths, *Die Party*, Berlin, Bloch Theatermanuskript

D. H. Lawrence, *Das Karussell*, Berlin, Theatermanuskript Bloch

Christopher Hampton, *Die Wilden* in: *Theater heute*, 2. Februar 1974, S. 35–48

Mark Medoff, *Wann kommst du wieder, Roter Reiter?* Frankfurt (M) 1975

Christopher Hampton, *Herrenbesuch*, Frankfurt (M) 1976

6 Interviews

Auf der Suche nach dem Leser in: *Das Schönste* Nr. 10, Oktober 1961

›*Ich lese nicht viel*‹, sagt ein Schriftsteller in: *Schwäbische Zeitung* (Leutkirch), 23. Juni 1962

Horst Bienek, *Werkstattgespräche mit Schriftstellern*, München 1962, S. 192–207; dtv 291 (1965), S. 236–255

Henning Rischbieter mit Martin Walser über ›*Eiche und Angora*‹ in: *Theater heute*, November 1962, S. I–II

Dann ist das Schreiben absurd . . . Ein Gespräch mit Martin Walser von Ludwig Mennel in: *St. Galler Tagblatt*, 22. November 1962

›*Gruppe 47*‹ *eine Clique?* in: *Frankfurter Rundschau*, 13. September 1963

Das Vokabular der Werbung dumm – die meisten Texte stupide – schlechtes Wortgeklingel – zu wenig Information in: *Werbe-Rundschau* (Gerlingen), März/April 1964, S. 19–27

Interview mit Martin Walser (durch Josef-Hermann Sauter) in: *Neue deutsche Literatur*, Heft 7, 1965, S. 97–103

Vietnam als intellektuelle Prüfung – auch in Deutschland in: *Die Weltwoche*, 3. Dezember 1965

Jeder lebt auf seiner Einzelgängerspur dahin. Gespräch zwischen Martin Walser und Heinz Saueressig über den neuen Roman *Das Einhorn* in *Schwäbische Zeitung* (Leutkirch), 13. Juni 1966

Die Frau für den Feiertag in: *Moderne Frau* Heft 11, 16. Mai 1967, S. 50–52

Wörter der Liebe. Ein Interview mit Margrit Sprecher in: *Elle*, Mai 1967

Zusammenleben will geübt sein in: *Bodensee-Hefte* (Konstanz), Juni 1967, S. 30–33

Ich sprach mit Martin Walser. Aufzeichnung von Geno Hartlaub in: *Westermanns Monatshefte*, September 1967, S. 56–61

Abschied von der Politik. Hellmuth Karasek unterhält sich mit Martin Walser über dessen neues Stück *Die Zimmerschlacht* in: *Theater heute*, September 1967, S. 6–9

Ein Mann will an einer Frau immer noch bewundern. Ein Gespräch mit Heidi Schulze-Breustedt in: *Brigitte*, 24. Oktober 1967, S. 206–212

Martin Walser als literarischer Zeitgenosse. Ein Gespräch mit Thomas Beckermann in: *Tübinger Forschungen* Nr. 35, Beilage des *Schwäbischen Tagblatt* (Tübingen), November 1967, S. 3–4

Erzählprobleme in Martin Walsers Romanen. Ein Gespräch zwischen Martin Walser und Thomas Beckermann, Biberach an der Riß 1968

Gespräche mit Prominenten in: Arthur Joseph, *Theater unter vier Augen*, Köln/Berlin 1969, S. 57–62

Tageszeitung in der Straßenbahn. Reiseliteratur verfilmt in: *Südwestpost*, 23. April 1969

Protokolle zur Person, (Hrsg.) Ekkehart Rudolph, München 1971, S. 131–144

Sehen Sie sich Schiller an, mit wem der paktiert! in: *Wirtschaftswoche*, 5. Februar 1971, S. 14–19

Wir haben dafür den kapitalistischen Realismus in: *Kölner Stadtanzeiger*, 13. August 1971

Über Parteilichkeit der Literatur in: *Deutsche Volkszeitung*, 5. September 1971

Warum nicht lieber Seifenblasen in: *Abendzeitung* (München), 29. Mai 1972

Man muß sich goldene Worte vorauswerfen (Gespräch mit Hans Fröhlich) in: *Stuttgarter Nachrichten*, 19. August 1972

Ich bin kleinbürgerlich geboren (Interview mit Paul Schmid) in: *Tages-anzeiger* (Zürich), 29. Dezember 1972

Die Überanstrengung, die das pure existieren ist in: *Die Zeit*, 18. Mai 1973

Demokratisierung statt Werbung in: *konkret*, 5. Juli 1973

Thema Realismus (Gespräch mit Adalbert Reif) in: *Nationalzeitung* (Basel), 4. August 1973

Romane leben nicht von der Theorie in: *Spandauer Volksblatt*, 12. August 1973

Mein Traum war Kafka in: *Kölner Stadt-Anzeiger*, 18. August 1973

Was ist demokratischer und öffentlicher, Fernsehen oder Theater (Martin Walser und Günter Rohrbach debattieren) in: *Theater heute*, September 1973, S. 27–31

Weit weg von der Berufskultur in: *Nationalzeitung Basel*, 1. Juni 1974

Podiumsgespräch mit Martin Walser in: H. G. Funke (Hrsg.), *Grundfragen der Methodik des Deutschunterrichts und ihre praktischen Verfahren*, München 1975, S. 60–75

Es soll den Zuschauern bekannt vorkommen (Gespräch über das *Sauspiel*) in: *Theater heute*, 16/1975

Mittel und Bedingungen der Produktion in: Peter Andre Bloch (Hrsg.), *Gegenwartsliteratur*, Bern und München 1975, S. 257–271

Gespräch mit Martin Walser (geführt von Klaus Konjetzki) in: *Weimarer Beiträge* 21, 1975, S. 70–84

Zur Situation des Fernsehspiel-Autors in: *medium*, November 1975, S. 16–21

Todesurteil und Maiglöckchen. Gespräch mit Martin Walser über »Das Sauspiel« in: *Abendzeitung* (München), 17. Dezember 1975

Die positive Tendenz unserer Geschichte in: *Die Tat*, 9. Januar 1976

. . . jetzt tick hier mal richtig nach vorn, Junge! Gespräch mit Martin Walser über SPD, DKP und Perspektiven in: *Marburger Blätter*, 27. Mai 1976, S. 26–29

Schreiben ist ja ein so ungeheuer ungesunder Beruf in: *Kölner Stadt-Anzeiger*, 19. April 1978

Gespräch mit Peter Roos in: *Genius loci.* Gespräch über Literatur, Pfullingen 1978, S. 66–93

Martin Walser: Schreiben ist eine herrliche Arbeit in: *Südkurier*, 31. Dezember 1978

Ich schreibe bis zur Erschöpfung in: *Abendzeitung* (München), 17. Februar 1979

Wir alle leisten Seelenarbeit (Interview mit Toni Meissner) in: *Glocke* Nr. 5, Mai 1979, S. 29

In Wirklichkeit befinde ich mich permanent in einem Zustand der Ohnmacht gegenüber der Sprache in: *Tagesanzeiger* (Magazin), 10. November 1979

Wie tief sitzt der Tick, gegen die Bank zu spielen? (Gespräch mit Ronald Lang) in: *konkret* (Literatur), Herbst 1980, S. 29–34

Ein Gespräch mit Martin Walser in Neu-England. Aufgezeichnet von Monika Totten in: *Basis* (Jahrbuch für deutsche Gegenwartsliteratur) 10, S. 94–214

II. Bibliografie der Arbeiten über Martin Walser

Aufgenommen wurden in diese Auswahlbibliografie nur die wichtigsten der publizierten Veröffentlichungen zu Martin Walsers Arbeiten. Soweit es sich um Artikel in Zeitungen handelt, sind ausschließlich die Hauptüberschriften zitiert worden.

1 Allgemeine Arbeiten

Ahl, Herbert, *Klima einer Gesellschaft* in: H. A., *Literarische Porträts*, München/Wien 1962, S. 15–27

Andrews, R. C., *Comedy and Satire in Martin Walser's Halbzeit*, in: *Modern Languages* 50, 1969, S. 6–10

Arendt, Dieter, *Im goldenen Käfig der Freiheit. Eine literaturdidaktische Explikation zu Marin Walsers Roman ›Halbzeit‹* in: *Der Deutschunterricht* 1974, H. 4, S. 27–40

Arnold, Heinz Ludwig (Hrsg.), *Martin Walser*, München 1974 (*Text + Kritik*) 42/43

Batt, Kurt, *Zwischen Idylle und Metropole. Sozialtyp und Erzählform in westdeutschen Romanen*, in: *Sinn und Form*, Heft 3, 1966, S. 1001–1024

ebs., *Die Exekution des Erzählers. Westdeutsche Romane zwischen 1968 und 1972*, Frankfurt (M) 1974

Bausinger, Hermann, *Heimatdichter Martin Walser?* in: Süddeutsche Zeitung, 24. Juni 1967

ebs., *Laudatio auf Martin Walser* in: Worte am See 1970, S. 75–80

Beckermann, Thomas (Hrsg.), *Über Martin Walser*, Frankfurt (M), 1970

ebs., *Martin Walser oder die Zerstörung eines Musters*, Bonn 1972

ebs., *Martin Walser* in: *Deutsche Dichter der Gegenwart. Ihr Leben und ihr Werk*, unter Mitarbeit von zahlreichen Fachgelehrten herausgegeben von Benno von Wiese, Berlin 1973

ebs., *Zum Prosawerk Martin Walsers* in: Heinz Ludwig Arnold und Theo Buck (Hrsg.), *Positionen im deutschen Roman der sechziger Jahre*, München 1975, S. 55–85

ebs., *Epilog auf eine Romanform. Martin Walsers Roman ›Halbzeit‹. Mit einer kurzen Weiterführung, die Romane ›Das Einhorn‹ und ›Der Sturz‹*

betreffend in: Manfred Brauneck (Hrsg.), *Der deutsche Roman im 20. Jahrhundert,* Bamberg 1976, S. 31–57

Brändle, Werner, *Materialien zu Martin Walsers ›Sauspiel‹,* Frankfurt (M) 1977

ebs., *Die dramatischen Stücke Martin Walsers. Variationen über das Elend des bürgerlichen Subjekts,* Stuttgart 1978

Bleuler, Ruth, *An Investigation of the Style in Martin Walser's Novel ›Halbzeit‹,* MA-Thesis (masch.), The Pennsylvania State University, June 1968

Blöcker, Günter, *Der Realismus X* in: Merkur 19. April 1965, S. 389–392

Busch, Günther, *Martin Walser* in: Klaus Nonenmann (Hrsg.), *Schriftsteller der Gegenwart,* Olten/Freiburg 1963, S. 300–305

Dechene, Lesa, *Martin Walser und die Ehen in Philippsburg* in: *Echo der Zeit,* 20. Dezember 1964

Dede, Ewald, *Zu Martin Walsers ›Gallistl‹ und ›Jenseits der Liebe‹* in: *Literarische Hefte* 52, 1976, S. 72–94

Demetz, Peter, *Die süße Anarchie. Skizzen zur deutschen Literatur seit 1945,* Frankfurt (M) 1973 (über Martin Walser, S. 253–261)

Deutsches Schriftstellerlexikon (von den Anfängen bis zur Gegenwart): Martin Walser, Weimar 1961, S. 594

Doane, Heike, *Das Bild der Gesellschaft in Martin Walsers Roman ›Ehen in Philippsburg‹,* MA-Thesis (masch.), Montreal 1969

ebs., *Gesellschaftspolitische Aspekte in Martin Walsers Kristlein-Trilogie ›Halbzeit‹, ›Das Einhorn‹, ›Der Sturz‹,* Bonn 1978

Emmel, Hildegard, *Zeiterfahrung und Weltbild im Wechselspiel. Zu Martin Walsers Roman ›Halbzeit‹* in: Wolfgang Paulsen, *Der Dichter und seine Zeit – Politik im Spiegel der Literatur,* Heidelberg 1970

Enzensberger, Hans Magnus, *Der sanfte Wüterich* in: H. M. E., *Einzelheiten,* Frankfurt (M) 1962, S. 240–245

Francois, Jean Claud, *Martin Walser et la tradition Schweykienne,* in: *Allemagne d'aujourd'hui* 55, 1976, S. 87–96

Geiger, Heinz, *Widerstand und Mitschuld. Zum deutschen Drama von Brecht bis Weiss,* Düsseldorf 1973

Geissler, Waltraud, *Zu Martin Walsers Hölderlin-Bild* in: *Wissenschaftliche Zeitschrift der Universität Jena* 21, 1972, S. 479–481

Glaser, Hermann, *Martin Walser. Überlebensgroß Herr Krott* in: Manfred Brauneck (Hrsg.), *Das deutsche Drama vom Expressionismus bis zur Gegenwart,* Bamberg ³1977, S. 315–319

Grau, Werner, *Martin Walser* in: *Der Jugendbuchhandel* 15, 1961, S. 413–416

Greif, Hans Jürgen, *Zum modernen Drama. Martin Walser, Wolfgang Bauer, Rainer Werner Fassbinder, Siegfried Lenz, Wolfgang Hildesheimer*, Bonn 1973

Hinck, Walter, *Das moderne Drama in Deutschland. Vom expressionistischen zum dokumentarischen Theater*, Göttingen 1973

Hill, Linda M., *Language in the post war drama*, Bonn 1976 (zu: *Eiche und Angora*)

Just, Gottfried, *Kein Nachfahr müder Träumer* in: G. J., *Reflexionen*, Pfullingen 1972

Karasek, Hellmuth, *Martin Walser: ›Der schwarze Schwan‹* in: Manfred Brauneck (Hrsg.), *Das deutsche Drama vom Expressionismus bis zur Gegenwart*, Bamberg ³1977, S. 320–323

Kautz, Ernst-Günter, *Ideologiekritik und Grundlagen der dramaturgischen Gestaltung in Martin Walsers Stücken ›Der Abstecher‹ und ›Eiche und Angora‹* in: *Wissenschaftliche Zeitschrift der Humboldt-Universität zu Berlin*, Gesellschafts- u. sprachwissenschaftliche Reihe 1/1969, S. 93–113

Keisch, Henryk, *Was vermag Literatur?* (Rezensionen zu M. W., *Drei Stücke*) in: *Neue deutsche Literatur*, Oktober 1966, S. 175–181

Kesting, Marianne, *Martin Walser. Die Kunst zu überleben* in: M. K., *Panorama des zeitgenössischen Theaters*, München 1969, S. 315–319

Kreuzer Ingrid, *Martin Walser* in: Dieter Weber (Hrsg.), *Deutsche Literatur seit 1945*, Stuttgart, S. 435–454

Kurz, Paul Konrad, *Sehnsucht nach neuem Leben. Der Zeitgenosse in fünf Romanen der Saison* in: Wirkendes Wort 28, 1973, S. 471–483

Lange, Hartmut, *Der immergleiche Realismus* in: *Theater heute*, Nov. 1967, S. 18–20

Liersch, Werner (Hrsg. und Nachwort), *Stücke aus der BRD* (u. a. Martin Walser, *Das Sauspiel*), Berlin/DDR 1976

Maiwald, Peter, *Die Abnahme des Interesses an Verzweiflung* in: *Marxistische Blätter*, September/Oktober 1972

Menchén, Georg, *Wenn einer es nötig hat, ist jeder ein Schriftsteller* in: TLZ (Leipzig), 21. März 1981

Mennemeier, F. N., *Moderne deutsche Dramatik*, München 1975, S. 270–290 (u. a. über Martin Walser)

Mittenzwei, Werner, *Zwischen Resignation und Auflehnung. Vom Menschenbild der neuesten westdeutschen Dramatik* in: *Sinn und Form*, Heft 6, 1964, S. 894–908

ebs., *Der Dramatiker Martin Walser*. Nachwort zu: *Drei Stücke*, Berlin/Weimar, S. 285–308

Möhrmann, Renate, *Der neue Parvenue. Aufsteigermentalität in Martin

Walsers Ehen in Philippsburg in: *Basis, Jahrbuch für deutsche Gegenwartsliteratur 6,* Frankfurt (M) 1976, S. 140–160

Müller, Klaus Detlef, *Das Ei des Kolumbus? Parabel und Modell als Dramenformen bei Brecht, Dürrenmatt, Frisch und Walser* in: *Beiträge zur Poetik des Dramas* 1976, S. 432–461

Nägele, Rainer, *Zwischen Erinnerung und Erwartung. Gesellschaftskritik und Utopie in Martin Walsers ›Einhorn‹* in: *Basis. Jahrbuch für deutsche Gegenwartsliteratur 3,* Kronberg/Ts. 1973, S. 198–213

ebs., *Die Gesellschaft im Spiegel des Subjekts* in: Hans Wagener (Hrsg.), *Zeitkritische Romane des 20. Jahrhunderts. Die Gesellschaft in der Kritik der deutschen Literatur,* Stuttgart 1975, S. 318–341

Nelson, Donald F., *The Depersonalized World of Martin Walser* in: *German Quaterly* 42, 1969, S. 204–216

Parkes, K. S., *An All-German dilemma. Some notes an the presentation of the theme of the individual and society in Martin Walser's Halbzeit and Christa Wolf's Nachdenken über Christa T.* in: *German Life and Letters* 28, 1974/75, S. 58–64

ebs., *Crisis and new ways. The recent development of Martin Walser* in: *New German Studies* 1, 1973, S. 85–98

Pezold, Klaus, *Dramatiker und Epiker* in: *Neues Deutschland,* Literatur 65, Mai 1965, S. 13

ebs., *Das literarische Schaffen Martin Walsers 1952–1964* (Diss.), veröffentlicht unter dem Titel *Martin Walser. Seine schriftstellerische Entwicklung,* Berlin/DDR 1971

Petro, Stephan, *Die Bedeutung Prousts für Martin Walsers Roman Halbzeit. Nachgewiesen an den gesellschaftlichen Zusammenkünften,* University of Connecticut 1976 (Diss.)

Pickar, Gertrud B., *Martin Walser: The Hero of Accomodation* in: *Monatshefte* 62, 1970, S. 357–366

Pickar, Gertrud B., *Narrative perspective in the novels of Martin Walser* in: *German Quaterly* 44, 1971, S. 48–57

Plavius, Heinz, *Das Wahre in den Lügengeschichten* in: *Der Sonntag* 32, (Berlin), 8. August 1965, S. 4–6

Preuß, Joachim Werner, *Martin Walser,* Berlin 1972

Reich-Ranicki, Marcel, *Der wackere Provokateur* in: M. R.-R., *Deutsche Literatur in West und Ost,* München 1963, S. 200–215

ebs., *Martin Walser, das anatomische Wunder* in: *Frankfurter Allgemeine Zeitung,* 28. März 1981

Reinhold, Ursula, *Erfahrung und Realismus. Über Martin Walser* in: *Weimarer Beiträge* 21, 1975, S. 85–104 ebs., *Martin Walser: ›Die Gallistl'sche Krankheit‹* in: *Weimarer Beiträge* 19, 1973, S. 166–173

Rischbieter, Hennig, *Veränderung des Unveränderbaren: Martin Walser* in: H. Rischbieter/E. Wendt, *Deutsche Dramatik in West und Ost,* Velber bei Hannover 1965, S. 24–35

Rooney, Kathryn, *Wife & Mistress: Women in Martin Walser's Anselm Kristlein trilogy,* Warwick University 1975 (Occasional Papers in German Studies No. 6)

Rühle, G., *Rede auf Martin Walser* in: Dramaturgische Gesellschaft e. V.: *Jahresband 1968,* Berlin 1969, S. 61ff.

Schmidt, Aurel, *Von der alltäglichen Realität erdrückt und erschlagen. Der Unterschied zwischen dem politischen Martin Walser und dem Schriftsteller Martin Walser* in: *Baseler Nationalzeitung,* 12. Mai 1973

Schulz, Max Walter, *Offener Brief an Martin Walser* in: *Neue deutsche Literatur* 12, 1968, S. 180–184

Schumann, Willy, *Die Wiederkehr der Schelme* in: Publications of the Modern Language Association of America 81, 1966, S. 467–474

Schwarz, Wilhelm Johannes, *Der Erzähler Martin Walser. Mit einem Beitrag Der Dramatiker Martin Walser von Hellmuth Karasek,* Berlin/München 1971

Siblewski, Klaus, *Martin Walsers Sauspiel* in: W. Raitz (Hrsg.), *Deutscher Bauernkrieg. Historische Analysen und Studien zur Rezeption,* Opladen 1976, S. 190–207

ebs., *Martin Walser* in: Heinz Ludwig Arnold (Hrsg.), *Kritisches Lexikon zur deutschsprachigen Gegenwartsliteratur,* München 1980

ebs., *Martin Walser* in: Erhard Schütz, Jochen Vogt u. a., *Einführung in die deutsche Literatur des 20. Jahrhunderts.* Bd. 3: *Bundesrepublik und DDR,* Opladen 1980, S. 130–140

Taeni, Rainer, *Drama nach Brecht. Eine Einführung in dramatische Probleme der Gegenwart,* Basel 1968, S. 86–122 zu Martin Walser

Thomas, R. Hinton, u. Winfried van der Will, *Der deutsche Roman und die Wohlstandsgesellschaft,* Stuttgart 1969 (S. 103–128 zu Martin Walser)

Trommler, Frank, *Martin Walser* in: H. Kunisch (Hrsg.), *Handbuch der deutschen Gegenwartsliteratur,* München ²1970, S. 279–280

ebs., *Demonstration eines Scheiterns. Zu Martin Walsers Theaterarbeit* in: *Basis, Jahrbuch für deutsche Gegenwartsliteratur* 10, Frankfurt (M) 1980, S. 127–141

Ullrich, Gisela, *Es wird einmal. Martin Walsers Gallistl'sche Krankheit* in: Michael Zeller (Hrsg.), *Aufbrüche: Abschiede. Studien zur deutschen Literatur seit 1968,* Stuttgart 1979, S. 60–69 ebs., *Identität und Rolle. Probleme des Erzählens bei Johnson, Walser, Frisch und Fichte,* Stuttgart 1977 (S. 33–50 zu Martin Walser)

Valentin, Jean Marie, *Es rührt sich nichts: constat, échec, statisme dans le théatre de Martin Walser* in: Revue d'Allemagne 11, 1979, S. 100–122

Viersener Theaterblätter 3, Martin Walser (mit Beiträgen von H. Bienek, J. Kaiser, H. Rischbieter, H. Karasek, E. Wendt) o. J.

Vormweg, Heinrich, *Die Wörter und die Welt. Über neue Literatur,* Neuwied und Berlin 1968 (S. 92–97 zu Martin Walser)

Waine, Anthony Edward, *Martin Walser. The Development as Dramatist. 1950–1970,* Bonn 1978

ebs., *Martin Walser,* München 1980

Welzig, Werner, *Der zeitkritische Roman* in: W. W., *Der deutsche Roman im 20. Jahrhundert,* Stuttgart 1967, S. 240ff.

Wilmann, H., *The theme of memory in Walser's ›Das Einhorn‹ and in Proust's ›A la recherche du temps perdu‹,* MA-Dissertation, Birmingham 1969

Wolft, Gerhart, *Seelen-Arbeit. Zur Behandlung von Walsers Roman im Vergleich mit Frischs Homo Faber* in: Praxis Deutsch 43, 1980, S. 51–53

2 Zu
Ein Flugzeug über dem Haus und andere Geschichten

Ahl, Herbert (u. a. über M. W.) in: *Diplomatischer Kurier,* 15. Juni 1956

Geis, Walter, *Vögel ohne Flügel* in: *Staatsanzeiger für Baden-Württemberg,* 14. März 1956

Hoff, Kay, *Vordergründig sauber, hintergründig tief* in: *Rheinische Post,* 8. Oktober 1955

Holthusen, Hans Egon, *Ein Kafka-Schüler kämpft sich frei* in: *Süddeutsche Zeitung,* 31. Dezember 1955

Horst, Karl August, *Humoristische Brechung und Trickmechanik* (u. a. über M. W.) in: *Merkur* 102, 10. Jg., August 1956

Ihlenfeld, Kurt, *Seekrankheit auf festem Land* in: *Evangelische Welt,* 16. August 1956

Kirn, Richard, *Ein Flugzeug über dem Haus* in: *Frankfurter Neue Presse,* 9. Oktober 1955

Noack, Paul, *Ein Kafka-Epigone* in: *Frankfurter Allgemeine Zeitung,* 23. März 1956

Schallück, Paul, ›*Ein Flugzeug über dem Haus‹* in: *Kölner Stadt-Anzeiger,* 8. Dezember 1955

Siedler, Wolf Jobst, *In der Nachfolge Kafkas* in: *Der Tagesspiegel* (Berlin), 22. April 1956

3 Zu *Ehen in Philippsburg*

Ahl, Herbert, *Klima einer Gesellschaft* in: *Diplomatischer Kurier*, Februar 1958, S. 167–169

Braem, H. M., *Lug und Trug* in: *Deutsche Rundschau*, Dezember 1957, S. 1179f.

Brenner, H. G., *Dissonante Gemütlichkeit* in: *Neue Deutsche Hefte*, Januar 1958

Dechene, Lisa, *Martin Walser und die ›Ehen in Philippsburg‹* in: *Echo der Zeit*, 20. Dezember 1964

Hartung, Rudolf, *Explosion im Wasserglas* in: *Der Monat* 111, Dezember 1957, S. 77–78

Helwig, Werner, *Soziologie der Verzweiflung* in: *St. Galler Tagblatt*, Dezember 1957

Hühnerfeld, Paul, *Männer, Frauen und Geliebte* in: *Die Zeit*, 19. Dezember 1957

Korn, Karl, *Satirischer Gesellschaftsroman* in: *Frankfurter Allgemeine Zeitung*, 5. Oktober 1957

Luft, Friedrich, *Philippsburg – oder das Juste Milieu* in: *Süddeutsche Zeitung*, 12. Dezember 1957

Mühlberger, Josef, *Tiefstand des Literaturlebens* in: *Rhein-Neckar-Zeitung*, 9. Dezember 1957

Piontek, Heinz, *Mit satirischer Feder* (u. a. über M. W.) in: *Zeitwende. Die neue Furche*, März 1958, S. 201f.

Poore, Charles *(›Ehen in Philippsburg‹)* in: *The New York Times*, 6. Juli 1961

Rode, Heinz, *Die ›selbstverständliche‹ Unmoral* in: *Stuttgarter Nachrichten*, 16. November 1957

Schonauer, Franz, *Bürgerliche Lebensläufe von heute* in: *Deutsche Zeitung*, 20. November 1957

Siedler, Wolf Jobst, *Deutschlands junge Männer sind mißmutig* in: *Der Tagesspiegel* (Berlin), 15. Dezember 1957

Westecker, Wilhelm, *Elegante Gesellschaftskritik* in: *Christ und Welt*, 16. Januar 1958

Wiegenstein, Roland H., *Gerichtstag über feine Leute* in: *Frankfurter Hefte*, 43. Jg., Mai 1958, S. 366–368

4 Zu *Halbzeit*

Anonym, *Halbzeit: Unentschieden* in: *Der Spiegel*, 14. Dezember 1960

Ahl, Herbert, ›*Halbzeit*‹ in: *Diplomatischer Kurier*, 19. April 1961, S. 273–276

Andrews, R. C., *Comedy and Satire in Martin Walser's* ›*Halbzeit*‹ in *Modern Languages* 50, 1969, S. 6–10

Baumgart, Reinhard, *Perpetuum Mobile* in: *Neue Deutsche Hefte* 77, Dezember 1960, S. 833–835

Baukloh, Friedhelm, *Der Walser-Rapport* in: *Echo der Zeit*, 11. Juni 1961

Becker, Jürgen, (›*Halbzeit*‹) in: *Deutsche Welle*, 12. September 1961

Berghahn, Wilfried, *Sehnsucht nach Widerstand* in: *Frankfurter Hefte*, 16. Jg., Februar 1961, S. 135–137

Blöcker, Günter, *Das Leben eines Handlungsreisenden* in: *Die Zeit*, 4. November 1960 (auch in G. B., *Kritisches Lesebuch*, Hamburg 1962, S. 187–191)

Brenner, Hans Georg, *Martin Walser:* ›*Halbzeit*‹ in: *Norddeutscher Rundfunk*, 4. Januar 1961

Busch, Günther, ›*Halbzeit*‹ – *ein Roman von Martin Walser* in: *Panorama*, 4. Jg., November 1960

Fink, Humbert, ›*Halbzeit*‹ in: *Der Kurier*, 4. März 1961

Hartung, Rudolf, *Schaum in der Klarsicht-Tube* in: *Der Monat* 147, Dezember 1960, S. 65–69

Heinz, K., *Martin Walser:* ›*Halbzeit*‹ in: *Der Sonntag* Nr. 31 (Berlin/DDR), 1961

Helwig, Werner, *Der unbarmherzige Samariter* in: *Süddeutsche Zeitung*, 15./16. Oktober 1960

Hoff, Kay, *Der Moralist Martin Walser* in: *Rheinische Post*, 15. Oktober 1960

Horst, Karl August, *Schwammkulturen* in: *Neue Zürcher Zeitung*, 10. November 1960

Leber, Hugo, *Mißglückter Zeitroman* in: *Die Weltwoche*, 9. Dezember 1960

Liersch, Werner, ›*Halbzeit*‹ in: *Neue deutsche Literatur*, 9. Jg., April 1961, S. 153–156

Maier, Wolfgang, *Walsers* ›*Halbzeit*‹ in: *Diskus* (Studentenzeitschrift der Johann-Wolfgang-Goethe-Universität Frankfurt/M.), Februar 1961

Michaelis, Rolf, *Fingerübung für den großen Zeitroman* in: *Stuttgarter Zeitung*, 30. November 1960

Nöhbauer, Hans F., *Das ist des Walsers Vaterland* in: *Die Abendzeitung*,

19. November 1960

Nolte, Jost, *Man halte sich an Walser und Konsorten* in: *Die Welt*, 15. Oktober 1960

Sieburg, Friedrich, *Toter Elefant auf einem Handkarren* in: *Frankfurter Allgemeine Zeitung*, 3. Dezember 1960

Siedler, Wolf Jobst, *Über eines schreiben unsere Literaten nicht – über Literatur* in: *Der Tagesspiegel* (Berlin), 18. Dezember 1960

Tilliger, Ruth, *Die Lust am Formulieren* in: *Frankfurter Neue Presse*, 2. Februar 1961

Uhlenhorst, Olaf, *Die Ehen von Philippsburg – drei Jahre später* in: *Deutsche Zeitung*, 21./22. Januar 1961

Widmer, Walter, *Ein dickleibiger Hochgenuß* in: *National-Zeitung* (Basel), 26. November 1960

5 Zu *Der Abstecher*

Drews, Wolfgang, *Martin Walsers Bühnenerstling ›Der Abstecher‹* in: *Frankfurter Allgemeine Zeitung*, 1. Dezember 1961

Flaiano, Ennio, *Don Giovanni Neo-Capitalista* in: *Europeo*, 2. Juni 1966

Funke, Christoph, *Erstickter Wille zur Auflehnung* in: *Der Morgen* (Berlin/DDR), 8. März 1966

Goldschmit, Rudolf, *Absurde Scherze über die Ehe* in: *Die Zeit*, 8. Dezember 1961

Hamm, Peter, *Martin Walser Abstecher* in: *Frankfurter Rundschau*, 1. Dezember 1961

Kaiser, Joachim, *Gerichtstag für Männer* in: *Süddeutsche Zeitung*, 30. November 1961

Karsch, Walther, *Bemühte Absurdität und eine Seifenblase* (über M. W.: *Der Abstecher* und J. Anouilh: *Das Orchester*) in: *Der Tagesspiegel* (Berlin), 12. Mai 1962

Kerndl, Rainer, *Sozialpartner unter sich* in: *Neues Deutschland*, 20. März 1966

-ler, *Nächtliches Gericht im Wohnzimmer* in: *National-Zeitung* (Berlin/DDR), 9. März 1966

Linster, Eugen, *Der Abstecher* in: *Luxemburger Wort*, Juli 1969

Pfeiffer-Belli, Erich, *Talentbeweis mit kritischem Witz* in: *Die Welt*, 30. November 1961

M. R., *Ein Abstecher in die Aktualität* in: *d'Letzeburger Land* (Luxemburg), 11. Juli 1969

Schumacher, Ernst, *Die Einstellung eines Privatverfahrens* in: *Berliner Zeitung* (Berlin/DDR), 3. März 1966

Stauch von Quitzow, Wolfgang, *Schauspiel in München* in: *Neue Zürcher Zeitung*, 24. Januar 1962

6 Zu *Eiche und Angora*

Badia, Gilbert, *Martin Walser. Un Auteur à la Recherche du Temps présent* in: *Bref*, Januar 1968, S. 6/7

Ders., *Chêne & lapins angora des personnage de comédie en proie à l'histoire* in: *Bref*, Februar 1968, S. 26/27

Beckmann, Heinz, *Martin Walsers ›Eiche und Angora‹* in: *Rheinischer Merkur*, 12. Oktober 1962

Draeger, E.-O., *Politischer Singsang* in: *Spandauer Volksblatt*, 25. September 1962

ebs., *Martin Walser: ›Eiche und Angora‹* in: *Die Tat* (Zürich), 6. Mai 1963

Erck, Alfred, *Die Helden sitzen im Zuschauerraum* in: *Freies Wort*, 20. Oktober 1965

Erval, François, *Martin Walser au T. N. P.* in: *La Quinzaine littéraire*, 1./15. März 1968

Gautier, Jean-Jacques, *Chêne et lapins angora* in: *Le Figaro*, 16. Februar 1968

Gellert, Roger, *Alois and the Angoras* in: *New Statesman*, 6. September 1963

Hildebrandt, Dieter, *›Eiche & Angora‹* in: *Frankfurter Allgemeine Zeitung*, 24. September 1962

Honolka, Kurt, *Schwejks blasses Abziehbild* in: *Stuttgarter Zeitung*, 25. September 1962

Hope-Wallace, Philip, *The Rabbit Race* in: *The Guardian*, 21. August 1963

H. U., *Die Wahrheit im Narrengewand* in: *Neue Zeit* (Berlin/DDR), 2. Dezember 1965

I. V., *›Eiche und Angora‹* in: *Neue Zürcher Zeitung*, 5. Mai 1963

Jacobi, Johannes, *Walsers erster großer Versuch* in: *Die Zeit*, 5. Oktober 1962

Kaiser, Joachim, *Die skurrile Welt des Martin Walser* in: *Süddeutsche Zeitung*, 25. September 1962

Kanters, Rorbert, *On tondra toujours les lapins angoras* in: *Express*, 26. Februar 1968

Karasek, Hellmuth, *Walsers deutscher Wald* in: *Stuttgarter Zeitung*, 25. September 1962

Lemarchand, Jacques, *Chêne et lapins angoras* in: *Le Figaro Littéraire*, 26. Februar 1968

Luft, Friedrich, *Ein Zeitgenosse, der immer zu spät ›umfällt‹* in: *Die Welt*, 25. September 1962

Madral, Philippe, *Les rechutes* in: *l'Humanité*, 16. Februar 1968

Marcel, Gabriel, *Le vertu d'inquiétude* in: *Nouvelles Littéraires*, 29. Februar 1968

Olivier, Claude, *Une chronique allemande* in: *Les Lettres francaises*, 21./28. Februar 1968

Poirot-Delpech, B., *Chêne et lapins angora* in: *Le Monde*, 16. Februar 1968

Rollett, Edwin, *Zeit ohne Charakter* in: *Die Presse* (Wien), 30./31. März 1963

Schumacher, Ernst, *›Eiche und Angora‹* in: *Theater der Zeit*, Heft 3, März 1964, S. 32

Sellenthin, H. G., *›Eiche und Angora‹ im Schillertheater* in: *Allgemeine Wochenzeitung der Juden in Deutschland* (Düsseldorf), 12. Oktober 1962

Tynan, Kenneth, *Rise and fall of a political innocent* in: *The Observer*, 25. August 1963

Wollenweber, Werner, *Der brave Zivilist Schwejk* in: *Zürcher Woche*, 10. Mai 1963

7 Zu *Die Zimmerschlacht*

Beckmann, Heinz, *Bare Nullen statt Menschen* in: *Rheinischer Merkur* (Koblenz), 25. Dezember 1967

Czaschke, Annemarie, *Schmunzelabend für Ehepaare* in: *Frankfurter Rundschau*, 11. Dezember 1967

Drews, Wolfgang, *Nach achtzehn Ehe-Dienstjahren* in: *Frankfurter Allgemeine Zeitung*, 9. Dezember 1967

Ignée, Wolfgang, *Kortners Stück* in: *Christ und Welt*, 15. Dezember 1967

Jenny, Urs, *Windmühlen am Ehehorizont* in: *Süddeutsche Zeitung*, 9./10. Dezember 1967

Karasek, Hellmuth, *Zu zweit* in: *Stuttgarter Zeitung*, 9. Dezember 1967

Luft, Friedrich, *Unerbittliche Unterhaltsamkeit* in: *Die Welt*, 10. Februar 1968

Nolte, Jost, *Aufstand der Kleinigkeiten* in: *Die Welt*, 9. Dezember 1967

Reich-Ranicki, Marcel, *War es ein Mord?* in: *Die Zeit,* 15. Dezember 1967 (wiederabgedruckt in M. R.-R., *Lauter Verrisse,* München 1970, S. 141–146)

Rischbieter, Henning, *Walsers Dialog* (in: H. R., *Genre-Bilder*) in: *Theater heute,* Januar 1968, S. 31

Schärer, Bruno, *Kortners mißlungene Ehe mit Walser* in: *Die Weltwoche,* 15. Dezember 1967

Wollenweber, Werner, *Die Schlächter sind unter uns* in: *Züri Leu* (Zürich), 10. April 1969

8 Zu *Überlebensgroß Herr Krott*

Braun, Hanns, *Pullover für einen Walfisch* in: *Süddeutsche Zeitung,* 2. Dezember 1973

Daiber, Hans, *Krott, die große Kröte* in: *Deutsche Tagespost* (Würzburg), 2. Dezember 1963

Goldschmit, Rudolf, *Kabarett ums Kapital* in: *Der Tagesspiegel* (Berlin), 6. Dezember 1963

Heissenbüttel, H.; Hübner, K.; Kreuzer, I.; Penzoldt, G.; Wehmeier, J., *Warum Walser vorbeitrifft* in: *Theater heute,* Jg. 5, April 1964, S. 1–3

Jent, Louis, *Drama jensetis von Gut und Böse* in: *Die Weltwoche,* Anfang Dezember 1963

Karasek, Hellmuth, ›*Überlebensgroß Herr Krott*‹ in: *Stuttgarter Zeitung,* 22. November 1963

Klotz, Volker, *Krott oder ein Gliederpuppenheim* in: *Frankfurter Rundschau,* 4. März 1964

Kreuzer, Ingrid, *Nestroyanisches Pferd in Stuttgart* in: *Frankfurter Hefte,* 19. Jg., Februar 1964, S. 133–136

Luft, Friedrich, *Der Griff in die dramatische Retorte* in: *Die Welt,* 2. Dezember 1963

Mayer, Hans, *Vater Puntila und seine Kinder* (MW: *Krott* und H. Lange: *Marski*) in: *Die Zeit,* 26. März 1965

Menck, Clara, *Im neueren Augsburger Dialekt* in: *Frankfurter Allgemeine Zeitung,* 2. Dezember 1963

Michaelis, Rolf, *Herr Walser schießt ins Blaue* in: *Stuttgarter Zeitung,* 2. Dezember 1963

Müller, André, *Überlebensgroß Herr Krott* in: *Theater der Zeit,* März 1964, S. 30/31

Rischbieter, Henning, *Walser, Wünsche, Weiss und Pörtner* in: *Theater*

heute, 5. Jg., Januar 1964, S. 10/11/16

Wendt, Ernst, *Walser: ›Überlebensgroß Herr Krott‹* in: *Die Welt der Frau* (Baden-Baden), Mai 1964, S. 16/17

Wild, Winfried, *Das Drama Krott und das Drama Walser* in: *Stuttgarter Nachrichten,* 2. Dezember 1963

9 Zu *Der schwarze Schwan*

Bayer, Hans, *Martin Walser überredet, statt zu überzeugen* in: *Hannoversche Allgemeine Zeitung,* 20. Oktober 1964

Bastide, François-Régis, *›Le Cygne Noir‹* in: *Nouvelles littéraires,* 12. Dezember 1968

Beckmann, Heinz, *Walsers erste Theaterszene* in: *Rheinischer Merkur* (Koblenz), 30. Oktober 1964

Böhme, Irene, *›Der schwarze Schwan‹* in: *Der Sonntag* (Berlin/DDR), 28. Februar 1965

Dumur, Guy, *Hamlet à Bonn* in: *Nouvelle Observateur,* 16. Dezember 1968

Gautier, Jean-Jacques, *›Le Cygne Noir‹* in: *Le Figaro,* 8. Dezember 1968

Honolka, Kurt, *Hamlet bewältigt Auschwitz* in: *Stuttgarter Nachrichten,* 19. Oktober 1964

Ignée, Wolfgang, *Das Furienfest* in: *Christ und Welt,* 23. Oktober 1964

Kaiser, Joachim, *Da ist nichts zu begreifen* in: *Süddeutsche Zeitung,* 19. Oktober 1964

Karasek, Hellmuth, *Martin Walser als Dramatiker* in: *Die Zeit,* 23. Oktober 1964

Karsch, Walther, *Martin Walsers neuer Hamlet* in: *Der Tagesspiegel* (Berlin), 18. Mai 1965

Keisch, Henryk, *Realismus ohne Phantasie?* in: *Neues Deutschland,* 20. Dezember 1964

Lemarchand, Jacques, *›Le Cygne noir‹* in: *Figaro littéraire,* 16./22. Dezember 1968

Luft, Friedrich, *Vom Theater weit entfernt* in: *Die Welt,* 19. Oktober 1964

Menck, Clara, *Der neue Hamlet* in: *Frankfurter Allgemeine Zeitung,* 19. Oktober 1964

Mudrich, Heinz, *Ein deutscher Hamlet namens Rudi* in: *Saarbrücker Zeitung,* 20. Oktober 1964

Müller, André, *Das Unbewältigte bewältigt?* in: *Theater der Zeit,* Heft 23, 1964, S. 24/25

Nössing, Manfred, *Zwei Theater – ein Stück* (Besprechung der Aufführungen in Dresden und Rostock) in: *Theater der Zeit*, Heft 13, 1965, S. 23–25

Posdzech, Dieter, *Aufruhr des Gewissens* in: *Ostsee-Zeitung* (Rostock), 15. Mai 1965

Rainer, Wolfgang, *Schlingen des Gewissens* in: *Stuttgarter Zeitung*, 19. Oktober 1964

Redeker, Horst, ›*Schwarzer Schwan*‹ *und Kriterien des Realismus* in: *Neues Deutschland*, 4. Februar 1965

Seelmann-Eggebert, Ulrich, *Die unbewältigte Bewältigung* in: *Echo der Zeit* (Recklinghausen), 15. November 1964

Stauch von Quitzow, Wolfgang, *Hadamar aus zweiter Hand* in: *Sonntagsblatt* (Hamburg), 1. November 1964

Thieme, Balduin, *Der schwarze Schwan* in: *Sächsisches Tageblatt* (Dresden), 19. Mai 1965

Wendt, Ernst, *Die realistische Fiktion* in: *Theater heute*, November 1964, S. 25–27

Wimmer, E., *Ein mutiges Stück* in: *Volksstimme* (Wien), 24. Dezember 1964

10 Zu *Lügengeschichten*

Blöcker, Günter, ›*Lügengeschichten*‹ in: G. B., *Literatur als Teilhabe*, Berlin 1966, S. 46–51

Cwojdrak, Günther, *Lügengeschichten ohne Lug* in: *Die Weltbühne* (Berlin/DDR), XX. Jg., Nr. 8, 24. Februar 1965, S. 242–244

Gregor-Dellin, Martin, *Ein kleiner Zauberberg* in: *Christ und Welt*, 4. Dezember 1964

Hagen, Rainer, *Kleine Verteidigung für Martin Walser* in: *Sonntagsblatt*, 18. Oktober 1964

Jenny, Urs, *Schwierigkeiten beim Erlügen der Wahrheit* in: *Süddeutsche Zeitung*, 3./4. Oktober 1964

R. M. (Rolf Michaelis), *Schlecht gelogen* in: *Frankfurter Allgemeine Zeitung*, 26. September 1964

Nolte, Jost, *Kettenreaktionen des Erzählens* in: *Die Welt der Literatur*, 15. Oktober 1964

Reich-Ranicki, Marcel, *Anzeichen einer tiefen Unsicherheit* (u. a. über M. W.), in: *Die Zeit*, 18. September 1964

Reutimann, Hans, *Martin Walser: ›Lügengeschichten*‹ in: *Tagesanzeiger* (Zürich), 5. Dezember 1964

Rötzer, Hans Gerd, *Kein Ansturm von Wortheeren* in: *Rheinischer Merkur*, 4. Dezember 1964

Wallmann, Jürgen P., ›*Lügengeschichten*‹ *von Martin Walser* in: *Die Tat* (Zürich), 18. Dezember 1964

11 Zu *Das Einhorn*

Ahl, Herbert, *Versuch über ein versuchereiches Leben* in: *Diplomatischer Kurier*, 15. Jg., Heft 15, 2. November 1966

Becker, Rolf, *Wortwörtliche Streichelei* in: *Der Spiegel*, Nr. 37, 5. September 1966

Blöcker, Günter, *Die endgültig verlorene Zeit* in: *Merkur* 222, 20 Jg., Oktober 1966, S. 987–991

Buch, Hans Christoph, *Barbara ist für Herrn Kristlein nur eine Zwischenstation* in: *Berliner Morgenpost*, 8. September 1966

Chotjewitz, Peter O., *Martin Walser:* ›*Das Einhorn*‹ in: *Literatur und Kritik*, Heft 9/10, Dezember 1966, S. 109–113

Fink, Humbert, *Nichts anderes als ein total mißglückter Liebesroman* in: *Die Presse* (Wien), 18. Februar 1967

Gsteiger, Manfred, *Heinrich Böll* (›*Ende einer Dienstfahrt*‹) *und Martin Walser* in: *Neue Zürcher Zeitung*, 23. Dezember 1966

Haderlev, Jürgen, *Verbaler Kreisverkehr* in: *konkret*, Oktober 1966

Hagen, Rainer, *Anselm Kristleins zweite Halbzeit* in: *Sonntagsblatt*, 11. September 1966

Hamm, Peter, *Nachruf auf Orli und eine Kultur* in: *Frankfurter Hefte* 21, 1966, S. 795 f.

Hartung, Rudolf, *Martin Walser:* ›*Das Einhorn*‹ in: *Neue Rundschau*, Heft 4, 1966, S. 668–672

Hoffmann, Jens, *Betthupfer Kristlein* in: *Christ und Welt*, 16. September 1966

Jenny, Urs, *Martin Walser:* ›*Das Einhorn*‹ in: *Die Weltwoche*, 2. September 1966

Kaiser, Joachim, *Anselms Einhorn – Walsers Rausch* in: *Süddeutsche Zeitung*, 3./4. September 1966

Laureillard, Rémi, *Le roman allemand se porte bien* in: *La Quinzaine littéraire*, 16./30. November 1969

Leonhardt, Rudolf Walter, *Liebe sucht eine neue Sprache* in: *Die Zeit*, 9. September 1966

Michaelis, Rolf, *Die neuesten Nachrichten aus dem Bett* in: *Frankfurter*

Allgemeine Zeitung, 3. September 1966

Nettelbeck, Uwe, *Meinetwegen ist das schlecht, aber...* in: *Die Zeit* 16. September 1966

Nöhbauer, Hans F., *Anselm Kristleins Wiederkehr* in: *Die Abendzeitung* (München), 27. August 1966

Nolte, Jost, *Walsers Maß bleibt das köstliche Unmaß* in: *Die Welt der Literatur*, 1. September 1966

Plavius, Heinz, *Kritik, die am Bettuch nagt* in: *Neue deutsche Literatur* Heft 1, 1967, S. 142–154

Reich-Ranicki, Marcel, *Keine Wörter für Liebe* in: *Die Zeit*, 2. September 1966 (wiederabgedruckt in: M. R.-R., *Literatur der kleinen Schritte*, München 1967, S. 215–224)

Ribaux, Louis, ›*Kein Hohes, eher ein Genaues Lied*‹ in: *Basler Nachrichten*, 9. September 1966

Saueressig, Heinz, *Ein Roman sucht nach Wörtern für Liebe* in: *Schwäbische Zeitung* (Leutkirch), 3. September 1966

Schütte, Wolfram, *Nach keltischem Muster* in: *Frankfurter Rundschau*, 24. September 1966

Sello, Katrin, *Martin Walser:* ›*Das Einhorn*‹ in: *Neue Deutsche Hefte*, 14. Jg., Heft 113, 1967, S. 127–134

Vogelsang, Fritz, *Das vollkommene Alibi* in: *Stuttgarter Zeitung*, 3. September 1966

Vorpahl, Klaus, *Und doch kein Schoß* in: *Diskus* (Studentenzeitschrift der Johann-Wolfgang-Goethe-Universität Frankfurt/M.), Oktober 1966

Werth, Wolfgang, *Die zweite Anselmiade* in: *Der Monat* 216, September 1966, S. 81–87

Wilk, Werner, *Die Wörter für Liebe* in: *Der Tagesspiegel* (Berlin), 18. September 1966

Wimmer, Ernst, *Sachlichkeit und Liebe* in: *Die Volksstimme* (Wien), 25. Dezember 1966

Wintzen, René, *Martin Walser, romancier allemand* (›*La Licorne*‹) in: *Le Monde*, 15. November 1969

12 Zu *Ein Kinderspiel*

Baumgart, Reinhard, *Konfekt mit roten Schleifchen* in: *Stuttgarter Zeitung*, 24. April 1971

Gack, Günther, *Was heißt hier Familienbande?* in: *Der Tagesspiegel*, 24. April 1971

Henrichs, Benjamin, *Ein Papi guckt ins Kinderzimmer* in: *Süddeutsche Zeitung*, 14. Juni 1972

Hensel, Georg, *Was Martin Walser kann und was er will* in: *Die Weltwoche*, 30. April 1971

Iden, Peter, *Der Abstoß von den Eltern* in: *Frankfurter Rundschau*, 15. Februar 1972 (zur revidierten Fassung)

Ignée, Wolfgang, *Vatermord – kein Kinderspiel* in: *Stuttgarter Zeitung*, 24. April 1971

Karasek, Hellmuth, *Politik als Vaterschaftsklage* in: *Die Zeit*, 30. April 1971

Kirchner, Alfred, *Der Anschein der grünen Wiese* in: *Stuttgarter Zeitung*, 20. April 1971

Luft, Friedrich, *Sie wissen, was sie nicht wollen* in: *Die Welt*, 24. April 1971

Menck, Clara, *Generationskonflikt ist kein Kinderspiel* in: *Frankfurter Allgemeine Zeitung*, 26. April 1971

Otto, Enrico, *Neues Stück von Walser: Menschlicher Leerlauf* in: *Westfälische Rundschau*, 24. April 1971

Schloz, Günther, *Martin Walsers Kinderspiel in Stuttgart* in: *Christ und Welt*, 30. April 1971

Schmidt, Dietmar N., *Schwierigkeiten mit der Revolution* in: *Frankfurter Rundschau*, 26. April 1971

Thieringer, Thomas, *Papier-Revolutionäre* in: *Süddeutsche Zeitung*, 14. Oktober 1980 (zur zweiten Fassung)

13 Zu *Fiction*

Drews, Jörg, *Weniger Krise als Klemme* in: *Frankfurter Rundschau*, 9. Mai 1970

Frede, M., *Das ›Stigma‹ des Ekels* in: *Liberal-demokratische Zeitung* (Halle), 14. Mai 1970

Günther, Joachim, *Martin Walsers ›Fiction‹* in: *Neue deutsche Hefte*, Juli 1970

Kaiser, Joachim, *Martin Walser fällt sich ins Wort* in: *Süddeutsche Zeitung*, 19. März 1970

Krättli, Anton, *Gescheiterter Wahrheitsbeweis* in: *Neue Züricher Zeitung*, 15. April 1970

Krüger, Horst, *Ein Autor in der Sackgasse* in: *Die Zeit*, 17. April 1970

Nolte, Jost, *Kampfspiele gegen die Fiktion* in: *Die Welt der Literatur*, 19. März 1970

Reiter, Udo, *Walser auf neuem Kurs* in: *Nürnberger Nachrichten*, 13. März 1970

Salzinger, Helmut, *Was nicht geht, geht nicht* in: *Tagesspiegel* (Berlin), 26. April 1970

Schonauer, Franz, *Ein Laufpaß für ratlose Literaten* in: *Stuttgarter Zeitung*, 27. Juni 1970

Werth, Wolfgang, *Schwierigkeiten mit dem Ich* in: *Der Monat*, Heft 2 58, März 1970, S. 106–108

14 Zu *Die Gallistl'sche Krankheit*

Blöcker, Günter, *Ein Abschied von sich selbst?* in: *Frankfurter Allgemeine Zeitung*, 1. April 1972

Harung, Harald, *Rückzug aus einer Sackgasse* in: *Der Tagesspiegel (Berlin)*, 23. April 1972

Heymann, Karl, *Ein Roman als Infektionsherd* in: *Die Kommanchen*, 10. März 1973

Kurz, Paul Konrad, *Gesundung in der Partei?* in: *Der Spiegel*, 27. März 1972

Laemmle, Peter, *Wald und Quelle, Wärme und Wiege.* Wie Lars Gustaffson und Martin Walser ihre Gallistl'sche Krankheit zu heilen versuchen in: *Frankfurter Rundschau*, 7. April 1973

Meister, Ulrich, *Eine literarische Krankheit* in: *Die Weltwoche*, 19. April 1972

Olles, Helmut, *Martin Walser: Die Gallistl'sche Krankheit* in: *Neue Deutsche Hefte*, Nr. 137, 1973, S. 140–141

Reinhold, Ursula, *Martin Walser: Die Gallistl'sche Krankheit* in: *Weimarer Beiträge*, Nr. 1, 1973, S. 166–173

Ross, Werner, *Gallistl und die fünf Engel* in: *Merkur*, Nr. 290, 1972, S. 598–601

Schütte, Wolfram, *Wer da mitreisen könnte . . .* in: *Frankfurter Rundschau*, 11. März 1972

Wallmann, Jürgen P., *»Ich bin meine Hoffnung«* in: *Nürnberger Nachrichten*, 17. März 1972

Werth, Wolfgang, *Der eingebildete Kranke. Martin Walsers Fabel vom Leiden am Kapitalismus* in: *Deutsche Zeitung*, 9. Juni 1972

Baumgart, Reinhard, *Magie und Lust am Untergang* in: *Baseler Nachrichten*, 11. August 1973

Bohrer, Karl Heinz, *Ein Sturz ohne Held und Höhe* in: *Frankfurter Allgemeine Zeitung*, 28. April 1973

Buch, Hans Christoph, *Phoebe Zeitgeist am Bodensee* in: *Neue Rundschau* Nr. 3, 1973, S. 551–553

Hartmann, Horst, *Letzte Reise des Anselm Kristlein* in: *Die Tat*, 9. Juni 1973

Hartung, Harald, *Die große Wortwut des Martin Walser* in: *Der Tagesspiegel*, 20. Mai 1973

Kielinger, Thomas, *Mit dem Segelschiff über die Alpen* in: *Die Welt*, 17. Mai 1973

Laemmle, Peter, *Leben im widrigen Element* in: *Frankfurter Rundschau*, 9. Juni 1973

Matt, Beatrice von, *Exit Anselm Kristlein* in: *Neue Züricher Zeitung*, 5. August 1973

Ramsegger, Georg, *Vergessen, was gespielt wird* in: *National Zeitung* (Basel), 12. Mai 1973

Ross, Werner/Kaiser, Joachim, *Martin Walsers Labyrinth* in: *Merkur* Heft 8, August 1973, S. 774–783

Schulz-Gerstein, Christian, *Das Ende vom Anfang* in: *Die Zeit*, 18. Mai 1973

Schwenk, Hartmut, *Zwanghaftes Beschreiben von Zwängen* in: *Stuttgarter Zeitung*, 14. April 1973

Strech, Heiko, *Anselm Kristleins mögliches Ende* in: *Tagesanzeiger*, Zürich, 16. August 1973

Ude, Karl, *Martin Walser im Tukankreis* in: *Süddeutsche Zeitung*, 21. März 1973

Wapnewski, Peter, *Kristlein am Kreuz* in: *Der Spiegel*, 21. Mai 1973

Werth, Wolfgang, *Anselm nimmt Abschied* in: *Deutsche Zeitung*, 11. Mai 1973

Worthmann, Joachim, *Odysseus irrt durch Bayern. Eine Figur wird begraben* in: *Kölner Stadtanzeiger*, 18. August 1973

16 Zu *Das Sauspiel*

Burkhardt, Werner, *Mein Gott, Rosi* in: *Süddeutsche Zeituung*, 22. Dezember 1975

Hamm, Peter, *Martin Walser und die Reaktion (auf sein Sauspiel)* in: *konkret*, Monatszeitschrift für Politik und Kultur, 29. Januar 1976

Henrichs, Benjamin, *Nabelschau mit viel Musik*, in: *Die Zeit*, 26. Dezember 1975

Ignée, Wolfgang, *Heldengedrängel* in: *Stuttgarter Zeitung*, 22. Dezember 1975

Karasek, Hellmuth, *Selbstzweifel hinter Butzenscheiben* in: *Der Spiegel*, 29. Dezember 1975

Lange, Mechthild, *Leider nur: Bildungstheater* in: *Frankfurter Rundschau*, 23. Dezember 1975

Retzlaff, Rudolf, *Das Dilemma der Perspektive* in: *die tat*, 9. Januar 1976

Schloz, Günther, *Die blinden Zuhälter der Macht* in: *Deutsche Zeitung*, 26. Dezember 1975

Schulze, Hartmut, ›*Das Sauspiel‹. Die Martin Walser-Uraufführung in Hamburg* in: *Deutsche Volkszeitung*, 8. Januar 1976

Wagner, Klaus, *Der Elefant auf der Schubkarre* in: *Frankfurter Allgemeine Zeitung*, 22. Dezember 1975

17 Zu *Jenseits der Liebe*

Becker, Rolf, *Der Sturz des Franz Horn* in: *Der Spiegel*, 5. April 1976

Chotjewitz, Peter O., *Die Erinnerungen des Franz H. Mißglückte Beziehungen, enttäuschte Träume und Schuldgefühle – Die hoffnungslose Existenz eines Kleinbürgers* in: *Nürnberger Nachrichten*, 1. April 1976

Fuchs, Gerd, *In sich selbst verbissen* in: *Deutsche Volkszeitung*, 15. April 1976

Gerhard, Peter W., *Martin Walser: Jenseits der Liebe* in: *Neue Deutsche Hefte*, Nr. 2, 1976, S. 373–374

Leier, Manfred, *Geschäft ist Geschäft* in: *Stern*, 11. März 1976

Matt, Beatrice von, *Porträt eines Abgewirtschafteten* in: *Neue Züricher Zeitung*, 8./9. Mai 1976

Meidinger-Geise, Inge, *Zusatz-Studie* in: *Frankfurter Hefte*, Heft 12, Dezember 1976

Michaelis, Rolf, *Leben aus zweiter Hand* in: *Die Zeit*, 26. März 1976

Reich-Ranicki, Marcel, *Jenseits der Literatur* in: *Frankfurter Allgemeine*

Zeitung, 27. März 1976

Rothschild, Thomas, *Drohung des Abstiegs* in: *Evangelische Kommentare*, Juli 1976

Schafroth, Heinz F., *Nicht Schritt gehalten mit seinem Abstieg* in: *Schweizer Monatshefte*, Juli 1976, S. 358–362

Schmidt, Aurel, *Das Ende eines Angestellten* in: *Baseler Nationalzeitung*, 3. April 1976

Schütte, Wolfram, *Von Alltagsfreundlichkeiten* in: *Frankfurter Rundschau*, 10. April 1976

Vormweg, Heinrich, *Franz Horn gibt auf* in: *Merkur* Heft 5, Mai 1976

Wallmann, Jürgen P., *Das verdorrte Leben des Franz Horn* in: *Mannheimer Morgen*, 1. April 1976

Werth, Wolfgang, *Kapital tötet die Liebe oder: ein Mann von fünfzig Jahren* in: *Deutsche Zeitung, Christ und Welt*, 7. Mai 1976

18 Zu *Das fliehende Pferd*

Arnold, Heinz Ludwig, *Die Verstörung von Urlaubsgefühlen* in: *Deutsches Allgemeines Sonntagsblatt*, 12. März 1978

Ayren, Armin, *Martin Walser: Ein fliehendes Pferd* in: *Neue Deutsche Hefte*, Nr. 158, 1978, S. 357–361

Bachmann, Dieter, *Die Lebensbitterkeit erträglich machen* in: *Die Weltwoche*, 25. März 1978

Baumgart, Reinhard, *Überlebensspiel mit zwei Opfern* in: *Der Spiegel*, 27. Februar 1978

Bock, Hans Bertram, *Rodeo auf dem Bodensee* in: *Nürnberger Nachrichten*, 2. März 1978

Boie, Kirstin, *Ist Gallistl jetzt integriert?* in: *die tat*, 21. April 1978

Dittberner, Hugo, *Einer, der nichts (alles) zugibt* in: *Frankfurter Rundschau*, 4. März 1978

Grack, Günther, *Studienrat Halm, Mitte 40, auf der Flucht* in: *Der Tagesspiegel*, 14. Mai 1978

Helwig, Werner, *Martin Walsers Meisternovelle* in: *Frankfurter Hefte*, Nr. 7, 1978, S. 75–77

Henrichs, Benjamin, *Narziß wird fünfzig* in: *Die Zeit*, 24. Februar 1978

Kaiser, Joachim, *Martin Walsers blindes Glanzstück* in: *Merkur*, Nr. 8, 1978, S. 828–838

Lodemann, Jürgen, *Urlaubsbegegnung zweier Panzerschiffe* in: *Badische Zeitung*, 1. März 1978

Maus, Sibylle, *Die Frauen sind wichtiger als die Männer* in: *Stuttgarter Nachrichten*, 10. März 1978

Neumann, Nicolaus, *Ein Dichter schlägt zurück* in: *Der Stern*, 13. Juli 1978

Ploetz, Dagmar, *Das erzählte Abenteuer* in: *Deutsche Volkszeitung*, 6. April 1978

Reich-Ranicki, Marcel, *Martin Walsers Rückkehr zu sich selbst* in: *Frankfurter Allgemeine Zeitung*, 4. März 1978

Ritter, Roman, *Kleinbürger sind auch nur Menschen* in: *UZ*, 18. Mai 1978

Rotzoll, Christa, *Das ist ein Männerstück* in: *Welt am Sonntag*, 26. März 1978

Schmidt, Aurel, *Martin Walser, das Leiden und das Eingespielte* in: *Baseler Zeitung*, 4. März 1978

Schyle, Hans Joachim, *Zwei Ehemänner in der Krise* in: *Saarbrücker Zeitung*, 3. März 1978

Strech, Heiko, *Halbzeit am Bodensee* in: *Rheinische Post*, 25. März 1978

Wapnewski, Peter, *Männer auf der Flucht* in: *Deutsche Zeitung Christ und Welt*, 10. März 1978

Werth, Wolfgang, *Zwei Männer gleiten über den Bodensee* in: *Süddeutsche Zeitung*, 25. Februar 1978

Zehm, Günter, *Der Oberstudienrat im Clinch mit einem Fliegengewicht* in: *Die Welt*, 21. März 1978

19 Zu *Seelenarbeit*

Ayren, Armin, *Die Leiden des Chauffeurs Zürn* in: *Badische Zeitung*, 16. März 1979

Becker, Rolf, *Bleiben nur die Russen* in: *Der Spiegel*, 12. März 1979

Dettmering, Peter, *»Seelenarbeit«* in: *Merkur*, Heft 9, September 1979, S. 911–914

Dittberner, Hugo, *Der abgeschmetterte Fahrer* in: *Frankfurter Rundschau*, 24. März 1979

Greiner, Ulrich, *Der gute Hirte Martin Walser* in: *Frankfurter Allgemeine Zeitung*, 17. März 1979

Grössel, Hans, *Untergebenheit und Leiden eines Knechtes* in: *Tagesanzeiger*, Zürich, 21. März 1979

Hamm, Peter, *Das Prinzip Heimat* in: *Die Zeit*, 16. März 1979

Högemann-Ledwohn, Elvira, *Mühselige Arbeit gegen den Knechtssinn* in: *Kürbiskern*, Heft 3, 1979, S. 137–140

Kaiser, Joachim, *Tägliche Gemeinheiten und hypochondrischer Witz* in: *Süddeutsche Zeitung*, 3. März 1979

Kobald, Michael, *Die Einsichten des Xaver Zürn* in: *UZ* 5. Mai 1979

Lodemann, Jürgen, *Die Not der Schweigsamen* in: *Nürnberger Nachrichten*, 12. April 1979

Lüdke, W. Martin, *Schlecht zu verdauen?* in: *Frankfurter Hefte*, Nr. 10, Oktober 1979, S. 66–68

Mattenklott, Gert, *Ein Dichter als Chauffeur* in: *Deutsche Volkszeitung*, 24. Mai 1979

Nef, Ernst, *Die alltägliche Deformation des bürgerlichen Heldenlebens* in: *Schweizer Monatshefte* Heft 7, 1979, S. 565–569

Pawlik, Peter, *Die Faust im Sack* in: *Die Weltwoche*, Zürich, 14. März 1979

Ramsegger, Georg, *Gelobt wie ein Hund* in: *Allgemeine Zeitung*, Mainz, 9. März 1979

Reinhold, Ursula, *Zu Martin Walsers Seelenarbeit* in: *Sinn und Form*, 32, 1980

Schmidt, Aurel, *Martin Walsers neuer Roman: Zu Seelenarbeit verdammt* in: *Baseler Zeitung*, 17. März 1979

Schulze, Hartmut, *Diesseits der Liebe* in: *konkret*, Mai 1979

Skasa-Weiß, Ruprecht, *Walser bleibt, Heilandzack, Walser* in: *Stuttgarter Zeitung*, 28. Juli 1979

20 Zu *Das Schwanenhaus*

Arnold, Heinz Ludwig, *Jenseits der Realität* in: *Nürnberger Nachrichten*, 28. August 1980

Blöcker, Günter, *Über die Erbötigkeit der Wörter* in: *Frankfurter Allgemeine Zeitung*, 23. August 1980

Elsner, Gisela, *Neigung zum Ausverkauf* in: *Literatur konkret* (Hamburg), Oktober 1980

Engel, Peter, *Das Glück des Unterlegenen* in: *Eßlinger Zeitung*, 25. September 1980

Frankfurter, Johannes, *Martin Walsers neuester Roman voll von Ironie und Resignation* in: *Neue Zeit* (Graz), 19. September 1980

Glanz, Alexandra, *Dialektik eines Seelenarbeiters* in: *Badische Neueste Nachrichten*, 18. Oktober 1980

Hartl, Edwin, *Komödienspiel bis zum Selbstbetrug* in: *Presse* (Wien), 23. August 1980

Henscheid, Eckhard, *Geld macht dumm und immer dümmer* in:*Frankfurter Rundschau,* 23. August 1980

Hübsch, Hadayatullah, *Das bedeutungsvolle Scheitern des Gottlieb Zürn* in: *Heidelberger Tageblatt,* 18. Oktober 1980

Ignée, Wolfgang, *Langgezogene Klage über das Heimatland* in:*Stuttgarter Zeitung,* 30. August 1980

Karasek, Hellmuth, *Gott oder doch nur Gottlieb?* in: *Der Spiegel,* 11. August 1980

Laemmle, Peter, *Etüde für die linke Hand* in: *Lesezeichen,* Zeitschrift für neue Literatur, Frankfurt, Herbst 1980

Löffler, Sigrid, *Vom Makel der Markelei* in: *Profil* (Wien), 11. August 1980

Lüdke, Martin W., *Maulhelden aus der Provinz* in: *Die Zeit,* 5. September 1980

Nef, Ernst, *Das bürgerliche Bewußtsein: hilflos* in: *Schweizer Monatshefte,* Dezember 1980, S. 1044–1045

Pawlik, Peter, *Die Verurteilung der Lebensklugheit* in: *Badische Zeitung,* 14. August 1980

Reitze, Paul F., *Grüß Gott, Herr Hohentwiel* in: *Rheinischer Merkur,* 22. August 1980

Roth, Wilhelm, *Auf allen Vieren* in: *Spandauer Volksblatt* (Berlin), 26. Oktober 1980

Schultheiß, Helga, *Am liebsten Eroika gekichert* in:*Nürnberger Zeitung,* 16. August 1980

Seybold, Eberhard, *Der Sprengmeister kommt an den Bodensee* in:*Frankfurter Neue Presse,* 10. September 1980

Strech, Heiko, *Die Traumarbeit eines Parsifal* in:*Rheinische Post,* 16. August 1980

Ulrich, Jörg, *Wieder ein Gesang auf die Schwachen und Untüchtigen* in: *Münchner Merkur,* 23. Augsut 1980

Villon-Lechner, Alice, *Überlegenheit eines Unterlegenen* in: *Die Weltwoche,* 20. August 1980

Vormweg, Heinrich, *Ein paar Tage im Leben des Maklers Dr. Zürn* in: *Süddeutsche Zeitung,* 10. August 1980

Quellen-Nachweise
und Copyright-Vermerke:

Hermann Bausinger: *Der Realist Walser.* © Hermann Bausinger.

Ein Gespräch mit Martin Walser in Neuengland. Aufgezeichnet von Monika Totten. Aus: *Basis. Jahrbuch für deutsche Gegenwartsliteratur 10*, Frankfurt (Main) 1980, S. 194–215. © Monika Totten.

»Wie tief sitzt der Tick, gegen die Bank zu spielen?« Interview mit Martin Walser [geführt von Roland Lang]. Aus Literatur konkret, Herbst 1980, S. 29–34. © Roland Lang.

Erhard Schütz: *Von Kafka zu Kristlein.* Originalbeitrag. © Suhrkamp Verlag.

Thomas Beckermann: *Epilog auf eine Romanform. Martin Walsers Roman ›Halbzeit‹. Mit einer kurzen Weiterführung, die Romane ›Das Einhorn‹ und ›Der Sturz‹ betreffend.* Aus: Manfred Brauneck (Hg.): *Der deutsche Roman im zwanzigsten Jahrhundert.* Bamberg 1976, S. 31–57. © Thomas Beckermann.

Rainer Nägele: *Zwischen Erinnerung und Erwartung. Gesellschaftskritik und Utopie in Martin Walsers ›Einhorn‹.* Aus: *Basis. Jahrbuch für deutsche Gegenwartsliteratur 3*, Königstein (Ts.) 1973, S. 198–213. © Akademische Verlagsgesellschaft Athenaion.

Kurt Batt: *Fortschreibung der Krise: Martin Walser.* Aus: *Die Exekution des Erzählers. Westdeutsche Romane zwischen 1968 und 1972.* Frankfurt (Main) 1974, S. 84–92. © Ph. Reclam jun., Leipzig.

Klaus Siblewski: *Eine Trennung von sich selbst. Zur ›Gallistl'schen Krankheit‹.* Aus: Erhard Schütz, Jochen Vogt u. a. (Hg.): *Einführung in die deutsche Literatur des 20. Jahrhunderts.* Bd. 3. Opladen 1980, S. 130–139. © Westdeutscher Verlag.

Volker Bohn: *Ein genau geschlagener Zirkel. Über ›Ein fliehendes Pferd‹.* Originalbeitrag. © Suhrkamp Verlag.

Werner Brändle: *Das Theater als Falle. Zur Rezeption der dramatischen Stücke Martin Walsers.* Originalbeitrag. © Suhrkamp Verlag.

Peter Laemmle: *»Lust am Untergang« oder radikale Gegen-Uto-*

pie? ›Der Sturz‹ und seine Aufnahme in der Kritik. Aus: Text +
    Kritik, Heft 41/42 *(Martin Walser)* 1974, S. 69–75. © Peter
    Laemmle.
Ursula Bessen: *Martin Walser – ›Jenseits der Liebe‹*. Originalbei-
    trag. © Suhrkamp Verlag.
Martin Walser: *Nachruf auf einen Verstummten*. © Suhrkamp
    Verlag.

st 2001 Brechts »Leben des Galilei«
Herausgegeben von Werner Hecht

Erstmals vor fast zwei Jahrzehnten erstellte Werner Hecht einen Materialienband zu Bertolt Brechts *Leben des Galilei*. Daß die Rezeption eines literarischen Werkes Bestandteil seiner Geschichte, seines Fortlebens in der Zeit sei, gilt heute wie damals. Die Neubearbeitung des alten Materialienbandes unternimmt die Verbindung des Aktuellen mit der Tradition, indem sie einerseits das Verbürgte und Beständige wieder bezeugt, andererseits Veränderungen in der Einschätzung, Entwicklungen in Forschung und Theaterpraxis sowie neuen philologischen Funden gerecht wird.

st 2002 Thomas Bernhard, Werkgeschichte
Herausgegeben von Jens Dittmar

Bernhards großem und bereits singulärem Werk – seinen Anfängen und seiner Entwicklungslinie – gilt der zweite Band der neuen Materialienreihe des Suhrkamp Verlages: eine Werkgeschichte, die sowohl germanistischen als auch außerfachlichen Ansprüchen Rechnung trägt. Sie erfaßt alle Texte, die als Einzelveröffentlichungen, in Zeitschriften oder Anthologien erschienen sind und gibt eine Auswahl der kritischen Stimmen mit dem Ziel, das Spektrum möglicher Standpunkte, aber auch Stereotypien der Literaturkritik sichtbar zu machen. Die Werkgeschichte dient damit gleichzeitig als Lesebuch und als Bibliographie der Primär- und Sekundärliteratur.

st 2003 Über Martin Walser
Herausgegeben von Klaus Siblewski

Martin Walser hat seit den Anfängen der Bundesrepublik auf deren Entwicklung schreibend reagiert. Darüber eingehend Aufschluß zu geben, hat sich der neue Materialienband über Martin Walser zum Ziel gesetzt. Bei allen literarischen Detailfragen – nach Romanaufbau oder Sprach-

kritik – steht Martin Walser als ein Autor von Gesellschaftsromanen, von politischen und sozialen Dramen im Vordergrund der hier vorgelegten Untersuchungen. Eingeleitet
wird dieser Band mit einem literarischen Porträt. Ihm folgen Interviews und exemplarische Studien zum Roman-
Werk und zur Rezeption seiner Dramen sowie des Romans
Jenseits der Liebe. Die Faksimilierung fast aller Romananfänge in Manuskriptform – darunter der ersten drei Fas-
sungen von Kapitel I des *Sturzes* – gewährt erstmals Einblick in die Werkstatt des Dichters.

st 2004 Über Peter Handke
Herausgegeben von Raimund Fellinger

Im deutschen Sprachraum wie international hat das literarische Werk Peter Handkes ein großes Echo hervorgeru-
fen. Im Zentrum des neuen Materialienbandes stehen de-
taillierte und umfassende Analysen der einzelnen Werke.
Ein zweiter Teil gilt einmal der Untersuchung übergreifen-
der Zusammenhänge: der Zusammenhänge zwischen Werken
aus einer bestimmten Periode, zwischen Texten verschiedener Genres. Zum andern werden hier aber auch die Unterschiede in den Schreibhaltungen herausgearbeitet. Der dritte
Teil gibt ein Bild der bisherigen Rezeptionsgeschichte und
ihrer Phasen. Den Band beschließt eine komplette Bibliographie der Primär- und Sekundärliteratur.